D1316010

Des vies en mieux

DU MÊME AUTEUR

Fendre l'armure, Le Dilettante, 2017 ; J'ai lu, 2018.
Des vies en mieux, J'ai lu, 2015.
La vie en mieux, Le Dilettante, 2014.
Billie, Le Dilettante, 2013.
La Consolante, Le Dilettante, 2008 ; J'ai lu, 2010.
Ensemble, c'est tout, Le Dilettante, 2004 ; J'ai lu, 2005.
Je l'aimais, Le Dilettante, 2002 ; J'ai lu, 2004.
L'Échappée belle, France Loisirs, 2001 ; éd. revue
Le Dilettante, 2009 ; J'ai lu, 2012.
Je voudrais que quelqu'un m'attende quelque part,
Le Dilettante, 1999 ; J'ai lu, 2001.

JEUNESSE
35 kilos d'espoir, Bayard Jeunesse, 2002.

ANNA GAVALDA

Des vies en mieux

Billie, Mathilde et Yann

J'AI LU

BILLIE

aux clandestins

On s'est regardés méchamment. Lui parce qu'il devait penser que tout était de ma faute et moi parce que ce n'était pas une raison pour me regarder comme ça. Des bêtises, j'en ai tellement fait depuis qu'on se connaît, et il en a tellement profité, et il s'est tellement marré grâce à moi, que c'était minable de sa part de me reprocher celle-ci juste parce qu'elle allait mal finir...

Merde, comment je pouvais le savoir ?

Je pleurais.

— Ça y est ? T'as des remords ? il a murmuré en fermant les yeux. Non... Je suis bête... Les remords, tu...

Il était trop épuisé pour avoir la force de m'en vouloir jusqu'au bout. Et puis c'était inutile. Là-dessus, on serait toujours d'accord. Moi, les remords, je ne sais même pas comment ça s'écrit.

Nous étions au fond d'une crevasse ou de je ne sais quoi de géographiquement très embêtant. Un genre de... de déboulis dans le Parc national des Cévennes où les portables ne captaient pas, où y avait pas la queue d'un mouton – et encore moins celle d'un berger – et où personne ne nous trouverait jamais. Moi, je m'étais bien amoché le bras, mais je pouvais encore le bouger, alors que lui, c'était clair, il était en mille morceaux.

J'ai toujours su qu'il était courageux, mais là, vraiment, il me donnait une leçon.

Encore une…

Il était allongé sur le dos. Au début, j'avais essayé de lui bricoler un oreiller avec mes pompes, mais vu qu'il est quasi tombé dans les pommes quand j'ai soulevé sa tête, je l'ai reposée direct et je n'y ai plus touché. C'est le seul moment où il a flippé d'ailleurs, il pensait que sa moelle avait trinqué et il était tellement terrifié à l'idée de finir intouchable qu'il m'a soûlée pendant des heures pour que je l'abandonne dans ce trou ou que je l'abrège.

Bon. Comme j'avais rien sous la main pour le buter proprement, on a joué au docteur.

Hélas, on ne s'était pas rencontrés assez tôt, tous les deux, pour y jouer en cachette, mais c'est sûr qu'on n'aurait pas été les derniers dans la salle d'attente… De le lui rappeler, ça l'a amusé et ça tombait bien parce que moi, que ce soit en enfer ici ou de l'autre côté, c'était tout ce que je voulais emporter : des petits sourires déjà mort-nés et tirés à l'arrache comme celui-là.

Le reste, franchement, ça pourra bien rester à la consigne…

Je l'ai pincé partout et de plus en plus fort. Dès qu'il souffrait, je bichais. C'était la preuve que le cerveau s'en mêlait et que je n'aurais pas besoin de rouler son fauteuil jusqu'à Saint-Pierre. Sinon, pas de problème, j'étais OK pour lui défoncer le crâne. Je l'aimais assez.

— Bon, ben ça a l'air d'aller... Tu fais que de couiner, c'est que tout baigne, non ? À mon avis, en plus de la jambe, tu t'es cassé la hanche ou le bassin. Enfin, un truc dans ce périmètre, quoi...

— Mhmm...

Il n'avait pas l'air convaincu. On sentait que quelque chose le chiffonnait. On sentait que je n'étais pas du tout crédible sans ma blouse blanche et mon trucoscope autour du cou. Il regardait le ciel en fronçant les sourcils et en mâchouillant sa vieille chique de scrogneugneux.

Je lui connaissais bien cet air-là, je les connaissais tous de toute façon, et je comprenais qu'il y avait encore un nœud à défaire.

C'était le mot, tiens...

— Naaan, Francky, naaan... j'ai halluciné. J'y crois pas... Hé, tu veux quand même pas que je te tripote pour la checker aussi ?

— ...

— Si ?

Je le voyais bien, qui luttait de toutes ses forces pour garder son faciès de mourant, mais moi, mon problème, c'était pas du tout une question de convenances. Plutôt d'efficacité. L'heure était grave et je pouvais quand même pas prendre le risque de lui régler son compte juste parce que j'étais pas son genre.

— Ho... C'est pas que je veux pas, hein ? Mais enfin, tu...

Je me faisais penser à Jack Lemmon dans la dernière scène de *Certains l'aiment chaud*. Comme lui, je commençais à être à bout d'arguments et je devais dégoupiller ce que j'avais de plus définitif en magasin pour qu'on arrête de me casser les couilles :

— Je suis une fille, Franck...

Et là, vous voyez... là, si j'étais en train de donner une conférence très approfondie sur l'Amitié, genre en coupe transversale avec schémas, diapos, mini bouteilles d'eau et tout le bazar pour expliquer d'où ça venait, en quelle matière c'était fait et comment se méfier des contrefaçons, eh bien, je demanderais un arrêt sur image et avec ma souris de prof, je pointerais sa réplique.

Ces trois petits mots tout crevards et tout guillerets murmurés dans un sourire hyper mal imité par un être humain qui ne savait même pas s'il allait vivre ou mourir, ou continuer de souffrir, mais sans plus jamais baiser :

— *Well... Nobody's perfect...*

Oui, pour une fois, j'aurais été sûre de moi et tant pis pour ceux qui ne l'ont pas vu, qui ne comprennent rien au film et qui ne sauront donc jamais reconnaître un pur ami d'un pauvre travelo, je ne peux rien faire pour eux.

Alors que là, parce que c'était lui, parce que c'était moi, et parce que nous arrivions encore à voltiger ensemble et à nous rattraper dans les hauteurs dans un moment aussi minable, je l'ai enjambé pour pouvoir poser mon bras valide sur son bas-ventre.

Je l'ai juste frôlé.

— Bon, il a grogné au bout d'un moment, je te demande pas le grand jeu, mémère... Juste tu la touches et on n'en parle plus.

— J'ose pas...

Il a poussé un profond soupir.

Je comprenais son accablement. Ensemble, nous avions vécu des situations tellement plus embarrassantes où j'avais été si peu à mon avantage et je l'avais bercé de tant d'histoires bien fauves, bien rêches et bien chaudasses que, là encore, je n'étais pas du tout crédible...

Mais alors pas du tout, du tout, du tout !

Pourtant ce n'était pas du chiqué... Je n'osais pas.

On ne peut jamais savoir à l'avance où va aller se nicher le sacré. La main toujours en équilibre, je réalisai soudain qu'il y avait un monde entre mes histoires de cul et sa tobinette. J'aurais bien pu toutes les palper s'il avait fallu, mais pas la sienne, non, pas la sienne et cette leçon-là, c'était moi qui me la donnais toute seule pour une fois.

J'ai toujours su que je l'adorais, mais je n'avais encore jamais eu l'occasion de mesurer à quel point je le respectais, eh bien, la réponse, je la tenais, elle : quelques millimètres.

Soit l'infini de ma pudeur. De notre pudeur.

Bien sûr, je savais déjà que je n'allais pas me laisser entraver très longtemps par cette gêne de minouchette à la con, mais en attendant, j'étais la première étonnée. Sérieux, ça me trouait le péteux de me voir si délicate. Intimidée, craintive, presque revierge, quoi. C'était Noël.

Bon. Allez. Trêve de blabla. Au charbon, la pucelle...

Pour le détendre, j'ai commencé par pianoter autour de son nombril en chantonnant « Picoti, picota, lève la queue et puis s'en va », mais ça ne l'a pas tellement détendu. Ensuite je me suis allongée près de lui, j'ai fermé les yeux, j'ai posé mes lèvres sur son conduit... euh... auditif, je me suis concentrée et je lui ai susurré tout bas, non, plus bas que ça encore, en lui explosant des bulles de salive dans l'oreille et avec tout ce qu'il fallait de petits couinements bien énervants, ce que je devinais être le pire ou le meilleur de ses fantasmes les mieux cadenassés tout en longeant d'un ongle distrait, paresseux, démotivé, bon... branleur disons-le, le U que formaient les coutures de sa braguette.

Les poils de ses oreilles se rétractaient de terreur et mon honneur était sauf.

Il a pesté. Il a souri. Il a ri. Il a dit t'es bête. Il a dit arrête. Il a dit t'es con. Il a dit c'est bon. Il a dit mais tu vas arrêter, oui ! Il a dit je te déteste et il a dit je t'adore.

Mais tout ça c'était il y a longtemps. Quand il avait encore la force de finir ses phrases et que je ne pensais pas qu'avec lui, je pleurerais un jour.

À présent, la nuit tombait, j'avais froid, j'avais faim, je mourais de soif et je craquais parce que je ne voulais pas qu'il souffre. Et si j'étais un peu honnête, je les finirais moi aussi et j'ajouterais « par ma faute » à la fin.

Mais je ne suis pas honnête.

J'étais assise près de lui, adossée à un rocher, et je me fanais tout doucement.

Je m'effeuillais remords après remords.

Au prix d'un effort dont je n'aurai jamais idée, il a décollé son bras de son corps et sa main est venue toucher mon genou. J'ai posé la mienne dessus et ça m'a encore plus affaiblie.

Je n'aimais pas qu'il me prenne par les sentiments, ce petit charognard. C'était déloyal.

Au bout d'un moment, je lui ai demandé :
— C'est quoi, ce bruit ?
— ...
— Tu crois que c'est un loup ? Tu crois qu'y a des loups ?
Et comme il ne répondait pas, j'ai hurlé :
— Mais réponds, bon sang ! Dis-moi quelque chose ! Dis-moi oui, dis-moi non, dis-moi va te faire foutre, mais me laisse pas toute seule... Pas maintenant... Je t'en supplie...

Ce n'était pas à lui que je m'adressais, c'était à moi. À ma bêtise. À ma honte. À mon manque d'imagination. Lui ne m'aurait jamais abandonnée et s'il se taisait, c'était uniquement parce qu'il avait perdu connaissance.

Pour la première fois depuis très longtemps, son visage ne ressemblait plus à un reproche et l'idée qu'il devait moins souffrir m'a redonné du courage : d'une façon ou d'une autre, j'allais nous sortir de là, c'était obligé. Nous n'avions pas fait tout ce chemin pour nous la jouer *Into the Wild* aux petits pieds dans un trou de la Lozère.

Putain, non, ce serait trop la honte…

Je réfléchissais. D'abord, ce n'était pas des loups, mais des cris d'oiseaux. Des chouettes ou je ne sais quoi. Et puis on ne mourait pas d'un corps cassé. Il n'avait pas de fièvre, il ne perdait pas de sang, il douillait, d'accord, mais il n'était pas en danger. Ce que j'avais de mieux à faire pour le moment, c'était de dormir pour prendre des forces et demain, dès l'aube, à l'heure où me regaverait cette merde de campagne, je partirais.

J'irais par cette saloperie de forêt, j'irais par cette saloperie de montagne et je déposerais dans cette combe un putain d'hélico en fleur.

Voilà, c'était dit. J'allais bouger mes fesses et, foi de poétesse, ça allait gîter dans les Causses. Parce que la randonnée en famille, youkaïdi youkaïda, avec des crétins d'ânes bâtés et des bourricots trop stressés, ça allait deux minutes.

Désolée, les gars, mais nous, le Quechua, ça nous gratte.

T'entends, bébé ? T'entends ce que je viens de dire ? Sur ta vie, moi vivante, jamais tu ne caneras en province. Jamais. Plutôt crever.

Je me suis de nouveau allongée, j'ai grogné, je me suis relevée pour balayer ma couchette et virer cette chienlit de cailloux qui me fusillaient le dos avant de me recaler contre lui en position de gisante.

Je n'arrivais pas à m'endormir.

Les petits lutins qui vivaient dans mon cerveau avaient pris trop d'acides.

Là-haut c'était le bagad de Lann-Bihoué remixé techno beat.

L'enfer.

Je gambergeais tellement que je n'arrivais même plus à m'entendre penser et puis j'avais beau le coller et me serrer très fort dans mon bras, j'avais toujours aussi froid.

Je caillais, DJ Grumpy me pétait les trois neurones de vaillance qui me restaient et du coup, des petites larmes plus agiles que les autres en profitaient pour se faufiler en rates.

Ah, putain. J'avais vraiment perdu la main.

Pour les rembarrer, j'ai basculé la tête en arrière et... Et là... Ooohh...

Ce n'était pas tant les étoiles qui me la bouclaient, on en avait déjà vu un paquet depuis qu'on crapahutait par ici, c'était leur chorégraphie. *Plic !* Elles *Gling !* s'allumaient les unes après les autres en cadence. Je ne savais même *Ding !* pas que c'était possible...

Elles brillaient tellement que c'en était presque louche.

Comme si c'était des LED ou des toutes neuves à peine déballées. Comme si quelqu'un avait marché sur le variateur d'intensité.

C'était... magnifique...

Soudain, je n'étais plus seule et je me suis tournée vers Franck pour me moucher sur son épaule.

Hé, oui... un peu de décence, les cassos... On arrête de morver quand le bon Dieu vous prête sa boule à facettes...

Est-ce qu'il existait des grandes marées pour les galaxies comme pour les océans ou est-ce que c'était juste pour moi ? Un big up de la voie lactée ? Une immense rave de fées Clochette venues me saupoudrer un max de poussière d'or sur la tête pour m'aider à recharger les batteries ?

Il en venait de partout et j'avais l'impression qu'elles réchauffaient la nuit. J'avais l'impression de bronzer dans le noir. J'avais l'impression que le monde s'était inversé. Que je n'étais plus au fond de mon gouffre à chipoter ma misère, mais sur une scène.

Oui, d'aussi bas que je me tortillais (que je me tortillasse ?) (bon, que je faisais la crêpe, quoi...), je dominais quelque chose.

J'étais dans une salle de concert immense, un genre de Zénith à ciel ouvert qui allait d'un bout à l'autre de la terre en plein milieu de la chanson qui tue, et tous ces briquets, et tous ces écrans, et tous ces milliers de cierges magiques que les anges tournaient vers moi, j'étais obligée de m'en montrer digne. Je n'avais plus le droit de pleurer sur mon sort et j'aurais tellement voulu que Francky en profite aussi...

Lui non plus n'aurait pas su distinguer la Grande Ourse de la Petite Casserole, mais il aurait été si heureux de voir tant de beauté... Si heureux... Parce que c'était lui, l'artiste de nous deux. C'était grâce à sa sensibilité que nous avions réussi à sortir de nos tas de fumier et c'était pour lui que l'univers avait sorti son smok en lamé.

Pour le remercier.

Pour lui rendre hommage.

Pour lui dire : Toi, petit, on te connaît, tu sais... Si, si, on te connaît... Ça fait un moment qu'on t'observe et on l'a noté que t'étais obsédé par la beauté... Toute ta vie, tu n'as fait que ça : la chercher, la servir et l'inventer. Eh ben, tiens... Regarde... Regarde pour ta peine... Regarde-toi dans ce miroir... Ce soir, on te reverse enfin tes intérêts... Ta copine, elle, elle est vulgaire, elle fait que de cracher partout et de jurer comme une vieille radasse. Je me demande bien qui l'a laissée entrer. Alors que toi... Toi, t'es de la famille... Viens, fils... Viens danser avec nous...

J'étais en train de jacter tout haut.

En toute modestie et pour un garçon qui ne pouvait pas m'entendre, je venais de parler au nom de l'univers !

23

C'était con, mais c'était mignon...

C'était dire à quel point je l'aimais...

Euh... sinon... un dernier truc, monsieur l'Univers... (et en même temps que je disais ça, c'était James Brown que je voyais), non, deux, en fait...

Primo, vous laissez mon ami là où il est... C'est plus la peine de l'appeler, il ne viendra pas. Même si je lui fais honte, y me laissera jamais tomber. C'est comme ça et même vous, vous n'y pouvez rien, deuzio, je m'excuse de parler si mal.

C'est vrai, j'abuse, mais toutes les fois que je vous écorche les oreilles, c'est pas par manque de respect, c'est la rage de ne pas trouver les bons mots assez vite. It's a man's world, you know...

I feel good, il a répondu.

*
* *

Je regardais toutes ces étoiles et je cherchais la nôtre.

Parce que nous en avions une, c'était une certitude. Pas une chacun, malheureusement, mais une pour nous deux. Une petite veilleuse en colocation. Oui, une bonne petite loupiote qui nous avait trouvés le jour où on s'était rencontrés et qui, bon an mal an, avait fait du bon boulot jusque-là.

OK, ces dernières heures, elle avait un peu merdé, mais tout s'était éclairci depuis.

Elle se pomponnait, la Pomponnette.

Elle vidait son spray paillettes de chez Sephorus.

Hé ! Normal, c'était la nôtre ! Elle allait quand même pas tenir la chandelle de l'Éternel pendant que ses copines se barraient au feu d'artifice !

Je la cherchais.

Je les passais toutes en revue pour la trouver parce que j'avais des trucs à lui dire... À lui rappeler...

Je la cherchais pour la convaincre de nous aider encore une fois.

Malgré nous.

Malgré moi, surtout...

Oui. Puisque tout était de ma faute, c'était à moi d'aller lui toquer la pointe pour qu'elle réactive sa hotline.

Les autres, elles étaient belles aussi, mais j'en avais rien à f... pardon, je m'en moquais, alors qu'elle, si je la rebriefais de tout mon cœur, j'étais sûre qu'elle se laisserait de nouveau infléchir...

Je crois que je la tenais.

Je crois que c'était celle-là, tout là-bas...
Posée au bout de mon doigt et à des milliards
d'années de moi...

Toute petite, toute mimi, toute rikiki
Swarovski et légèrement décalée.

Légèrement en retrait du troupeau...

Oui, c'était bien elle. XXS, solitaire et
méfiante, mais qui envoyait tout ce qu'elle
avait. Qui scintillait de toutes ses forces. Qui
était trop contente d'être là. Qui adorait la
chanson et qui connaissait toutes les paroles
par cœur.

Qui se la pétillait groovy dans la nuit...

Qui serait la dernière couchée et la première
levée. Qui sortait tous les soirs. Qui faisait la
fête depuis mille milliards d'années et qui avait
toujours autant d'éclat.

Hein que je me trompais pas ?

Hein que c'était toi ?

Pardon, que c'était vous ?

Dites... Je peux vous parler une minute ?

Je peux vous redire qui on est, Franck et moi, pour que vous nous aimiez encore une fois ?

J'ai pris son silence pour un soupir de résignation, genre hé, vous commencez à me les pâlir, les sauve-qui-peut, mais bon... vous avez de la chance, c'est le slow et j'ai pas de mec. Alors allez-y, je vous écoute. Vendez-moi votre histoire vite fait que je retourne croquer mon Milky Way.

J'ai cherché la main de Franck, je l'ai serrée de toutes mes forces et je suis restée un moment à nous remettre en ordre.

Oui, je nous ai faits tout beaux tout propres, bien cirés et bien peignés pour nous présenter sous notre meilleur jour et après je nous ai lancés en l'air.

Comme Buzz l'Éclair.

Vers l'infini et au-delà...

Franck, il s'appelle Franck parce que sa mère et sa grand-mère adoraient Frank Alamo (*Biche, oh ma biche, Da doo ron ron, Allô Maillot 38-37* et tout ça) (si, si, ça existe...) et moi, je m'appelle Billie parce que ma mère était folle de Michael Jackson (*Billie Jean is not my lover / She's just a girl* etc.).

Autant dire qu'on ne partait pas avec les mêmes marraines dans la vie et qu'on n'était pas programmés pour se fréquenter un jour.

Lui, sa maman et sa mamie se sont tellement bien occupées de lui quand il était petit qu'il leur a offert le cédé du Retour des Yéyés, le concert du Grand Retour des Yéyés, le spectacle musical de Salut les Copains, le dévédé blou-ray, et même la croisière qui allait avec.

Et quand Dadou chéri a cassé sa pipe, il a posé un jour de congé, il est allé les chercher en train, il les a remontées en première et il les a accompagnées sur le parvis de je ne sais plus quelle église.

Tout ça pour les soutenir quand elles ont fredonné *Sur un dernier signe de la main* au moment où ils rechargeaient le cercueil dans le fourgon.

Moi, ma mère, je ne sais pas si elle a eu d'autres gamins après moi qu'elle a appelés Bad ou Thriller ni même si elle a pleuré quand Bambi a sauté dans le vide vu qu'elle s'est barrée quand j'avais même pas un an. (Y faut dire que j'étais très chiante aussi…) (C'est mon paternel qui m'a dit ça un jour : Ta mère elle s'est barrée parce que t'étais trop chiante. C'est vrai, tu faisais que de brailler tout le temps…) (Hé ! Je sais pas combien de psys y faudrait user pour éponger une explication pareille, mais un bon paquet, si vous voulez mon avis !)

Oui, un matin, elle est partie et n'a plus jamais donné signe de vie…

Ma belle-mère, elle, elle a jamais aimé mon prénom. Elle disait que ça faisait mauvais garçon et là-dessus, c'est sûr, j'ai jamais eu le cœur de la contrarier… De toute façon, faut pas compter sur moi pour lui tailler un costard. C'est vrai que c'est une crevure, mais c'est pas vraiment de sa faute non plus. Et puis ce soir, je ne suis pas là pour elle. Chacun sa merde.

Bon. Voilà, petite étoile, ce sera tout pour l'enfance.

Franck, il en parle très rarement et quand il en parle, c'est uniquement pour s'en éloigner. Et moi, j'en ai pas eu.

Déjà, que j'aime encore mon prénom, vu mes circonstances, je trouve que c'est un exploit.

Y avait que le génie de Michael pour réussir une pirouette pareille…

*
* *

Franck et moi, on allait au même collège, mais il a fallu attendre la troisième pour qu'on s'adresse la parole. C'est-à-dire la seule année où on a été dans la même classe. On s'est avoué depuis qu'on s'était repérés dès le matin du jour de la rentrée en sixième. Oui, qu'on s'était reconnus au premier coup d'œil, mais qu'inconsciemment, on s'était évités pendant toutes ces années parce qu'on sentait que l'autre se trimbalait du lourd aussi et qu'on ne pouvait prendre le risque de souffrir un milligramme de plus.

C'est vrai que moi, je recherchais surtout la compagnie des filles du style Polly Pocket. Des toutes mignonnes avec des cheveux longs, une chambre pour elles toutes seules, des paquets de gâteaux de marque et une maman qui signait bien les carnets de correspondance. Je faisais tout ce que je pouvais pour qu'elles m'aient à la bonne et qu'elles m'invitent chez elles le plus souvent possible.

Hélas, y avait toujours un moment où j'avais moins la cote... Les mois d'hiver surtout... Je ne l'ai compris que beaucoup plus tard, mais c'était surtout une question de... de ballon d'eau chaude et que de... qu'aussi que... d'odeur... de... putain... mais hé, j'en bafouille dans ma tête tellement la honte me reprend. Bon. Next.

Pendant toutes ces années, j'ai tellement menti sur mon compte que j'étais obligée de me faire des genres de récapitulatifs pour ne pas m'embrouiller d'une rentrée sur l'autre.

Chez moi, j'étais un lion qui bouffait que de la vache enragée parce qu'y avait que ça à bouffer, mais à l'école, j'ai toujours été calme. De toute façon, j'aurais pas eu l'énergie nécessaire pour être sur la défensive 24 heures sur 24. Il faut l'avoir vécu pour le comprendre, mais ceux qui l'ont vécu, ils savent exactement de quoi je parle : la défensive... Toujours, toujours... Et surtout quand c'était calme... Les moments de calme, c'était les pires, ça voul... Hof, et puis non... On s'en fout.

Un jour, en cours d'histoire-géo, le prof, M. Dumont, m'a renseignée sans le savoir sur ma vie. Le quart monde, il a dit. Il en a parlé comme ça, comme de l'exportation des richesses ou de l'ensablement du mont Saint-Michel, mais moi, je me souviens, j'avais rougi de honte. Je ne savais pas qu'il existait dans le dictionnaire un mot inventé exprès pour désigner le gourbi où je vivais... Parce que je suis bien placée pour le savoir, que ce genre de sous-monde, il se voit pas forcément à l'œil nu. La preuve, les assistantes sociales sont jamais venues... Si t'as pas de marques et si tu vas à l'école tous les jours, la protection de l'enfance, tu lui passes au travers à l'aise et ma belle-mère, je dis pas qu'elle faisait bourgeoise en apparence, mais vraiment, les gens la considéraient quand elle allait au supermarché, ils lui disaient bonjour et les enfants ça va et tout ça.

J'ai jamais su où elle achetait son mazout...

Y en a, c'est la petite souris ou les rennes du père Noël, mais moi, le grand mystère de mon enfance, ça restera ça : ces putains de bouteilles vides, mais d'*où* est-ce qu'elles venaient ? D'où ?

Le grand, grand mystère...

C'est pas l'école de la République qui m'a sortie de là. C'est pas les instits, c'est pas les profs, c'est pas la gentille mademoiselle Gisèle qui nous a préparés pour la communion ni les parents d'élèves toujours en état de choc avec le poids des cartables ou ceux, bien évolués, de mes gentilles petites copines qui écoutaient France Inter et qui lisaient des livres et tout ça, non, c'est lui... (et je le pointais du doigt dans la nuit) c'est Franck Muller.

Oui, lui, là... Cette fiotte de Franck Mumu, qui avait six mois et quinze centimètres de moins que moi, qui perdait l'équilibre à chaque fois qu'on lui donnait une tape sur l'épaule et qui se faisait tout le temps emmerder à l'arrêt des cars. C'est lui qui m'a sauvée...

Lui tout seul.

Franchement, j'en veux à personne, et même là, vous voyez, je vous raconte tout ça et ça va, j'y arrive. C'est loin. C'est tellement loin que c'est même plus vraiment moi, en fait...

Bon, j'avoue, j'ai toujours un petit flash d'angoisse avec les papiers à remplir. Nom des parents, lieu de naissance, tout ça, direct, j'ai le bide qui me lâche, mais ça va, ça passe. Ça passe vite.

Le seul truc, c'est que je ne veux jamais les revoir. Jamais, jamais, jamais... Jamais je ne retournerai là-bas, jamais. À aucun mariage, à aucun enterrement, à rien. D'ailleurs, quand je croise une plaque d'immatriculation qui porte les chiffres de ce département, hop, direct je cherche autre chose du regard pour me remettre à flot.

À une époque – et comme je ne pense pas que j'aurai le temps de vous le raconter cette nuit, je récapitule –, à une époque où je n'arrêtais pas de planter, où mon enfance revenait trop souvent me tabasser par surprise et où j'avais tendance, moi aussi, à bien lever le coude soi-disant pour m'en protéger, j'ai obéi à Franck : j'ai fait reset de force.

J'ai complètement bazardé mon disque dur pour pouvoir me redémarrer en mode sans échec.

Ça a été long et je crois que j'y suis arrivée, mais tout ce que je demande en échange, c'est de ne plus jamais les revoir.

Plus jamais.

Même morts. Même carbonisés. Même en charpie dans un fossé.

Et même là, vous voyez… je vais être honnête pour une fois… Si vous me disiez : OK, je t'envoie deux brancardiers, un jambon-beurre et un pack de San Pellegrino mais en échange, tu fais un petit coucou de la main à ta belle-mère ou à n'importe laquelle de ces raclures, eh ben, je vous dirais non.

Non.

Je vous répondrais non et je trouverais une autre solution que vous pour nous sortir d'ici.

*
* *

Donc, voilà, on fréquentait le même collège d'une petite ville de même pas 3 000 habitants dans une région rurale comme ils disent. Mais « rurale », c'est encore trop joli comme mot. On y voit des collines et des ruisseaux. Le village d'où je viens, la région où j'ai grandi, elle n'avait pas grand-chose de rural. C'était, c'est toujours, un bout de la France qui n'est plus irrigué par rien depuis trop longtemps et qui se gangrène à force.

Oui, qui se putréfie... Qui n'en finit pas de crever... Un pays où les bonnes gens boivent trop, fument trop, croient trop en La Française des jeux et passent trop leur misère sur leur famille et leurs animaux.

Un monde où tout le monde se suicide comme ça : à feu doux et en entraînant les plus faibles derrière eux...

À les entendre, le malaise des jeunes, c'est toujours dans les banlieues que ça se passe, mais à la campagne, ma bonne dame, c'est pas facile tous les jours, vous savez !

Nous, pour brûler des voitures, y faudrait déjà qu'on en voie passer une !

La campagne, quand t'es pas comme tout le monde, c'est encore pire que l'indifférence.

Bien sûr, y aura toujours des genres de touristes, que ce soit de la politique, de trucs associatifs, du bon manger bio ou de je ne sais quoi d'autre de gentiment mytho pour vous dire que j'exagère, mais je les connais, ces gens-là... Oui, je les connais... C'est comme ceux des services sociaux : au bout du compte, y ne voient bien que ce qu'on veut bien leur montrer...

Et je les comprends.

Je les comprends parce que je suis devenue comme eux, moi aussi.

À chaque fois que je vais ou que je reviens de Rungis, c'est-à-dire au moins quatre fois par semaine, je sais exactement où je dois me concentrer sur la route. Oui, y a deux moments précis où je suis à fond sur les bandes blanches et où je fais vraiment super gaffe à mes distances de sécurité. Et vous savez pourquoi ? Parce qu'à ces deux endroits-là, entre Paris et Orly disons, y a deux petits tas de détritus sur le bas-côté. Au ras du bitume.

Bon, c'est vrai, c'est moche, mais le problème, c'est que c'est pas vraiment des décharges en fait... Non, c'est des maisons. C'est des chambres à coucher de petites filles qui sont toujours sur la défensive...

Allez, accélérons. Comme je le disais plus haut : à chacun ses encombrants. Moi, j'ai tellement écopé que je suis devenue un monstre d'égoïsme et mon égoïsme, c'est ce que j'ai de mieux à offrir aux petites Billie de l'autoroute A6.

Matez, les puces, matez-moi bien dans ma vieille estafette toute bignée et remplie de fleurs, je suis la preuve qu'on arrive à ne plus en mourir un jour...

Oui, on s'était repérés, mais on s'évitait depuis toutes ces années parce qu'on était les pestiférés du collège Jacques-Prévert.

Moi parce que j'étais des Morilles (c'est pas le nom d'un bled ou d'un coin à champignons, c'est... je ne sais pas... je n'ai jamais su en fait... une casse... un genre de zone artisanale... un genre de déchèterie où rien n'est trié... tout le monde dit « les Gitans » mais c'était pas des Gitans, c'était juste la famille de ma belle-mère... son père, ses oncles, ses demi-sœurs, mes demi-frères et tout ça... ceux des Morilles, quoi...) et que je me tapais presque deux kilomètres de marche à pied tous les matins et tous les soirs pour aller à un autre arrêt que le mien, le plus loin possible de leur bordel et de mon Home Sweet Mobile-home de peur que les autres gamins ne me laissent plus m'asseoir à côté d'eux dans le car, et lui parce qu'il était trop différent du reste du monde...

Parce qu'il n'aimait pas les filles mais qu'il n'aimait qu'elles, parce qu'il était bon en dessin et nul en sport, parce qu'il était maigrichon et allergique à tout et n'importe quoi, parce qu'il traînait toujours tout seul et complètement barré dans son caisson à rêves et parce qu'il attendait de passer en dernier à la cantine pour éviter le bruit et les bousculades devant les tourniquets.

Je sais, petite étoile, je sais... ça fait vraiment trop cliché en plastique la façon dont je le raconte... Le petit pédé souffreteux et sa Cosette des dépotoirs, j'avoue, ça manque un peu de finesse, mais bon... qu'est-ce que vous voulez que je vous ponde à la place ? Que je me loge dans du dur les mois d'hiver ou que je lui rajoute une mobylette et deux gourmettes pour qu'on ait moins l'air de sortir d'un feuilleton à la con ?

Ben, non... J'aimerais bien, mais je peux pas... Parce que tout ça, c'est nous... C'est l'histoire de notre première vie... Neverland et Dadou Ronron. Rage tendre et tête de bois. Je vais quand même pas me forcer à enjoliver des trucs pour moins faire pleurer la Margot dans sa chaumière...

So, Beat It.

Just Beat It.

En plus, hé ? Ça va, quand même, non ? Je vous ai pas refourgué des attouchements ou des trucs bien glauques dans ce goût-là.

Coup de bol, c'était pas le genre de la maison.

Chez nous, ça tapait dur, mais on ne touchait pas aux petites culottes.

Ouf, ouf, ouf, petite étoile, hein ?

Et puis, vous savez, je ne pense pas qu'on soit si clichés que ça. Je pense que dans tous les collèges de France et d'ailleurs, que ce soit à la campagne

ou dans les villes, y en a plein les salles de permanence, des clandestins dans notre genre.

Des combattants de l'invisible, des délocalisés
d'eux-mêmes, des qui sont en apnée du matin au
soir et qui en crèvent parfois, oui, qui finissent
par lâcher prise si personne les repêche un jour ou
s'ils n'y arrivent pas tout seuls. En plus, je trouve
que je le raconte vraiment soft pour le coup. Pas
pour vous épargner de la gêne ou à moi des cri-
tiques, mais parce que le soir d'un de mes anni-
versaires, celui de mes vingt-deux ans je crois, j'ai
fait reset.

Je me suis réinitialisée devant lui et j'ai juré à
Franck Muller que c'était fini. Que je ne me laisserais plus jamais me faire du mal.

Et la petite Cosette, peut-être qu'elle manque
d'imagination, mais en attendant, elle tient ses
promesses.

*
* *

On s'évitait si bien qu'on aurait pu se louper
pour de bon.

On en était à la fin du deuxième trimestre,
il nous restait encore quelques mois à tirer et
ensuite chacun aurait fait selon son bonus/malus
et ses orientations. Moi je voulais travailler le plus
vite possible et lui... lui, je ne savais pas... Lui,
quand je le regardais de loin, il me faisait penser au Petit Prince... Surtout qu'il avait la même
écharpe jaune... Lui, personne ne pouvait savoir
ce qu'il allait devenir...

Oui, il nous restait encore quelques semaines à nous ignorer et on aurait été débarrassés du fantôme de l'autre et de tout ce qu'il représentait pour toujours.

Sauf que voilà : On a eu droit à un deuxième acte...

Est-ce que c'était Dieu qui avait trop honte de ce qu'il avait laissé faire jusque-là et qui a voulu se rattraper pour soigner ses problèmes de digestion ou est-ce que c'était vous ? Ou est-ce que c'était toi ? Oui, j'en ai marre de te vouvoyer, j'ai l'impression de balancer mon cas à une aiguilleuse du Pôle Emploi. Je ne sais pas qui a fait ça ni pourquoi, mais en tout cas, c'était exactement comme Charlie et son ticket d'or dans la barre de chocolat Wonka. C'était... moins une...

Et là, merde, je rechiale et je me tourne de nouveau contre mon polochon cassé pour pas que ça se voie.

*
* *

On a eu le bonjour d'Alfred et quand je vous disais tout à l'heure que c'était pas l'école ou les profs qui m'avaient sortie des Morilles, j'étais injuste. Parce que si... et vu comme ils m'ont mal aimée, les profs, ça me fait mal aux seins de leur dresser une statue, mais voilà, si... je leur dois bien plus que des moments de répit entre les vacances...

Sans Mme Guillet, professeur de français en classe de troisième cette année-là et sans sa fixette du théâtre et du spectacle *vivant*, comme elle disait, moi, je serais sûrement un genre de zombie à l'heure qu'il est.

On ne badine pas avec l'amour
On ne badine pas avec l'amour

On
ne
badine pas
avec
l'amour

Oh... Comme j'aime le redire, ce titre...

La mère Guillet était venue ce matin-là avec des petites corbeilles en rotin de sa cuisine. Dans la première, les papiers pliés, c'était des scènes à jouer, dans la deuxième des noms de filles de la classe pour faire des Camille et dans la dernière, des garçons-Perdican.

Quand j'ai entendu que le hasard m'avait choisi Franck Mumu pour partenaire de jeu, non seulement je ne savais pas encore que la pièce en question ne parlait pas d'animaux (j'avais compris « Pélican »), mais en plus, je me souviens, je suis partie direct en sucette.

Le tirage au sort avait eu lieu, exprès, la veille des vacances de Pâques pour que nous ayons le temps d'apprendre nos tirades et pour moi, c'était une catastrophe. Qu'est-ce que j'allais pouvoir me concentrer pour apprendre le moindre truc par cœur pendant des putains de vacances ? C'était fichu d'avance. Il fallait que je refuse. Il ne fallait surtout pas qu'il reste avec moi, sinon il aurait une sale note par ma faute. Les vacances, pour moi, c'était synonyme de... du contraire de la possibilité d'un apprentissage de quoi que ce soit. Et là, tout ce blabla à jabot en dentelles et écrit tout petit, c'était même pas la peine d'y penser.

Du coup, quand il s'est approché à la fin du cours, je ne l'ai pas vu arriver parce que j'étais déjà trop partie en torche sur moi-même.

— Si tu veux, on peut se retrouver chez ma grand-mère pour répéter...

C'était la première fois que j'entendais sa voix et... Oh... Oh, mon Dieu... Ça m'a fait tellement de bien... Ça m'a démêlée direct. Ça m'a empêchée de m'étouffer dans mon stress.

Pourquoi ? Parce que ça m'évitait d'avoir à *demander* quelque chose à un adulte...

Comme il a cru que j'hésitais (mais non, c'était juste la perspective de passer quinze jours là-haut), il a ajouté tout timidement :

— Elle était couturière... Elle pourrait peut-être nous faire des costumes...

Je suis allée chez cette dame tous les jours et chaque jour un peu plus longtemps que la veille. J'y ai même dormi une nuit parce qu'il y avait le film *La Parure* à la télé et que Franck m'avait proposé de le voir avec eux.

Côté Morilles, pour une fois, on ne m'a pas trop emmerdée. C'est affreux à dire, mais chez les quartmondistes, on te respecte si tu couches tôt.

J'avais un copain, je fréquentais, à quinze ans, je me faisais enfin mettre, j'étais donc pas un cas si désespéré que ça.

Bien sûr, j'ai eu droit à mon lot de réflexions bien humiliantes, bien crades et tout, mais d'un, j'avais l'habitude, de deux, du moment qu'ils m'empêchaient pas de me carapater, je m'en foutais.

Ma belle-mère m'avait même payé des habits neufs pour l'occasion. Un copain, ça l'impressionnait plus qu'une bonne note.

Si j'avais su, je me disais en regardant mon premier jean à peu près potable, si j'avais su, je me serais inventé des tas de pélicans avant…

Sans le savoir et par des tas de façons qui étaient impossibles à analyser à ce moment-là, la simple existence de Franck – et même pas « dans ma vie », non, juste son existence – changeait la donne.

La mienne en tout cas.

Ce furent les seules vacances de mon enfance et les plus belles de ma vie.

Ah... Fait chier...
Polochon.

Ce qui m'a le plus gênée au début, c'était le calme. Comme la grand-mère de Franck nous laissait tranquilles et qu'il parlait tout doucement, j'avais l'impression qu'il y avait un maccha-bée dans la pièce d'à côté. Il n'arrêtait pas de me demander ça va ? ça va ? parce qu'il voyait bien que ça n'allait pas du tout et je répondais oui, oui, mais vraiment, j'étais super mal à l'aise.

Et puis je m'y suis faite...

Comme à l'école, je laissais mes défenses à la porte et je changeais de dimension.

La première fois, on s'était mis dans cette salle à manger qui ne devait jamais servir tellement elle était propre. Ça sentait bizarre... Ça sentait le vieux... Le triste... On s'est assis l'un en face de l'autre et il m'a proposé de commencer par relire notre scène ensemble une première fois avant de nous organiser pour les répétitions.

J'avais honte, je ne comprenais rien.

Je ne comprenais tellement rien que je lisais comme une patate. Comme si je déchiffrais du chinois...

Il a fini par me demander si j'avais quand même lu la pièce ou au moins notre passage de mon côté et comme je n'ai pas répondu tout de suite, il a refermé son bouquin et il m'a regardée sans rien dire.

Je sentais mes piquants qui recommençaient à pousser. J'avais pas envie qu'il me prenne la tête avec ces conneries de jactance du quatorzième siècle. Je voulais bien apprendre mes phrases obligées comme un jargon d'autrefois, genre phonétiquement, mais je ne voulais pas qu'il fasse le prof avec moi. J'en avais plein le cul des gens qui me remettaient tout le temps à ma place en me faisant sentir à quel point j'étais une grosse merde. Encore au bahut, je me la bouclais pour éviter un supplément d'embrouilles, mais pas là, pas dans cette pièce qui puait le Polident. Il fallait qu'il arrête de me regarder comme ça sinon j'allais partir. J'en pouvais plus qu'on me dévisage tout le temps. J'en pouvais plus.

— J'adore ton prénom...

Ça m'a fait plaisir, même si, en moi-même, j'ai pensé : ben tiens, c'est sûr, c'est un prénom de garçon... mais, d'équerre, il m'a mouchée :

— C'est celui d'une chanteuse merveilleuse... Tu connais Billie Holiday ?

J'ai secoué la tête.

Ben, non... Je connaissais rien, moi...

Il m'a dit qu'il me la ferait écouter un jour et il m'a demandé de le suivre.

— Viens... Installe-toi sur le canapé... Là... Je vais te la lire... Tiens, prends ce coussin... Mets-toi bien confortable... Mets-toi comme au cinéma...

Comme j'étais jamais allée au cinéma, j'ai préféré m'asseoir par terre.

Il s'est posté en face de moi et il a commencé.

D'abord il m'a expliqué tous les personnages dans ma langue natale :

— Alors, voilà... C'est un vieux qui s'appelle le Baron... quand la pièce commence il est tout excité parce qu'il attend, d'une minute à l'autre, le retour de son fils Perdican qu'il n'a pas revu depuis des années – Perdican était parti faire des études à Paris – et de sa nièce Camille qu'il a élevée quand elle était petite et qu'il n'a pas vue depuis encore plus longtemps parce qu'il l'avait envoyée au couvent... Ne fais pas cette tête, c'était normal à l'époque... Le couvent remplaçait la pension pour les filles nobles. Elles apprenaient à coudre, à broder, à chanter, à devenir des épouses parfaites et en plus, on était sûr qu'elles resteraient vierges... Camille et Perdican ne se sont pas vus depuis dix ans. Ils ont grandi sous le même toit et ils s'adoraient. Comme des frère et sœur et sûrement même un peu plus, si tu veux mon avis... L'éducation de ces deux jeunes gens lui a coûté bonbon et lui, le Baron, ce qu'il voudrait à présent, c'est les marier ensemble. Justement parce qu'ils s'adoraient et aussi parce que ça lui permettrait de rentrer dans ses frais. Eh oui... 6 000 écus quand même... Ça va ? T'es toujours avec nous ? Bon, je continue. Perdican et Camille ont chacun un chaperon... T'as vu *Pinocchio* ? Alors un Jiminy Cricket si tu préfères... Quelqu'un qui s'occupe d'eux et qui les flique en permanence pour qu'ils restent dans le droit chemin. Pour Perdican, c'est Maître Blazius, qui était son précepteur, c'est-à-dire son unique instit quand il était gamin et pour Camille, c'est Dame Pluche. Maître Blazius, c'est un gros plein de soupe qui ne pense qu'à picoler et Dame Pluche, c'est une vieille bique qui ne pense qu'à tripoter son chapelet et à faire ksss... ksss... à tous les hommes qui approcheraient sa Camille d'un peu trop près. Elle, elle est mal baisée, enfin, pas baisée du tout, et y a pas de raison que la petite soit autrement.

Déjà, à ce niveau-là, je me rappelle, j'en revenais pas. Je commençais même à avoir des doutes... C'était vraiment ça, les devoirs que nous avait donnés la prof ? C'était vraiment aussi croustillant ? J'avais pas eu l'impression pourtant... Déjà le nom du mec, Alfred de Musset, ça sentait son vieux machin à lorgnon tout rassis et je... bon, donc, je souriais et, comme je souriais, Franck Mumu était tout heureux aussi. Des petites ailes lui poussaient dans le dos et il en faisait des caisses et des caisses pour garder mon attention.

Sans le savoir, il était en train de m'offrir ma première sortie. Le premier spectacle de toute ma vie...

Quand il a eu fini de me présenter les personnages, il a vérifié que je les avais bien emmagasinés en me posant des tas de petites questions bien pointues :

— Pardon, mais ce n'est pas du tout pour te piéger... C'est pour être sûr que tu suives bien la pièce après, tu comprends ?

Je disais oui, oui, mais je m'en foutais total de la pièce. Tout ce que je comprenais, c'était qu'un être humain faisait attention à moi et me parlait gentiment et là, déjà, c'était plus du français, mais de la science-fiction.

Ensuite, il m'a lu *On ne badine pas avec l'amour*. Ou plutôt, il me l'a jouée. Pour chaque personnage, il prenait une voix différente et quand c'était le Chœur qui parlait, il montait sur un tabouret.

Pour le Baron, il était un baron, pour Blazius, il faisait le bon gros pépère à moitié bourré, pour Bridaine, le sale petit pépère qui ne pensait qu'à la bouffe, pour Dame Pluche, une vieille fille qui parlait d'un petit trou de bouche bien serré, pour Rosette, une gentille paysanne totalement dépassée par les événements, pour Perdican, un beau garçon qui ne savait plus s'il avait surtout envie de baiser ou de se caser et pour Camille, une fille pas très rock'n'roll, mais droite comme un i et bien carrée dans sa tête. Enfin... au début...

Une fille de dix-huit ans qui ne connaissait rien à la vie et qui ressemblait aux bougies qu'on allumait dans les églises : super simple, super pure et super blanche, mais bien allumée.

Oui, complètement en effusion à l'intérieur...

J'étais... émerveillée.

Exactement comme tout à l'heure quand j'ai voulu ravaler mes larmes et que j'ai vu le ciel en entier.

Le coussin que je serrais fort dans mes bras, c'était comme si j'avais posé un sourire dessus.

Je ne faisais que sourire.

À un moment, alors qu'il était Perdican qui disait à Camille avec un ton de mépris un peu soûlé : « Ma sœur chérie, les religieuses t'ont donné leur expérience ; mais, crois-moi, ce n'est pas la tienne ; tu ne mourras pas sans aimer », il a refermé son livre d'un coup sec.

— Pourquoi tu t'arrêtes ? je me suis inquiétée.

— Parce que c'est la fin de notre scène et que c'est l'heure de goûter. Tu viens ?

Dans la cuisine, en buvant je ne sais plus quoi, de l'Orangina, je crois, et en mangeant les madeleines en caoutchouc de sa mamie, je n'ai pas pu m'empêcher de penser tout haut :

— C'est nul de nous couper comme ça... On a trop envie de savoir ce qu'elle va répondre...

Il a souri.

— Je suis d'accord... Le problème, c'est qu'après, il y a des gros pavés de texte... Des longs, longs monologues... À apprendre, ce serait coton... Mais c'est vrai que c'est dommage parce que le plus beau de cette scène, tu verras, c'est tout à la fin, quand Perdican s'énerve et explique à Camille que oui, tous les hommes sont des nazes et que oui, toutes les femmes sont des morues, mais qu'il n'y a rien de plus beau au monde que ce qui se passe entre un naze et une morue quand ils s'aiment.

Je lui ai souri.

On ne s'est rien dit d'autre mais, à ce moment-là, tous les deux, on connaissait déjà la suite.

On a fait genre de finir nos verres comme si de rien n'était, mais on le savait.

On le savait, et on savait que l'autre le savait aussi.

On le savait, que c'était notre dernière chance et qu'on tenait là notre revanche sur toutes ces années de solitude passées au milieu des nazes et des morues du monde entier.

Oui. On a rien dit et on a regardé par la fenêtre pour redescendre en pression, mais on le savait.

Qu'en vrai, nous aussi, on était beaux...

Je pourrais passer la nuit à te raconter ce qui s'est passé ensuite. Ces deux semaines avec lui, à discuter, à apprendre, à travailler, à jouer, à nous engueuler, à nous réconcilier, à jeter mon bouquin, à m'énerver, à renoncer, à criser, à recommencer, à jouer de nouveau et à travailler encore.

Je pourrais y passer la nuit parce que, pour moi, ma vie, elle a commencé là.

Et ce n'est pas une expression, petite étoile, c'est un extrait d'acte de naissance, alors ne badine pas avec ça, s'il te plaît. Tu me vexerais.

*
* *

Nous avions décidé de nous retrouver tous les après-midi pour répéter les scènes que nous avions apprises le matin même et, très vite, j'ai dû trouver un autre endroit que mon doux foyer pour être au calme.

J'ai testé plusieurs coins : l'arrière d'une carcasse de voiture, le porche de l'ancienne scierie, le lavoir, mais c'était devenu un jeu, chez les morpions de ma belle-sœur (de mon genre de belle-sœur, disons, de ma belle-sœur à la mode de chez nous), de me pister non-stop pour venir m'emmerder et, au final, j'ai atterri au cimetière et je me suis installée dans un caveau.

Toutes ces croix, tous ces ossements, tous ces débris de pierres cassées et de fer rouillé, ça vous calmait direct et c'était parfait pour amadouer cette chieuse de Camille et sa manie des crucifix.

Je ne l'ai pas fait exprès, mais vraiment, ça tombait bien...

Je ne sais pas si c'était lié au lieu, si les morts avaient décidé de me donner un petit coup de pouce parce qu'ils s'ennuyaient et qu'ils voulaient tuer le temps, mais je n'en reviens toujours pas, de la vitesse et de la facilité avec lesquelles j'ai appris ces textes.

Comme j'ai conservé précieusement mon vieux bouquin, il m'est arrivé de relire notre scène pour le plaisir et à chaque fois, j'ai été obligée de me pincer pour y croire. Mais comment avons-nous fait ? Mais comment ai-je fait ? Moi qui ne sais toujours pas mes tables de multiplication et qui pédalais dans le vide dès qu'un prof nous demandait d'apprendre par cœur un truc de plus de cinq lignes ?

Je ne sais pas... Je crois que c'était pour être digne de Franck Muller... Pour ne pas le décevoir... Pour le remercier de m'avoir parlé si gentiment le premier jour...

C'est bête, hein ?

Et puis... je serais incapable de l'expliquer avec des mots intelligents, mais il me semblait que je tenais là beaucoup plus qu'une revanche à la con sur un monde et des gens qui, en réalité, m'indifféraient depuis longtemps...

Je n'avais rien à prouver à personne.

Rien.

Je voulais juste faire plaisir à Franck et m'arracher.

J'étais trop jeune pour le comprendre à l'époque et je n'ai pas assez de vocabulaire pour le dire aujourd'hui, mais j'avais l'impression, quand j'étais recroquevillée dans mon caveau à apprendre les mots de cette fille qui n'en finissait pas de gratter, de gratter et de gratter encore pour trouver une réponse aux questions de folie qui lui mangeaient la tête, que j'en profitais aussi. Oui, que je me faufilais dans ce quelque chose d'affamé d'elle pour lui prendre un peu de sa niaque au passage et me barrer dans son sillon.

Ce que je devais me dire sans le savoir, c'est que si j'assurais vraiment avec mes répliques et que je permettais ainsi à Franck Muller de jouer son rôle dans les meilleures conditions possibles, eh bien, je ne serais plus des Morilles.

Je serais... de moi-même. De moi toute seule. De ce caveau abandonné. De ma minuscule chapelle.

Oui, j'étais cachée là, assise au milieu des gravats à écouter les délires de cette petite bourge qui n'avait jamais souffert de rien et qui voulait tout, qui voulait rafler toute la mise avant même de commencer la partie ou qui préférait ne pas jouer sinon, qui préférait ne rien vivre plutôt que de vivre comme les autres et tout ce que j'avais à faire, c'était de la serrer de près pour qu'elle me fasse la courte échelle vers son besoin de plus grand qu'elle.

Parce que même si je n'étais pas d'accord avec ses fixettes, je l'admirais...

Je savais qu'elle se trompait. Je savais que les bonnes sœurs lui avaient lessivé le cerveau et que ça l'arrangeait bien parce qu'elle avait les jetons de sauter dans le vide. Je savais qu'elle se laissait bouffer par son orgueil et qu'elle allait en baver toute sa vie à cause de son entêtement de pureté à la con. Je le savais, que si elle avait fait, elle aussi, ne serait-ce qu'un tout petit tour aux Morilles, elle se serait calmée direct et aurait envisagé sa vie avec plus de modestie, mais en attendant, et à cause de ça justement, c'était la meilleure coéquipière possible pour me faire la belle.

Elle était tellement butée et psychorigide qu'elle ne renoncerait jamais et si j'assurais de mon côté, tout tiendrait bon.

Yes. À deux têtes de mules pareilles, on allait le faire, ce putain de casse !

Bien sûr, rien de tout cela n'était conscient, mais j'avais quinze ans petite étoile... J'avais quinze ans et je me serais accrochée à n'importe quoi pour m'arracher...

Oui, je pourrais y passer la nuit, mais comme je n'ai pas le temps, je vais faire avance rapide et ne garder que deux moments importants de cette petite aventure...

Le premier, c'est la discussion qui a suivi sa lecture du premier jour et le second, c'est ce qui s'est passé à la fin de notre « représentation ».

Au fait, t'es toujours là, petite étoile ?

Tu me claques pas dans les doigts, hein ?

Quand t'en as trop marre de mes histoires, tu m'envoies un kit avec une civière et deux jolis garçons pour ressusciter mon Francky et je te lâche la grappe direct, promis.

(Hé, te fatigue pas… Choure-les chez Abercrombie, comme ça ils seront déjà montés.)

Elle est morte. Adieu, Perdican !

Et là, Franck s'est tu pour faire genre taa... dada... la suite après la pub !

Et la suite, je l'attendais avec impatience.
Oui, je me demandais bien comment ils allaient s'y prendre pour sauver les meubles encore une fois, ces deux-là, vu que la mort d'un pauvre, dans ces fanfreluches à la monseigneur, ça compte pour du beurre et qu'une bonne histoire, surtout d'amour, ça se termine toujours par un mariage à la fin avec des chants, des danses, un tambourin et tout ça.
Mais non.
C'était fini.

Il était ému et moi, énervée.
Il disait que c'était fort et moi, que c'était nul.
Il soutenait que c'était une belle leçon et moi, un beau gâchis.
Il défendait Camille, son honnêteté, sa pureté, sa quête d'absolu et moi, je la trouvais coincée, influençable, peine-à-jouir et masochiste.

Il méprisait Perdican et moi... Moi, je le comprenais...

Lui était convaincu qu'elle était retournée à son couvent direct. Triste et déçue, mais réconfortée dans sa mauvaise opinion des hommes. Et moi, j'étais sûre qu'elle avait fini par se laisser choper au détour d'un buisson quelques billets doux de raccommodage plus loin.

Bref, on tenait chacun notre bout de barbaque et on n'en démordait pas.

On aurait dit du catch avec des mots.

Pardon ?

De quoi, petite étoile ?

T'es perdue ?

Tu te souviens plus de la pièce ?

Ah ben, attends. Bouge pas. Je te résume l'affaire à ma façon puis à celle de Franck et, avec un peu de chance, entre les deux t'auras plus ou moins celle de Musset.

a) (à ma façon) Camille sort du couvent après avoir entendu, pendant toute son adolescence, les jérémiades de nonnes qui, elles, fermentaient là par dépit, par aigreur ou par désespoir. Soit qu'elles étaient cocues, ou moches, ou les deux, soit que leur famille n'avait pas de quoi leur payer une dot. Bon, OK, y en avait sûrement des plus saintes et des mieux motivées dans le lot, mais celles-là, elles ne bourrent pas le mou des jeunes filles. Elles prient.

Camille est toujours folle de son cousin Perdican sur lequel elle a bien fantasmé pendant toutes ces années, enfermée qu'elle était dans son Tupperware. Oui, bien kiffé, bien moité, bien soupiré et j'en passe, mais comme elle est hyper orgueilleuse et qu'elle pressent qu'il s'est fait plein d'autres nanas quand il était à Paris, ça lui défrise grave sa petite moustache de bonne sœur et elle le harcèle de toutes les façons possibles pour qu'il lui dise, genre à genoux et en s'accrochant à son jupon de bure : Bon, oui... c'est vrai... j'en ai sauté d'autres... Mais c'était juste pour l'hygiène, tu sais... Moi, j'en ai jamais rien eu à foutre de toutes ces filles et en plus, c'était que des putes... Tu le sais bien, que je n'ai jamais aimé personne d'autre que toi, mon amour... D'ailleurs, je ne regarderai plus jamais une autre femme de toute ma life... Je te le jure sur ton crucifix... Allez, pardonne-moi, quoi... Pardonne-moi d'être tombé dans des trous fourbes et dissimulés alors qu'il faisait si sombre et que j'y voyais pas plus loin que le bout de mon zguègue...

Mais comme il ne marche pas dans la combine (eh non...) (et pourtant, il l'aime aussi...) (eh oui...) (mais sans tous ces bruits de chaînes à la clef) (eh non...) (sinon c'est plus de l'amour, c'est une police d'assurance) (eh si...) (et tout ça, c'est dans notre scène à nous), elle décide de retourner à son bunker et écrit une lettre à sa copine de dortoir où, au lieu de dire : « Hélas, on ne voit pas les choses de la même façon, lui et moi. Ressortez mon écuelle et ma paillasse en crin, je raboule », elle en fait des caisses du genre : « Oh, ma sœur... Oh, là, là... Oh, je me suis refusée... Oh, le pauvre... Oh, qu'est-ce que je lui ai mis, à celui-là... Oh, priez pour lui parce que... hin, hin, hin... je ne sais pas s'il va s'en remettre et tout ça. »

Bon, pourquoi pas ? Il faut bien qu'elle prépare les guirlandes de petits gloussements qui l'accueilleront à son retour, sauf que, pas de bol, Perdican intercepte la lettre, il la lit (là c'est nul, on est d'accord), se rend compte qu'elle mythonne à fond les ballons et décide de la punir en fricotant avec Rosette, la pauvre petite gardeuse d'oies du château qui passait par là au super mauvais moment.

Camille les voit ensemble, est de nouveau piquée au vif, se rend compte qu'elle l'aime vraiment et qu'il faut qu'elle arrête de déconner, mais déconne encore, et Perdican – qui en a plein le... le séant de tous ses va-et-vient entre Jésus C. et lui – fait mine/décide (point toujours en débat entre Franck et moi à ce jour) d'épouser Rosette pour de bon.

Du coup, Camille craque pour de bon aussi et lâche enfin son chapelet et son amour-propre avec.

Ah ! Super ! Ils vont enfin s'embrasser après s'être fait mille scènes pendant trois actes, sauf que, re pas de bol, Rosette, qui était dans les parages, a tout entendu et se suicide de désespoir. Et la suite, vous la connaissez.

Eh bé...

Clap, Clap, hein ?

Ils auraient vraiment mieux fait de badiner avec l'amour, ces cons-là...

Ils avaient tout. Le pognon, la beauté, la santé, la jeunesse, un gentil papa, des sentiments l'un pour l'autre, tout... Et ils ont tout foutu en l'air, et tué quelqu'un au passage, par... par caprice... par égoïsme... pour le plaisir d'enfiler les moucherons et de blablater autour d'une fontaine en se donnant des petits coups d'éventail sur le nez.

Écœurant.

b) (à la Franck) Camille aime Perdican. Elle l'aime d'amour pur. Elle l'aime plus qu'il ne l'a jamais aimée et qu'il ne l'aimera jamais.

Elle le sait parce qu'en amour, elle en connaît un rayon bien plus grand que lui et sa tobinette, toute bonne pointeuse qu'elle soit, réunis. Pourquoi ? Parce qu'au couvent, elle a rencontré le Vrai amour, le Grand, le Pur. Le qui ne vous déçoit jamais et qui n'a rien à voir avec toutes nos petites histoires de fesses qui font les choux gras de purepeople.com et des avocats.

Oui, elle a été touchée par la grâce et elle est prête à sacrifier son bonheur sur cette terre pour servir son Amant Infini.

Là, elle est simplement venue embrasser son oncle et récupérer je ne sais plus quoi. (Le fric qui lui vient de sa mère ? Je me souviens plus...) Hélas, elle se rend compte que son cousin Didi, même s'il est volage, bécassou et mortel, lui fait encore vachement d'effet...

Damned. La voilà toute chamboulée.

Bon, c'est vrai, elle a merdé dans sa lettre de petite sainte-nitouche qui se la joue femme fatale, mais d'un, il n'avait pas à la lire, de deux, il n'avait qu'à lui en parler en face au lieu de se servir de cette pauvre Rosette pour la faire caguer. (Rosette qui, soit dit en passant, est un être humain véritable, avec un cœur, une âme, des larmes et... euh... des oies et des dindons, donc.)

Oh, que cette vengeance est mesquine... Mais voilà, elle l'aime. Et quand elle aime, elle est cash. Que ce soit avec Dieu ou avec un lâche. Quand elle aime, elle ne calcule pas : elle donne tout. Et quand elle lui prenait la tête tout à l'heure, c'est-à-dire dans notre scène, avec ses angoisses sur l'amour, la mort, l'usure et la fidélité, ce n'était pas du tout pour le gaver, mais pour qu'il la rassure.

Raté.

Comme elle est mille fois plus mûre que lui et qu'il est quand même bien sous contrôle de sa chipo (comment disait-on à l'époque ? de sa hallebarde à pompons ?) il ne capte rien de ce qu'elle lui déverse et la prend pour une pauvre Missize Freeze exaltée et complètement déroutée par ses mères abbesses.

Bref, livré sans les pièces, le petit baronnet...

Mais comme c'est Camille la Sublime, elle est prête à bouffer des tas de couleuvres par amour.

Oui, par amour pour Perdican, elle est même prête à être aimée sans garantie et en mode random. La classe, non ? Surtout venant d'elle... Parce que Camille, c'est ça : c'est la folie dans la droiture. On croit qu'elle est frigide, mais c'est tout le contraire. C'est de la lave, cette fille... De la lave en effusion...

Elle aime l'amour à la folie et c'est ça qui fait toute sa vulnérabilité. Et toute sa beauté, aussi...

Des filles comme ça, il en passe une par siècle et en général, elles finissent mal.

Problème de voltage, on va dire...

Comme elles sont trop intenses pour les douilles qu'on trouve dans le commerce, elles ont beau essayer de s'adapter, à chaque fois qu'on les allume, pof, tout saute.

Bon, bien sûr, après le courant revient et tout le monde fait « Aaaah... » en s'en retournant à son petit train-train quotidien, mais pour elles, c'est déjà mort : elles ont cramé. On les secoue un peu et comme elles font *gling gling* à l'intérieur, on les fout à la poubelle.

Alors quoi, cette Camille ? Est-ce que c'était sa vraie nature ou est-ce qu'elle avait bouffé trop d'hosties ?

Est-ce qu'elle était née avec un cœur trop grand pour le bonheur en barquette ou est-ce que la lave se serait refroidie avec les chaussettes sales de son pépèredican oubliées près de la chaise percée ?

On aurait pu le savoir en observant son visage le jour de leurs vingt ans de mariage, sauf que, game over, ce crétin de fils à papa a trop joué avec les allumettes et la pauvre Rosette, écœurée d'être la patate chaude de ces deux bons à rien de petits rupins qui te gargarisent de la roucoule à longueur de journée, mais qui ne sont même pas foutus de se décrotter les bottes avant de marcher sur la tête de leurs gens, se zigouille dans les coulisses.

Ah, zut... Non seulement, ça fait mauvais genre, mais en plus, ça pourrit l'ambiance... Hé ! annulez le traiteur, y a le croque-mort qui prend les mesures !

Adieu amant, serments, mariages, fifres et tambours, la pièce est finie et tout le monde se relève, le cœur un peu barbouillé.

Résultat des courses selon, cette fois, les pronostics de Franck : soif de Camille et geste de Rosette, même combat. L'amour est total ou l'amour n'est pas.

Car on, ne, BADINE PAS avec, l'amour.

Point.

Final.

*

* *

Là, je le raconte en >> x 64, mais nous, bien sûr, ça nous a pris des plombes et des plombes de débrouiller tout ce merdier.

En plus, Franck a fini par m'avouer que cette pièce, l'auteur l'avait écrite après un chagrin d'amour, genre pour faire voir à la meuf qui l'avait planté l'étendue des dégâts et ça, ça m'avait encore plus confirmée dans le malaise que tout ce gâchis m'inspirait.

Il y avait là-dessous un petit côté donneur de leçons et revanchard masqué qui me gênait aux entournures. C'était trop compliqué à défendre pour ma petite tête et je n'ai pas insisté, mais j'étais bien d'accord avec moi : ce Musset, il n'était pas très clair. Il se servait de Camille pour ses intérêts et ses intérêts n'avaient pas grand-chose à voir avec l'amour de Dieu...

Je n'ai pas insisté parce que je voyais bien que Franck était sur le point de me mépriser vu qu'on pouvait pas mélanger comme ça l'art et les potins de cul, mais je... Bon, comme j'avais 4 de moyenne en français, je me la suis zippée, mais en attendant, je la captais 5 sur 5, la bonne femme qui l'avait jarté.

Ouais, ouais, ouais... Pas très net, le poète...

Enfin, voilà... ça discutait sec et peut-être qu'on y serait encore à l'heure qu'il est si Franck n'avait pas regardé sa montre.

Mince, il a fait, et il s'est levé car il devait se dépêcher de rentrer pour le dîner. (Chez moi, les horaires étaient... euh... plus souples...)

(Un garçon qui disait « mince » et qui s'inquiétait de déranger l'organisation de sa maman, ça me faisait vraiment bizarre... Tout me faisait bizarre, tout... En réalité, j'apprenais beaucoup plus qu'un rôle, j'apprenais... une civilisation...) (Mais à l'envers.) (Là, c'était la barbare avec son os dans le nez et son pagne en peaux de bananes qui observait les Blancs en cachette.)

Franck venait de regarder sa montre et le moment qui compte, celui dont je t'ai parlé tout à l'heure, eh bien, il ne commence que maintenant. C'est la conversation que nous avons eue, lui et moi, sur le chemin qui allait de chez Claudine (aka Mamie) (mais moi j'avais le droit de dire Claudine) à son lotissement.

Comme c'est très important et que j'en ai marre de nous rapporter en indirect avec tous ces « que » qui nous plombent le récit, je te le fais en dialogues.

Je te le fais à la Alfred's touch...

Toc ! Toc ! Toc ! (les coups de bâton)

Wouiiiiiiitttt (le rideau qui se lève)

Rrrrreucht... Grrouinch... Frrrrhhh (ça c'est les vieux qui toussent et qui se mouchent)

La, la, reli... drela... (la musiquette)

Un chemin
Jacassent Franck et Billie

BILLIE En fait, c'est toi qui devrais jouer Camille...

FRANCK *(comme s'il venait de se faire chiquer le mollet)* Pourquoi tu me dis ça ?

BILLIE *(qui s'en fout total de son mollet)* Ben, parce que... Parce que tu la respectes ! Tant qu'à faire, défends-la jusqu'au bout ! Moi, je veux bien m'y coller, mais je la sens pas, cette fille... Je trouve qu'elle se prend trop la tête... Hé, c'est pas le problème d'apprendre tout son blabla, hein ? C'est juste que j'aime mieux Perdican...

Silence

FRANCK *(sur le ton de Mme Guillet)* On ne te demande pas d'*être* Camille, on te demande de la jouer...

BILLIE *(sur le ton de Billie)* Oui, ben tant qu'à jouer, jouons ! Moi, je préfère jouer Perdican. Ça m'amuse plus de te dire que si un jour on ne s'aime plus, on prendra chacun des amants jusqu'à ce que tes cheveux soient gris et que les miens soient blancs.

Silence

FRANCK Non...

BILLIE Quoi, non ?

FRANCK Ce n'est pas une bonne idée...

BILLIE Pourquoi ?

FRANCK La prof nous a pas distribué les rôles comme ça et on fait comme elle a dit.

BILLIE Mais... Mais elle s'en fout, non ? C'est la scène qui compte, pas de savoir qui fait qui...

Silence

FRANCK Non...

BILLIE Pourquoi ?

FRANCK Parce que je suis un garçon et que je joue un rôle de garçon et que toi t'es une fille et que tu joues un rôle de fille. C'est aussi simple que ça et voilà.

BILLIE *(qui est nulle à l'école mais qui se défend un peu dans la vraie vie et qui sent fissa qu'on touche là du plus sensible que l'air, alors qui prend un ton badin pour alléger l'atmosphère)* On ne vous demande pas d'*être* Camille, mon cher monsieur, on vous demande de la jouer !

FRANCK *(qui ne dit rien... qui sourit... qui s'amuse bien avec cette drôle de fille des Morilles... qui remarque qu'elle a les cheveux propres pour une fois et qu'elle ne porte pas un affreux bas de survêtement comme tous les autres jours de l'année)*

Silence

BILLIE Bon... Tu veux pas ?

FRANCK Non. Je ne veux pas.

BILLIE Tu ne veux pas dire de tout ton cœur un truc du genre : « Et que sais-tu de l'amour, toi qui as les genoux tout usés d'avoir trop fait le beau sur les tapis de tes pépées ? »

FRANCK *(souriant)* Non...

BILLIE T'as pas envie de crier devant tout le monde « Je veux aimer, mais je ne veux pas souffrir ! Je veux aimer d'un amour éternel ! »

FRANCK *(riant)* Non.

BILLIE *(sincèrement troublée)* Mais pourtant ça fait deux heures que tu m'expliques le contraire... Ça fait deux heures que t'essaies de me convaincre que c'est elle qui a raison... Que lui, c'est qu'un pauvre minable à côté... Que l'amour, c'est vraiment super beau et qu'il faut pas badiner avec, et tout ça...

FRANCK *(sincèrement troublé de voir Billie sincèrement troublée, mais pressant le pas en levant les bras au ciel)* Mais... Mais ce n'est qu'une pièce ! C'est un jeu ! C'est pas comme si on était devant un juge ou chez la conseillère d'orientation ! C'est du théâtre, Billie ! C'est... c'est une distraction !

BILLIE *(qui ne répond pas tout de suite, qui cherche ses mots, qui devine sans le comprendre vraiment que son rôle à elle, que son seul vrai rôle à jouer, c'est maintenant, et que tout le reste, Camille, Rosette, Perdican, Dieu, Musset, Mme Guillet, le romantisme, la vie romantique, le théâtre romantique, les corniauds de leur classe, les graffiti qui puent, les messes basses qui tuent, les groupes de filles qui s'écartent quand elle s'approche, les insultes, les rumeurs, les crachats qui s'effilochent dans le vent, les groupes de garçons qui s'approchent de lui quand il s'écarte, les histoires avec le prof d'arts plastiques de l'année dernière, les mots qui dégueulassent tout et que personne n'oublie jamais, le brevet des collèges, la fin du collège, la sortie vers l'usine, les magasins tous fermés, les maisons toutes à vendre, le futur sans avenir, l'avenir sans espoir, le formulaire du RSA déjà tout prêt, la télé déjà allumée et tout ça, eh ben, c'est de la gnognotte comparé à ce qui la trouble maintenant – qui se tait, donc, et qui rassemble tout ce que sa vie de merde lui a transmis jusqu'ici, tout ce qu'elle a vu, vécu, subi et entendu aux Morilles et alentour, tout ce que lui ont appris de l'humanité ces gens sans foi, sans loi, sans fierté, sans morale, sans rien ; ces gens violents, bêtes, alcooliques et méchants qui font des gamins à tour de bras, dont ils n'ont rien à foutre, des gamins à qui ils montrent comment pisser dans des canettes de bière à peine bues, à tirer à la carabine sur des chatons à peine nés ou à se torcher le cul avec des lettres de la mairie à peine déchiffrées, qui leur fument non-stop dans les naseaux depuis qu'ils sont tout petits, qui laissent tomber les cendres de leurs cigarettes sur leurs cahiers d'école, qui les talochent pour un oui ou pour un non et qui les font dormir seuls et dans des caravanes sans chauffage quand ils ont envie d'être peinards et de baiser tous ensemble pour refaire des gamins dont ils n'ont rien à foutre, etc., et que...)*

FRANCK *(inquiet)* Tu ne dis plus rien... Tu es fâchée ?

BILLIE *(pas encore tout à fait au point dans sa tête, mais tant pis, qui se lance quand même et qui fera comme d'hab, qui improvisera)* Non, mais juste, je... Je te comprends pas... Et je parle pas pour toi, en fait... Je dis « toi » mais c'est pas toi, c'est... c'est au-delà de toi... C'est valable pour tout le monde... Y en a pas beaucoup des occasions dans la vie où tu peux dire ce que tu penses et en plus, de le dire bien... De le dire avec des mots déjà trouvés... De te servir d'un personnage inventé par quelqu'un d'autre pour passer en contrebande des trucs que toi aussi, tu trouves précieux... De dire qui tu es... Ou qui tu voudrais être... Et de le dire mieux que tu ne pourrais jamais le faire si t'avais pas déjà sous la main des phrases déjà si belles...

FRANCK *(?!?!)* ...

BILLIE Mais... euh... fais pas cette tête ! Tu vois bien que je les ai pas, moi, les mots ! Alors fais pas exprès d'être aussi con que moi ! Ce que j'essaye de te dire, c'est que quand t'as un truc en toi qui pourrait t'aider à vivre... à vivre vraiment... genre à aspirer et à inspirer jusqu'à ta mort... parce que c'était là avant toi et que ça y sera encore après... Oui, un truc qui parlera de toi quand tu seras couic et sans jamais te trahir, et qui... euh... eh ben qu'est-ce que t'en as à foutre de l'appareil génital ?

FRANCK Pardon ?

BILLIE Oui, ben t'as très bien compris... Tu veux que je dise quoi, à la place ? Bite ? Chatte ? Nichons ?

FRANCK *(???)* ???

BILLIE Ho... tu me cherches ou quoi ? Tu comprends pas ce que je veux dire ou c'est juste que tu ne veux pas ? Fille ou garçon, ça compte genre pour la couleur de la chambre du bébé, pour les habits, pour les jouets, pour le prix chez le coiffeur, pour les films que t'as envie de voir ou les sports que t'as envie de faire ou la... j'en sais rien, moi ! des trucs où être fille ou garçon, ça fait encore une différence... Mais là... les sentiments... les trucs que tu ressens et qui te sautent direct du bide avant même que tu les penses... les trucs que ta vie va forcément en dépendre après, genre comment tu conçois tes relations avec les autres, qui tu aimes, jusqu'où t'es prêt à morfler, à pardonner, à te battre, à souffrir et tout, franchement, mais qu'est-ce que ta... euh... ta forme anatomique a à voir avec ça, je me le demande... Et je te le demande aussi, d'ailleurs... Si c'est Camille, ton équipe, qu'est-ce que t'en as à foutre d'être un garçon pour la jouer ? Et même pas à l'Académie française en plus, mais dans la classe pourrie d'un collège pourri d'une ville pourrie... Hein ? Qu'est-ce que t'en as à faire ? Dire tout haut les mots de Camille, c'est le contraire de se mettre en danger. Elle est costaud, cette meuf ! Elle envoie ! Elle est même prête à foutre sa vie en l'air pour être raccord avec ses principes. T'en as déjà croisé beaucoup des comme elle ? Moi, zéro... Alors on ne badine pas avec l'amour, OK, mais en échange, rassure-moi, on a quand même le droit de badiner avec tout le reste, non ? Ou alors, on n'a qu'à tous aller au couvent direct, ça sera plus simple ! Nan mais c'est vrai, ça m'énerve tout ça ! Ça m'énerve tout ce gâchis, tout le temps ! Ça m'énerve ! Et ton excuse de fille et de garçon, là... Je te le dis tout de suite : c'est de la merde. Ça ne tient pas la route une seule seconde. Trouve autre chose.

Silence

Encore du silence

Toujours du silence

FRANCK C'est pas l'Académie française, c'est la *Comédie* française...

BILLIE *(encore énervée d'avoir été obligée de fouillasser si loin et si bas pour dire si mal ce qu'elle avait à dire de si important)* On s'en fout.

Silence

FRANCK Billie, tu sais pourquoi il faut absolument que ce soit toi qui joues Camille ?

BILLIE Non.

FRANCK *(émerveillé et se tournant vers elle)* Parce qu'à un moment, Perdican ne peut pas s'empêcher de se tourner vers elle pour lui dire, émerveillé : « Que tu es belle, Camille, lorsque tes yeux s'animent ! »

La conversation s'est arrêtée là. Primo parce qu'on était arrivés devant son portail et secundo parce que si Camille l'envoie bouler direct en lui rappelant qu'elle en a plus rien à foutre des compliments, moi, comme c'était le premier qu'on me faisait de toute ma vie, je... je ne savais pas comment le prendre. Vraiment. Je ne savais pas. Alors j'ai fait la fille genre trop trop sourde pour ne rien déranger.

Ensuite il a regardé sa maison du menton et il a dit :

— Bien sûr, je pourrais te proposer de rentrer un mo...

J'étais déjà en train de répondre oh... non, non, quand il m'a coupée :

— ... mais je ne te le propose pas, parce qu'ils ne te méritent pas.

Et ça, bien sûr, c'était autre chose que tous les blablas de Perdican...

Ça, c'était le sang que les Indiens s'échangeaient entre eux en s'ouvrant les veines.

Ça, ça voulait dire : Tu sais, petite Billie illettrée et si grossière, je l'ai très bien entendue, ton explication de tout à l'heure, et mon équipe à moi, c'est toi.

Et voilà.

La, la, reli... drela...

À peine eut-il franchi le pas de sa porte qu'on se pressa autour de Franck en s'enquérant, la mine gourmande et l'œillade entendue, de cette *demoiselle* avec laquelle il flânait dans la rue.

Et ni la réponse évasive du fils ni son agacement manifeste n'eurent raison de la bonne humeur du père lequel, exceptionnellement ce soir-là et pendant tout le temps que dura l'édition du journal de 20 heures, éructa un peu moins qu'à l'accoutumée.

Ainsi, la frêle silhouette d'une jeune fille pouilleuse, craintive et plus ou moins nourrie par ce qui subsistait des allocations familiales et qui était, elle, en train de parcourir trois kilomètres à pied tandis que la nuit tombait et qu'il se resservait en gratin dauphinois, avait tenu tête, pour un soir du moins, au Grand Complot que fomentaient entre eux et depuis la fin de la guerre froide – Jean-Bernard Muller le savait car il tenait ses dossiers très à jour – les francs-maçons, les juifs et les homosexuels du monde entier.

Que ma Billie paraisse et l'occident était sauvé. (*NdA*)

Et Franck avait raison, petite étoile, il fallait qu'il en soit ainsi, et tu sais pourquoi ?

D'abord parce qu'il était bon acteur et moi pas. Moi, j'avais beau écouter ses conseils, j'étais infichue de faire comme lui, de bouger mes bras et mes mains, de mettre du tralala dans ma voix et des émotions dans les mots et que, au bout du compte, ce genre de manche à balai que j'avais dans le derrière m'a permis d'être une Camille presque parfaite vu qu'elle est comme ça, elle aussi.

Aussi stressée, méfiante et coincée que je le fus dans l'espèce de robe en sac à patates que m'avait fabriquée Claudine.

Et que lui, en plus d'être un Perdican magnifique – et quand je dis « magnifique » tu peux me croire parce que c'est seulement la deuxième fois que j'emploie ce mot depuis le début de mon histoire et que la première, c'était pour parler de tes sœurs et de toi –, oui magnifique... un Perdican à la fois doux, gentil, cruel, triste, drôle, méchant, frimeur, sûr de lui, fragile et déstabilisé, tout bien gainé qu'il était dans la veste de garde champêtre de son arrière-grand-père que Claudine lui avait retaillée le long du corps avant d'en astiquer les boutons à tête de renard comme si c'était des écus d'or et ensuite, à cause de mon Malabar bigoût.

Je m'explique : dans la dernière tirade, celle que tout le monde attend et dont Franck m'avait parlé le premier jour, la fameuse scène « des nazes et des morues », à un moment, Perdican répond à Camille en serrant bien les mâchoires pour empêcher toute sa colère de sortir d'un bloc et de la ratatiner : « ... le monde n'est qu'un égout sans fond où les phoques les plus informes rampent et se tordent sur des montagnes de fange, etc. »

Nous, quand on en a été là dans les répétitions, ça faisait déjà presque deux semaines qu'on se voyait tous les jours et à force de papoter, que ce soit en mode Camille et Perdican ou en Franck et Billie, bien sûr, on savait presque tout de l'autre et on était amis pour la vie.

Donc il n'a pas eu besoin de me cacher long-temps que quelque chose le tracassait vu que je l'avais déjà deviné.

Ben oui... Je suis lucide... Je me doutais bien que ma façon de jouer l'accablait totalement...

Alors j'ai été lui tirer encore d'autres vers du nez pour qu'il me latte une bonne fois pour toutes et qu'on n'en parle plus.

— Allez, vas-y. Crache. Je t'écoute.

Il a roulé son bouquin comme si c'était une petite matraque, il a soupiré, il m'a regardée en fronçant les sourcils et a fini par murmurer :

— C'est un des plus beaux passages de la pièce... peut-être même le plus beau... et comme c'est moi qui le joue, il va être gâché.

— Beuh... pourquoi tu dis ça ?

— Parce que... il a ajouté en regardant ailleurs, parce que quand je vais prononcer le mot « phoque », c'est Franck Mumu qui va prendre la place de Perdican et ils vont tous se mettre à ricaner.

Je ne m'y attendais tellement pas (Franck ne montre jamais ses faiblesses et même là, tu vois, s'il est tombé dans les pommes, c'est pour nous cacher qu'il souffre) que je n'ai pas répondu tout de suite.

(Ça aussi, c'est une chose que j'ai apprise avec lui... cette façon sournoise qu'ont les doutes de toujours se faufiler dans les endroits les plus inattendus et les plus biscornus et surtout chez les gens qui sont beaucoup plus solides que vous.)

Je n'ai rien dit.

J'ai attendu qu'un ange passe... Puis un deuxième... Puis un troisième qui, celui-là, enfin, m'a fait un petit clin d'œil en levant le pouce, alors je me suis déhanchée pour me replacer dans son regard.

— Je te parie n'importe quoi que tu te trompes.

Et comme il ne réagissait pas, j'ai mis le paquet :

— Ho, Franck... Tu m'entends ? Reviens un peu dans mes yeux, s'il te plaît. Je te parie un Malabar bigoût que *personne* ne ricanera...

Et putain, je l'ai gagné haut la main, ce pari-là ! Haut la main ! Et j'en chiale, tiens... J'en chiale encore...

Pardon... Pardon... C'est le froid, c'est la faim c'est la fatigue... Pardon...

J'en chiale parce que c'en est pas un, qu'il aurait dû me refiler, mais un kilo ! un container ! un semi-remorque !

Oui, c'est sous une avalanche de Malabar qu'il aurait dû m'ensevelir s'il avait eu le courage de me faire confiance...

*
* *

Ordre chronologique de la pièce oblige, nous fûmes (oui, là, je te le oye oye au passé simple pour faire genre épique) les derniers à réciter. La permission de nous éclipser cinq minutes dans le couloir pour nous changer nous fut accordée par gente dame Guillet et, quand nous revînmes en nos lieux de savoir, moi seulement vêtue de mes atours en toile de jute et de mon crucifix autour du col et lui, les hanches bien prises dans sa noble redingote à boutons dorés et botté de ses hautes chausses d'écuyer champêtre, déjà le vent sembla tourner en notre faveur.

Oui, déjà ces murmures incessants qui nous avaient si souvent pris pour cible, lui et moi, se mirent à nettement, nettement moins sentir le moisi...

Notre public nous sembla acquis et ensuite, nous fi... nous fu... merde, attends, je me repermute en v.f., sinon je vais trop misérer, et ensuite nous avons simplement redit ce que nous savions absolument par cœur à force de l'avoir rabâché encore et encore dans la petite salle à manger mortuaire de Claudine.

Sauf que nous l'avons redit beaucoup mieux.

Moi parce que j'avais le même trac que Camille et lui, parce qu'il était délivré de lui-même...

Sans nous soucier du tirage au sort, nous avons joué toute la scène 5 du deuxième acte, soit beaucoup, beaucoup, beaucoup plus que ce qui nous avait été imposé.

Combien de fois un honnête homme peut-il aimer ?

Si le curé de votre paroisse soufflait sur vous, et me disait que vous m'aimerez toute votre vie, aurais-je raison de le croire ?

Lève la tête, Perdican ! quel est l'homme qui ne croit à rien ?

Vous faites votre métier de jeune homme, et vous souriez quand on vous parle de femmes désolées...

Est-ce donc une monnaie que votre amour, pour qu'il puisse passer ainsi de main en main jusqu'à la mort ?

Non, ce n'est pas même une monnaie ; car la plus mince pièce d'or vaut mieux que vous, et dans quelque main qu'elle passe, elle garde son effigie.

Voilà. Voilà pour moi. Voilà ce dont je me souviens.

Et ces bribes d'inquiétude, ou ce peu de Camille qu'il me reste, je les redis dans la nuit et je les redis pour toi, petite étoile...

Combien de fois un honnête homme peut-il aimer ?

Lève la tête, Perdican !

Est-ce donc une monnaie que votre amour ?

C'est beau, hein ?

Et aujourd'hui que j'ai vieilli et que j'ai toujours aimé pour la vie et que j'ai toujours quitté pour toujours, et que j'ai pleuré, et que j'ai souffert, et que j'ai fait souffrir, et que j'ai recommencé, et que je recommencerai encore, je la comprends mieux, cette petite puce...

À l'époque, j'étais tellement en état de guerre que je l'ai prise pour une chieuse, mais aujourd'hui, je sais exactement qui elle était : une orpheline.

Une orpheline comme moi qui, comme moi, crevait d'amour.

Oui, aujourd'hui, je la jouerais avec plus de tendresse...

Quant à Franck, c'est simple, il a mis le feu à la salle 204, bâtiment C, du collège Jacques-Prévert en deuxième heure de la matinée, ce jeudi d'avril de l'année je ne sais plus combien.

Affirmatif, brigadier Pimpon : le feu.

Il a virevolté, il a sautillé, il m'a taquinée, il m'a tourné autour, il a transformé le bureau de la prof en margelle de puits, il a soulevé sa chaise avant de la reposer d'un coup sec, il s'est appuyé au tableau, il a joué avec une craie, il s'est adressé à mon ombre qui s'était réfugiée entre l'armoire des dictionnaires et la sortie de secours, il s'est précipité vers les fayots du premier rang et leur a parlé comme s'il les prenait à témoin, il...

Il fut ce cavaleur, ce gamin, ce petit noble de province qui avait encore sur lui le parfum des cocottes de Paris, ce dadais, ce couillon, ce grand garçon cassant et délicat.

Et amoureux... Et fier... Et bluffeur... Et sûr de lui... Et blessé peut-être...

Oui... Blessé à mort...

Aujourd'hui que j'ai vieilli et que etc., c'est une question que je me pose aussi...

Comme Franck, Perdican devait souffrir plus qu'il n'était capable de le montrer...

Bref, tout ça pour dire que lorsque vint le moment de songer à mon Malabar plutôt qu'à ma virginité, j'entends par là, quand ces mots qui l'angoissaient tellement la veille sortirent à gros bouillons de son cœur enfin débridé (on disait ça chez nous pour les mobylettes... si tu veux qu'elles aillent genre 4 km/heure plus vite et qu'elles te pètent encore plus les oreilles, tu les débrides) quand ce fut mon tour, disais-je, de l'écouter avec bien plus d'attention que ne l'avait fait Camille en son temps parce que je savais combien il lui en coûtait de les dire, oui, quand il m'a balancé comme ça (pardon d'avance pour les erreurs, je l'ai longtemps su par cœur, mais j'ai sûrement perdu deux-trois trucs en cours de route), en me regardant droit dans les yeux et la main déjà posée sur la poignée de la porte de notre classe :

« Adieu, Camille. Retourne à ton couvent. Et lorsqu'on te fera encore de ces récits hideux qui t'ont empoisonnée, réponds ce que je vais te dire : Tous les hommes sont menteurs,

inconstants, faux, bavards, hypocrites, orgueil-
leux ou lâches, méprisables et sensuels ;
toutes les femmes sont perfides, vaniteuses,
menteuses, curieuses et dépravées ; et le
monde entier n'est qu'un égout sans fond où
les phoques les plus informes rampent et se
tordent sur des montagnes de fange ; mais il y
a dans ce monde une chose sainte et sublime,
c'est l'union de deux de ces êtres si impar-
faits et si affreux… On est souvent trompé en
amour, souvent blessé et souvent malheureux,
mais on aime. Et, quand on est sur le bord
de sa tombe, on se retourne pour regarder en
arrière et on se dit : J'ai souffert souvent, je me
suis trompé quelquefois, mais j'ai aimé. C'est
moi qui ai vécu, et non pas un être factice créé
par mon orgueil et mon ennui. »

Hé…
Même toi, tu t'es laissée prendre, hein ?
Alors, tu penses bien… le mot phoque, il a glissé
là-dessus comme un pet sur la banquise…

Personne n'a ricané, personne.
Et personne n'a applaudi, non plus. Personne.
Et tu sais pourquoi ?
Non ? Si, bien sûr. Tu le devines, n'est-ce pas ?
Allons…
Ben, ils n'ont rien dit parce qu'ils l'avaient grave
dans le cul, cette bande de petits pédés !
Ha ! Ha ! Ha !

Pardon, petite étoile, pardon… J'ai honte…
C'était juste pour entendre mon rire dans la nuit…

Pour me donner du courage et dire bonjour aux chouettes...

Pardon.

Je recommence :

Personne n'a applaudi parce qu'ils étaient tellement sous le choc que leurs crétins de cerveaux ne trouvaient plus le bouton « bras » sur la télécommande.

Le pire, c'était celui de la prof. Alors lui, il avait carrément fondu dans la boîte...

Sérieux, ça a duré longtemps, longtemps... 1... 2... 3... on aurait même pu compter les secondes comme un arbitre de boxe. Nous, on ne bougeait pas. On ne savait plus trop si on avait le droit de ressortir pour aller nous changer ou si on devait retourner à nos places avec nos déguisements et puis il y a eu une petite détonation dans le fond et, bien sûr, tous les autres ont suivi.

Tous. Fous. Déchaînés.

Comme un énorme pétard qui nous aurait sauté à la gueule.

Et... Oh...

Que c'était joli...

Mais le plus beau, pour moi, c'était maintenant :

Quand la cloche a sonné et qu'ils se sont tous barrés en récré, la prof est venue vers nous pendant qu'on remballait nos accessoires et elle nous a demandé si on était d'accord pour la rejouer devant ses autres classes. Et même d'autres profs et le directeur et tout ça.

Moi, je ne disais rien.

Je ne disais jamais rien à l'école, je me reposais.

Je ne disais rien, mais je ne voulais pas. Pas parce que j'avais eu le trac, mais parce que la vie m'avait appris à ne pas lui en demander de trop. Ce qu'on avait vécu là, c'était cadeau. Maintenant, voilà. Il était déballé et basta. Laissez-nous tranquilles avec. Je ne voulais pas prendre le risque de l'abîmer ou de me le faire chourer. J'avais si peu de jolies choses à moi et celle-ci je l'aimais tellement que je ne voulais plus jamais la montrer à personne.

Mme Guillet nous faisait ses petits yeux de Chapoté, mais au lieu de me flatter, ça m'a rendue un peu triste. Elle était bien comme les autres, tiens... Elle ne savait rien. Elle ne voyait rien. Elle ne comprenait rien. Elle n'avait aucune idée de... du chemin qu'on avait dû parcourir, tous les deux, pour pouvoir leur fermer leurs grandes gueules et les savater à la régulière...

Et maintenant ? Qu'est-ce qu'elle croyait ? Qu'on était des petits chiens savants ? Ben, nan, ma grande... Ben, nan... Moi, avant d'en arriver là, j'étais dans un caveau et lui, dans un caisson. Aujourd'hui, on vous a prouvé qu'on était libres quand même, très bien, c'est plié, bonjour chez vous, mais ne comptez pas sur nous pour venir vous manger des susucres dans la main. Parce que pour nous, c'était pas une scène, vous savez...

C'était pas du théâtre, c'était pas des personnages. Pour nous, c'était Camille et Perdican, deux petits gosses de riches bien trop bavards et super égoïstes, mais qui nous avaient pris par la main quand on était dans la merde et qui venaient de nous la rendre sous vos applaudissements, alors circulez avec vos envies de spectacles, circulez. On ne joue plus et on ne jouera jamais plus pour la simple et bonne raison qu'on n'a jamais joué.

Et si vous ne l'avez pas déjà compris, c'est que vous ne le comprendrez jamais, alors... sans regret...

— Vous ne voulez pas ? elle a répété, toute déçue.

Franck m'a regardée et je lui ai fait un minuscule non de la tête. Un signe que lui seul pouvait voir. Un code. Un frémissement. Un truc de frères indiens.

Du coup, il s'est tourné vers elle et il lui a dit comme ça, genre définitif et super détendu du slip :

— Non merci. Billie n'y tient pas et je respecte sa volonté.

Et ça, vraiment, ça, ça m'a percutée de plein fouet.

Ça, j'ai encore la marque et je ferai jamais rien pour la cacher.

J'en suis trop fière...

Parce que sa gentillesse, sa patience, la gentillesse de Claudine, sa grenadine périmée depuis 1984, ses Pépito, son Banga, ses mains toutes chaudes sur ma nuque pendant qu'elle arrangeait ma robe, le silence de tout à l'heure, les applaudissements de folie, la prof qui m'avait encore jamais calculée autrement que pour m'humilier ou m'aligner des zéros et qui maintenant se tortillait devant moi pour aller faire sa belle devant le dirlo, tout ça c'était bien agréable, je ne dis pas, mais ça comptait que dalle comparé à la phrase qu'il venait de prononcer...

Que. Dalle.

« Je respecte sa volonté. »

On respectait ma volonté.

Et devant un prof en plus !

Mais... Mais moi, certains soirs, juste pour avoir de quoi bouffer, y fallait que je me batte ! Moi, y avait des matins, je ne savais même pas si mes... non, rien... Moi, le mot respect, il était tellement vide que je comprenais même pas pourquoi on l'avait inventé ! Je croyais que c'était un truc à la con pour finir une lettre. Genre mes respects monsieur le président avec la signature en bas et tout ça et là... là... ce petit gars, là... ce petit Franck Mumu qui devait peser dans les cinquante kilos tout mouillé, qu'est-ce qu'y faisait ? Y mettait une prof au taquet devant moi et il la forçait à me regarder d'un air suppliant ?

Oh, mon Dieu. Ça c'était grand.

Ça, c'était quelque chose...

Pardon ? De quoi, les ploucs ? Vous voulez *encore* nous emmerder ? Oh, ben, non. Non, merci. Y se trouve que Billie n'y tient pas tellement et que quelqu'un respecte sa volonté.

Ah, ça...

Ça, ça m'a mise au monde...

D'ailleurs dès que la mère Guillet a tourné les talons, moi qui n'ouvre jamais la bouche dans une salle de classe, je me suis mise à hurler. À hurler comme une bête sauvage. Soi-disant pour décapsuler, mais en fait, et je m'en rends compte seulement maintenant, ce n'était pas du tout une histoire de stress qui retombait ou de pression à évacuer, c'était le cri du nouveau-né.

J'ai hurlé, j'ai ri et j'ai vécu.

Alors, tu sais, petite étoile, je vais vraiment tout tenter pour te convaincre de nous aider encore une fois, mais si tu ne veux pas, t'inquiète, le Francky, je le sauverai quand même.

S'il le faut, je le prendrai sur mon dos et j'irai jusqu'au bout du monde en serrant les dents. Oui, s'il le faut, je me le trimbalerai jusqu'à la lune et on finira aux urgences de la planète Mars, mais en attendant, pas de souci, toi et tous les autres, vous pouvez compter sur moi pour que ma volonté soit faite.

J'avoue, j'ai un peu fait durer le plaisir jusqu'ici mais rassure-toi : la suite ira plus vite. Note, j'ai pas trop le choix, vu que les nuits sont courtes en ce moment et que je ferais mieux de me grouiller si je veux tout débobiner avant que tu disparaisses.

Mais là, tu comprends, c'était important parce que c'était la première saison. Genre la mise en place et tout ça. Après ce seront juste des épisodes plus ou moins réussis qui s'enchaîneront jusqu'à toi.

En plus, tu les connais déjà...

T'étais là...

Si...

T'étais là.

Bon, des fois, c'est vrai, t'étais distraite, mais je le sais, que tu étais avec nous. Je le sais.

Pour le premier épisode, je me suis appliquée parce qu'on ne radine pas avec notre rencontre. Le cœur de notre amitié est enfermé dans cette scène. Tout y est, d'ailleurs, tout... Notre façon d'être, de ne pas être, d'en baver, de papoter, de nous aider et de nous aimer. Comme je l'ai dit à

Francky un jour, nous c'est les vases communicants sauf que c'est de la vraie vase à l'intérieur, donc oui, c'était important pour moi de bien te raconter nos débuts dans la vie...

Et puis ça va, hein ? Y en a bien qui te pondent des bouquins en six volumes sur leur enfance et encore quatre de plus sur leur première capote, moi, je te plie le truc en une scène, admets que c'est correct.

*
* *

Je ne dis pas que tout a été plus facile ensuite, mais on était deux, donc si, je le dis : tout a été plus facile ensuite. En récré, déjà, on nous appelait Camille et Perdican. Hé ? ça nous posait, non ?

Justement parce que nous n'avions pas voulu le répéter, notre exploit est devenu un genre de truc mythique et ceux qui étaient absents ce jour-là parce qu'ils étaient malades ou je ne sais quoi, d'après les autres, c'était comme s'ils avaient raté une épreuve olympique où la France aurait topé l'or.

Les kilomètres de phrases hyper ornementées que la morveuse aux caravanes savait sur le fil du rasoir, la colère de Franck Mumu qui expliquait d'une voix de killer comment l'amour ça vous déchirait une femme et nos super beaux costumes sur mesure, c'était devenu énorme. Je n'ai pas eu de meilleures notes pour autant ni Franck plus d'amis, mais bon, au lieu de nous insulter, on nous ignorait. Alors merci Alfred de Musset, merci.

(Même si, j'insiste, t'étais pas obligé de buter la petite Rosette pour servir ta cause.) (Si tous les cocus en faisaient autant, y aurait plus grand monde d'intéressant sur cette planète.)

*

* *

Franck et moi, on n'est pas devenus inséparables parce que trop de choses nous séparaient encore : son père totalement barré qui avait transformé son chômage longue durée en crise de paranoïa aiguë et qui passait toutes ses journées sur Internet à échanger des informations top secrètes avec ses amis légionnaires de la chrétienté, sa mère qui gobait des kilos de médocs pour oublier qu'elle vivait avec un barjot pareil, mon père à moi qui n'avait pas besoin d'un ordinateur pour avoir l'impression d'être un genre de légionnaire en service commandé et mon éponge de belle-mère avec toute sa clique de rats, de rates et de ratons qui ne faisaient que de gueuler toute la journée, on avait beau essayer de faire les fiers, tout ce merdier, ça nous plombait bien le cul quand même.

Pardon pour ma grossièreté. Toute cette fatalité, ça nous plombait bien nos ailes de mignons petits pioupious largués dans les mauvais nids quand même.

En plus, moi, parce que j'étais plus faible que lui, j'essayais toujours de rentrer dans des groupes et de me faire aimer des autres, alors que lui, c'était un solitaire. Lui, c'était le héros de la chanson de Jean-Jacques Goldman : il marchait seul sans témoin sans personne, que ses pas qui résonnent et la nuit qui pardonne et tout ça.

Sa solitude, c'était sa béquille, comme moi, mes bandes de filles à la con.

Une fois ou deux, au début, j'avais essayé de venir lui parler pendant la récré ou de m'asseoir à côté de lui à la cantine mais, même s'il était toujours gentil avec moi, je sentais que je le troublais en surface alors j'ai pas insisté.

On ne se parlait que le mercredi midi parce qu'il allait déjeuner chez Claudine et que, du coup, je ne prenais pas le car pour faire un bout de chemin avec lui.

Au début, elle m'invitait à rester, mais comme je répondais toujours non, elle aussi a fini par ne plus insister.

Je ne sais pas pourquoi je refusais. Toujours cette histoire de cadeau trop beau et bien remballé, je crois... J'avais peur, si je revenais dans cette maison, d'abîmer des choses. Ces vacances de Pâques, c'était mon seul beau souvenir et je n'étais pas encore prête à le sortir de sa vitrine.

Là, tu ne t'en rends pas trop compte parce qu'y a que moi qui jacte vu que Francky comate et que j'ai appris à l'ouvrir entre-temps, mais à l'époque, j'étais très peureuse.

Très, très peureuse...

C'était pas comme si j'avais été vraiment tabassée dans mon enfance, genre au point de finir en première page du magazine *Détective* ou quoi, mais j'étais tout le temps *un petit peu* tapée.

Tout le temps, tout le temps, tout le temps…

Une petite claque par-ci, une petite claque par-là, un petit gnon par en dessous, un petit coup de pied dans les jambes quand je me trouvais dans le passage ou quand je m'y trouvais pas, des mains toujours levées pour faire genre attends que j't'en colle une et tout ça, et ça m'avait… comment dire ?

Un jour, je me souviens, j'avais lu en cachette, dans une brochure du CDI, un truc sur l'alcool qui disait que, bien sûr, il ne fallait pas boire, mais que si tu prenais genre une grosse cuite un soir, c'était comme de jeter un seau d'eau sur un plancher : c'était pas top, mais bon, après tu passais un coup de serpillière vite fait, le plancher séchait et on n'en parlait plus, alors que l'alcoolisme, même bien caché et même sous contrôle, c'était comme un goutte-à-goutte et que, petit à petit, goutte d'eau après goutte d'eau, à la fin t'avais forcément un trou dans le bois. Et même dans le plus solide…

Eh ben, c'était ça, les petites claques et les petits bleus que je me récoltais non-stop depuis que j'étais gamine… Ça m'envoyait pas dans les faits divers ou dans les dossiers des assistantes cassos, mais ça m'avait perforé la tête. Et c'était pour ça que j'étais si peureuse : n'importe quel petit courant d'air me passait au travers et m'envoyait direct dinguer dans les choux. Et Franck, à ce moment-là, il n'était pas assez solide non plus pour me colmater comme il faut. Donc, on était très précautionneux l'un avec l'autre. On s'appréciait, mais on ne se collait pas de trop pour éviter de se porter encore plus la poisse.

Mais ça allait parce que tout ça, encore une fois, on le savait.

On savait qu'entre nous, ce n'était pas du mépris ou de l'indifférence, mais de la précaution et qu'on ne pouvait plus se le montrer, mais qu'on était toujours amis.

Lui, il le savait parce que quand je le sentais un peu plus triste que seul ou un peu plus déprimé que rêveur, je me mettais en face de lui et je lui disais comme ça : « Lève la tête, Perdican ! » et moi, je le savais parce que même s'il en a eu parfois l'envie ou la curiosité, il ne m'a jamais proposé de me raccompagner jusque chez moi. Et puis, il ne me posait jamais de questions trop précises. Il était poli, il était respectueux, il était discret. Comme dirait son père, il devait s'en douter que vers chez les Morilles, c'était pas trop le berceau de la chrétienté…

La demi-heure de route que nous partagions le mercredi nous permettait de faire front tout le reste de la semaine. Nous ne nous parlions pas vraiment, mais nous étions ensemble et nous marchions vers d'anciens bons moments.

Et ça, c'était bien.

Ça nous tenait.

*
* *

C'est vers la moitié du mois de juin que j'ai commencé à baliser : je n'avais pas eu mon passage en seconde, même pro, et lui, il allait partir en pension pour être dans un meilleur lycée.

Ça faisait un petit moment que toutes ces angoisses me tournoyaient au-dessus de la tête d'un air menaçant et je m'arrangeais toujours pour regarder ailleurs, mais là, ça y était, c'était écrit. Sur mon bulletin : « passage refusé » et sur la lettre qu'il venait de me montrer, tout content : « place à l'internat réservée ».

Et bing. Encore un coup de poing dans le ventre.

Ce jour-là, je me souviens, j'avais demandé à Claudine si je pouvais rester manger avec eux et c'était idiot parce que je n'avais rien pu avaler du tout.

Je disais la vérité, que j'avais mal au ventre, et Claudine me pardonnait vu que c'était normal pour une fille de mon âge d'avoir mal au ventre, mais elle se trompait, bien sûr... Ce n'était pas à ce ventre-là que j'avais mal...

*
* *

Heureusement, il nous restait encore un beau souvenir à partager avant la fin de l'année : la sortie de classe à Paris...

C'était la dernière semaine avant les révisions pour le brevet et on nous avait traînés au musée du Louvre avec les neuneus de notre classe et ceux de 3e B. Tous ces crétins qui n'avaient fait que de se prendre en photo eux-mêmes et de regarder les photos débiles qu'ils venaient de prendre alors qu'il y avait tant de choses tellement plus belles à engranger.

Franck et moi, on s'était assis l'un à côté de l'autre dans le car parce qu'on était les deux seuls tout seuls.

Pendant le trajet, il m'a prêté l'un de ses écouteurs. Il avait préparé une compil pour l'occasion et j'ai pu enfin l'entendre, sa fameuse Billie Holiday... Elle avait une voix si claire que c'était la première fois que je comprenais certains mots dans des chansons en anglais. *Don't Explain*... Celle-ci, elle était vraiment belle, hein ? Vraiment triste, mais vraiment belle... On en a écouté quelques-unes à la suite et puis ça a été la pause pipi sur l'autoroute alors il a récupéré son bidule et on est allés traîner chacun de notre côté pour nous donner du mou.

Quand le car a redémarré, il m'a raconté des choses sur la voix qu'on venait d'entendre. Il me les a racontées, comme ça, à la loose, façon petits potins du *Oops* de l'époque et, bien sûr, je l'ai pris comme ça aussi. Genre Ah, oui ? Ah, bon ? Ah, tiens ? Mais bien sûr, une fois encore, lui et moi, on savait très bien ce qui était en train de se passer entre nous. Ou de passer entre nous, je devrais dire.

C'était comme mon explication débile pour décider lequel de nous deux devait jouer Camille, les mots qu'on employait n'étaient pas les bons, mais ils faisaient bien leur boulot de mots quand même.

Qu'est-ce qu'il m'a raconté sur la très belle voix qu'on venait d'entendre, qui était l'une des plus connues du monde, qui avait ému des millions de gens depuis l'invention du jazz et que deux petits collégiens ruraux écoutaient encore dans le fond d'un car en se serrant l'un contre l'autre plus de cinquante ans après sa mort ?

Hof...

Pas grand-chose...

Que sa mère avait été foutue dehors par ses parents à l'âge de treize ans parce qu'elle était enceinte, qu'elle-même avait eu une enfance insurmontable, qu'elle était restée longtemps muette parce que sa grand-mère qu'elle adorait était morte dans ses bras, qu'elle s'était fait violer à dix ans, une nuit, par un gentil voisin, qu'elle avait été envoyée dans un genre de foyer où elle avait été torturée et tabassée, qu'elle avait fini dans un bordel avec sa mère alcoolique et, qu'elle aussi, avait dû passer à la casserole plus souvent que prévu, mais que bon... allez comprendre... ça l'avait fait quand même au bout du compte...

Que sa vie, en plus d'être immortelle, avait pris une belle forme de majeur bien, bien dressé vers le ciel.

Don't explain, hein ?

Ce qui était bien, c'est que juste après, sur sa compil, y avait *I Will Survive*, *Brothers in Arms* et *Billie Jean* spéciale dédicace to soldat Bibi alors ça nous a permis de la quitter en douceur.

T'entends, petite étoile ? T'entends qui il est, mon ami ? Tu le vois, mon petit prince, de là où t'es ou y te faut une paire de jumelles ?

Si tu le vois comme je te le raconte, c'est-à-dire de très près et sans le moindre accroc et que tu le laisses souffrir inutilement, il faudra vraiment que tu prennes un peu de temps pour m'expliquer tes raisons parce que là, je t'avoue, j'ai encaissé beaucoup de choses dans la vie, beaucoup, beaucoup de choses, mais sur ce coup-ci, va savoir, je sens déjà que j'aurai un peu de mal à la faire, la photosynthèse...

*
* *

Moi, à l'époque, j'étais encore trop arriérée, mais pour Franck, Paris, ce jour-là, ça a été un choc.

Pourquoi *un* ? *Le* choc. Le choc de sa vie.

Il y était déjà allé plusieurs fois pour des spectacles payés par le comité d'entreprise de sa mère, mais c'était toujours au moment de Noël, donc de nuit et au pas de course et, en plus, avec son père qui passait son temps à leur montrer des immeubles en leur expliquant grâce à quelles magouilles tel ou tel juif les avait spoliés (ce mec est fou comme un lapin), et il en avait gardé un assez mauvais souvenir.

Mais là, en cette belle journée de juin, et avec sa petite Billie à ses côtés qui croyait qu'un franc-maçon, c'était un Portugais honnête et qui lui pointait du doigt des tas de jolis détails à prendre en souvenir, ça l'a complètement chamboulé du ciboulot.

Le Franck du car de l'aller et le Franck du car du retour n'avaient rien à voir entre eux. Quand on a repris la route vers notre morne adolescence, il n'a plus parlé, il m'a laissé ses deux écouteurs et le reste de ses becs et il a passé tout le trajet à rêvasser en regardant la nuit par la fenêtre.

Il était tombé amoureux.

Le palais du Louvre, la Pyramide, la place de la Concorde, les Champs-Élysées, je le regardais qui les admirait et j'avais l'impression de voir Wendy et ses petits frères quand ils survolaient Londres avec Peter Pan. Il ne savait plus où donner des yeux tellement tout l'émerveillait.

Plus que les monuments, je crois que c'est surtout les gens qui lui avaient pelé le cœur. Les gens, leur façon de s'habiller, de traverser n'importe comment, de danser entre les voitures, de parler fort, de rire entre eux, de marcher vite...

Les gens assis aux terrasses des cafés qui nous regardaient passer en souriant, les gens super chic ou en costume de bureau qui pique-niquaient sur des bancs dans le jardin des Tuileries ou qui bronzaient au bord de la Seine avec leur attaché-case en oreiller, les gens qui lisaient des journaux debout dans les autobus sans se tenir à rien, ceux qui passaient devant les cages du quai Bidule sans même se rendre compte qu'il y avait des perruches à l'intérieur tellement leur vie avait l'air plus intéressante que des perruches, ceux qui parlaient, qui riaient ou qui s'énervaient au téléphone tout en pédalant au soleil et ceux qui entraient ou qui sortaient de boutiques super classe sans rien acheter comme si c'était normal. Comme si les vendeuses étaient juste payées pour ça, pour leur sourire en serrant les dents.

Oh là là, oui... Tout ça, c'était beaucoup d'émotions pour mon Francky et les Parisiens au printemps, ce fut sa Joconde à lui...

À un moment, alors que nous nous trouvions sur un pont, ou plutôt un genre de passerelle, au-dessus de la Seine et que, partout alentour et où que nous tournions la tête, la vue était mortelle : Notre-Dame, ma fameuse *Académie* française de nos répétitions, la tour Eiffel, les beaux immeubles tout sculptés le long des quais, le musée je ne sais plus quoi et tout ça, oui, alors que nous nous démanchions le cou pendant que tous les autres bouseux qui nous accompagnaient étaient en mode zoom sur les cadenas des touristes amoureux accrochés aux balustrades, j'ai eu envie de lui faire un serment...

J'ai eu envie de lui prendre la main ou le bras pendant qu'il regardait toute cette beauté en salivant comme un pauvre chien tout maigre devant un énorme os super juteux mais définitivement hors de sa portée et lui dire tout bas :

On reviendra... Je te promets qu'on reviendra... Lève la tête, Franck ! Je te promets qu'on reviendra un jour... Et pour toujours... Et qu'on habitera ici, nous aussi... Je te promets qu'un matin, ce pont, tu le traverseras comme si t'allais chez Faugeret (c'était le nom de notre boulanger) et que tu seras tellement occupé avec ton super téléphone tout plat toi aussi que tu ne verras même plus tout ça... Enfin, si, tu le verras encore, mais tu baveras moins qu'aujourd'hui parce que tu l'auras déjà bien rongé... Allons, Franck ! quel est l'homme qui ne croit en rien ? Puisque c'est moi qui te le jure... moi... moi qui te dois tant... Tu peux me faire confiance, n'est-ce pas ?

Mon frère chéri, ta famille et les Prévert t'ont donné leur expérience, mais crois-moi, ce n'est pas la tienne et tu ne mourras pas sans déménager.

Oui, j'ai ressenti cette terrible envie de lui promettre cette certitude d'un futur en forme de carte postale, mais, bien sûr, je me suis tue.

Pour moi, l'os il n'était pas hors de portée, il était carrément hors de ma vie. Moi, y avait très peu de chances que je revienne un jour par ici. Et même aucune chance du tout.

Alors j'ai fait comme lui : j'ai regardé la vue et j'y ai accroché une sorte de cadenas imaginaire avec nos deux initiales gravées dessus.

*
*   *

Voilà pour notre dernier bon moment de la saison 1.

Je te la récapitule pour le résumé du début de la suivante : les héros, c'est nous, le décor, il est merdique, l'action, y en a pas eu beaucoup et y en aura plus avant longtemps, les personnages secondaires, on s'en fout, les perspectives d'avenir, elles sont nulles, en tout cas pour la fille, et des raisons pour que ça continue quand même, y en a aucune.

Et alors ? Tu ne dis rien ?
Hé... Tu t'es endormie ou quoi ?

Lève la tête, petite étoile !

Y en a une, de raison ! Et tu le sais bien parce que c'est justement à cause d'elle que je te tiens la pointe depuis des plombes !

La raison, elle est toute con et j'ose à peine la dire. La raison, c'est l'amour.

Après ça devient plus triste et je vais passer vite. Après, tu regardais ailleurs…

D'abord il y a eu les vacances d'été qui nous ont séparés un peu (on s'est vus trois fois en deux mois dont une par hasard et super mal à l'aise parce que sa mère était dans les parages) et ensuite il y a eu son lycée qui nous a séparés tout court.

Il était loin et moi… moi, pendant ce temps-là, j'ai redoublé, j'ai pris des nénés et je me suis mise à fumer.

Pour me payer mes clopes, j'ai commencé à déconner et pour que mes nénés servent à quelque chose, je me suis maquée.

Oui… maquée… y a un garçon qu'est passé par là, il avait une moto, il pouvait m'arracher des Morilles de temps en temps, il travaillait dans un garage, il n'était pas plus gentil que ça, mais il n'était pas méchant non plus, il n'était pas très beau et une fille comme moi, pour tirer son coup peinard, il pouvait pas espérer beaucoup mieux. Il habitait encore chez ses parents, mais dans une caravane au fond de leur jardin et ça tombait bien parce que moi, les caravanes, c'était mon élément, alors j'ai pris un sac d'habits et je suis venue m'installer dedans.

Je l'ai nettoyée, je me suis assise à l'intérieur et j'ai fait comme lui : j'ai cloporté dans le fond du jardin.

Du jardin de ses parents...

De ses parents qui ne voulaient pas me parler parce que j'étais un trop mauvais parti...

Lui, il avait le droit de prendre ses repas chez eux, mais moi, non. Moi, y me rapportait une gamelle.

Ça le gênait un peu, mais comme il disait : c'était que du provisoire, hein ?

T'étais où petite étoile ?

Oh... Il faut que je passe vite sur ces moments de mon passé parce que ça me rappelle trop mon moment du présent...

Parce que, tu sais... je déroule, je déroule, mais j'ai vraiment froid en t'attendant...

J'ai vraiment froid, j'ai vraiment soif, j'ai vraiment faim et j'ai vraiment mal.

J'ai mal au bras et j'ai mal à mon ami.

J'ai mal à mon Francky tout cassé...

Et j'ai encore envie de pleurer.

Alors je pleure.

Hé... mais c'est que du provisoire, hein ?

Tout à coup, ça me revient, petite étoile, M. Dumont, y m'a pas seulement appris que j'étais originaire du quart monde de la France, il m'a aussi fait recopier quelque part que t'étais morte...

Que t'étais morte depuis des milliards d'années et que ce n'était pas toi que j'étais en train de regarder en ce moment, mais des restes de toi. Des restes de ton fantôme. Un genre d'hologramme. Une hallucination.

C'est vrai ?

On est vraiment tout seuls, alors ?

On est vraiment perdus, tous les deux ?

Je pleure.

Moi, quand je mourrai, y aura même plus une trace de ma présence après moi. Moi, ma lumière, à part Franck, personne l'a jamais vue et s'il meurt avant moi, ce sera fini. Je m'éteindrai aussi.

Je cherche sa main et je la serre fort. Le plus fort que je peux.

S'il s'en va, je pars avec lui. Jamais je ne la lâcherai, jamais. Il faut qu'il me sauve encore une fois... Il l'a déjà fait tellement souvent qu'il en est plus à un hélitreuillage près... Je ne veux pas rester ici sans lui. Je ne veux pas parce que je ne pourrais pas.

Le quart monde, j'ai fait semblant que si, mais j'en suis jamais partie, en vrai, j'ai essayé pourtant, j'ai essayé de tout mon cœur. De toute ma vie. Mais c'est comme un tatouage raté, cette merde, à moins de te couper le bras, tu te le coltines jusqu'à ce que les vers le bouffent.

Que ça me plaise ou non, j'étais née Morilles et je finirais Morilles. Et si Franck m'abandonne, je ferais exactement comme ma belle-mère et tous les autres : je boirais. Je ferais un trou dans mon plancher et je l'agrandirais jusqu'à ce qu'il ne subsiste plus rien d'humain en moi. Rien qui rit, rien qui pleure, rien qui souffre. Rien qui pourrait me faire prendre le risque de relever la tête une dernière fois et de me manger encore une grande tarte dans la gueule.

J'ai fait croire à Francky que j'avais fait reset, mais c'était des conneries tout ça. J'ai rien fait du tout. Je lui ai juste fait confiance. Je lui ai juste fait confiance parce que c'était lui et qu'il était là, mais sans lui, ça tiendrait pas une minute un bobard pareil. Je peux pas faire reset. Je *ne* peux pas. Mon enfance, c'est un poison que j'ai dans le sang et y a que quand je serai morte que j'en souffrirai plus. Mon enfance, c'est moi, et comme mon enfance ne vaut rien, moi, derrière, j'ai beau essayer de la contrecarrer de toutes mes forces, je ne fais jamais le poids.

J'ai froid, j'ai faim, j'ai soif et je pleure. Et j'en ai rien à foutre de ta gueule, petite étoile de mes deux qui n'existes même pas en rêve. Je ne veux plus te voir. Plus jamais.

Je me tourne vers Franck et, comme un chien, comme Croc-Blanc quand il retrouve son maître, je coince ma truffe sous son bras et je ne bouge plus d'un poil.

Je veux plus jamais retourner vivre dans une caravane. Je veux plus jamais finir les restes des autres gens. Je veux plus jamais continuer à me faire croire que je suis autre chose que moi-même. C'est trop fatigant de mentir tout le temps. Trop, trop fatigant... Moi, ma mère, elle est partie quand j'avais même pas un an et elle est partie parce que je ne faisais que de pleurer. Elle en avait marre de son bébé. Eh ben, elle a eu raison parce qu'après tant d'années, j'ai pas progressé d'un pas : je suis toujours la même petite fille chiante qui pleure toute la nuit...

Je lui ai pardonné de m'avoir abandonnée. J'ai cru comprendre qu'elle était encore mineure et ça devait être impossible pour elle, d'imaginer le reste de sa vie aux Morilles avec mon père, mais... mais le truc qui m'empêche de l'oublier complètement, c'est de me demander si elle pense à moi quelquefois.

Juste ça.

J'ai cessé de broyer sa main pour changer de position car même si je voulais bien mourir dans la minute, j'en avais marre d'avoir mal au bras dans la seconde et, juste au moment où j'étais en train de me remettre sur le dos, le voilà-t-y pas qui me la serre à son tour...

— Franck ? C'est toi ? T'es là ? Tu dors ? T'es dans les pommes ou quoi ? Tu m'entends ?

J'ai collé mon oreille contre sa bouche des fois qu'il serait trop faible pour me répondre distinctement et aussi pour faire comme dans les films, genre avec le pépé mourant qui murmure dans un dernier filet de souffle où il a caché son trésor et tout ça.

Mais non... Ses lèvres restaient immobiles... Sa main en revanche, sa main continuait de serrer la mienne... Pas beaucoup. À peine. À peine une étreinte de souris, mais pour lui, ça devait être maousse...

Sa main était trop faible et ne serrait rien du tout, mais ses doigts comateux me pressaient un peu. Ses doigts, dans un dernier filet de nerf, me disaient : Mais tu ne vois pas qu'il est là ton trésor, grosse truffe ! T'arrêtes de chialer, oui ! Tu sais que tu commences à nous les briser avec ton enfance malheureuse ? Tu veux que je te parle de la mienne, un peu ? Tu veux que je te raconte l'effet que ça fait de grandir avec une mère sous antidépresseurs et un père sous anti-le-monde-entier ? Tu veux que je te raconte ce que c'est, de vivre dans la haine en permanence ? Tu veux que je te raconte ce que ça fait d'être le fils de Jean-Bernard Muller et de se rendre compte à huit ans qu'on n'aimera jamais que des garçons ? Tu veux ?

Tu veux que je te la redise, cette boucherie-là ? Ce carnage ? Cette terreur domestique ? Alors, arrête deux minutes, s'il te plaît. Arrête. Et lâchenous avec ton étoile de pacotille, là... Y a *pas* de bonne étoile. Y a *pas* de ciel. Y a *pas* de Dieu. Y a personne d'autre que nous sur cette putain de planète et je te l'ai déjà répété mille fois : Nous, nous, nous et re-nous. Alors arrête d'aller toujours piocher dans tes souvenirs de merde ou ta cosmogonie de bonne femme quand ça t'arrange. Je déteste quand tu es comme ça. Je déteste quand tu te vautres dans ce genre de complaisance facile. C'est à la portée de tout le monde de jeter l'anathème sur d'autres failles que les siennes, tu le sais ? Et je déteste te savoir comme tout le monde... Pas toi... Pas elle... Pas ma Billie à moi... Le monde n'est qu'un égout sans fond où les familles les plus informes rampent et se tordent sur des montagnes de fange, mais il y a pour nous une chose sainte et

sublime qu'elles n'ont pas et qu'elles ne nous pren-
dront jamais : le courage. Le courage, Billie... Le
courage de ne pas leur ressembler... Le courage de
les surmonter et de les oublier pour toujours. Alors
cesse de pleurer *immédiatement* ou je te plante là
et je me barre direct avec mes deux brancardiers
super bien montés.

Oh là là... Il avait l'air vraiment fâché, hein ?
Oh là là que tu es nerveux, Perdican, lorsque tes
doigts s'animent... Oh là là... et... euh... c'est quoi
une cosmogonie ? et un anathème ? C'est un genre
de fleur ? Oh là là... Je me la boucle, moi...

*
* *

Bon, petite étoile... Approche un peu parce que
je veux pas que Francky entende... Alors... euh...
on se résume : donc... chut... donc, t'es là, mais
c'est plus toi et t'existes pas, mais t'existes quand
même, OK ? Si Franck ne croit pas en toi, c'est son
problème, mais moi, je me suis habituée à ta compagnie, alors je continue de te raconter mon petit
feuilleton en cachette, d'ac ?
D'ac, elle a scintillé.

*
* *

Où j'en étais déjà ? Ah, oui... dans la caravane
toute pourrie de Jason Gibaud... Oh, mon Dieu...
mais qu'est-ce que ça puait là-dedans ! Un mélange
de pieds, de tabac froid, de vieux coussins moisis

et tout ça. Ah ! On peut dire que j'en aurais chouré des bombes de Oust, à cette époque !

J'étais là. Je séchais les cours. J'étais assise sur le marchepied côté cabanon pour ne pas que ses parents me voient et je fumais des cigarettes.

Quand j'avais le moral à zéro, je me disais que ma vie était finie et que je ferais aussi bien d'allumer la télé et le Butagaz et de le téter une bonne fois pour toutes en regardant *Les Feux de l'amour* et quand y avait un rayon de soleil, je me disais que j'étais comme Camille... Que j'étais juste en train de croupir dans un genre de couvent en attendant ma majorité et que, d'une façon ou d'une autre, les choses allaient forcément bouger un jour. Je ne voyais pas trop comment, mais bon, c'est ça un rayon de soleil : ça te permet de fermer les yeux et d'y croire un peu...

Y a eu ce Jason et y en a eu d'autres, évidemment. Quand ses parents ont fini par trop criser, j'ai repris mon sac d'habits et je suis allée faire peur à d'autres vieux.

Un jour, bien plus tard, mais dans ces eaux-là, j'ai croisé Franck en ville. Je sais qu'il m'a vue, mais il a fait semblant d'être occupé ailleurs et je lui en ai été très reconnaissante.

Parce que ce n'était pas moi, la fille hyper vulgaire qui traînait au marché, ce jour-là. Habillée en pouf, montée sur échasses et maquillée comme une voiture volée. Non, c'était pas la Billie dont on avait envie de respecter la volonté, c'était... un genre de pute...

Eh oui, il faut dire les choses comme elles étaient, petite étoile... Ces années passées dans la plus merdique des salles d'attente, ce n'était pas à la Camille de Perdican qu'elles me faisaient penser, mais plutôt à la Billie Holiday de sa mère...

Bien sûr que je faisais la pute, bien sûr... Je le savais... Mais quoi ? J'avais découvert qu'avec mon corps, je pouvais obtenir une certaine tranquillité, de quoi bouffer et même... même... en cherchant bien, un peu d'affection. Alors... J'aurais été bien conne de m'en priver, non ? Je ne les aimais pas des masses, tous ces garçons qui me permettaient de vivre loin des Morilles, mais je ne prenais pas les pires non plus... Et puis... entre pute chez les riches et pute chez les pauvres, y a pas une si grande différence que ça, si ? Après, c'est juste une question de nombre d'habits... Les miens, y tenaient dans un sac Auchan et y en avait d'autres, c'était dans des beaux dressings, mais bon... à chacune sa jauge et ses profits, pas vrai ? Moi, je faisais comme je pouvais et, en attendant de pouvoir faire autrement, je faisais avec mon cul.

J'étais obsédée par mes dix-huit ans. Pas parce que ça m'aurait permis de passer mon permis et de rouler en Mini (ha ha) ou d'aller jouer au casino (ha ha ha), mais parce que je savais que je serais plus détendue pour aller voler dans les magasins. Là, si je me faisais choper, c'était forcément mon père qu'on aurait appelé et ça, non. Ça, c'était retour direct à la case enfer. Du coup, je ne piquais que des petits trucs et c'était plus long pour moi que pour d'autres de me faire respecter.

Voilà. C'était ça, ma vie et c'était ça, mes grands projets d'avenir...

Donc oui, que Franck Mumu ait fait semblant de ne pas m'apercevoir c'était classe de sa part...

Depuis, je lui ai reparlé plusieurs fois de ce jour-là, de cet instant tellement étrange où j'ai connu la honte et le soulagement dans la même seconde et il continue de me jurer qu'il ne m'avait vraiment pas vue. Mais moi, je sais que si, et je le sais à cause de Claudine.

Encore plus tard, un matin, je l'ai croisée dans un café. J'achetais des clopes et elle des timbres fiscaux. Bien sûr, elle m'a souri et tout, mais j'ai vu dans son regard le chemin décevant que j'avais parcouru depuis le temps de nos répétitions.

Oui. Je l'ai vu. Ce fut rapide et bien vite camouflé, mais moi, à cause de mon enfance en self-défensive, je suis très forte pour détecter les moindres pensées secrètes dans le regard des gens qui m'envisagent. Très très forte... Elle m'a embrassée comme si de rien n'était, elle m'a dit en riant qu'elle n'était pas d'accord pour me payer ma drogue, mais qu'elle voulait bien m'offrir une Chupa Chups et un truc à gratter si je voulais et que je n'avais qu'à les choisir et là... là, elle a dû le voir, sous mes cils de pétasse chargés à mort au mascara chouré, que j'étais déjà au bord des larmes tellement ça faisait longtemps que personne ne m'avait fait de cadeau... Oui. Elle l'a vu, mais au lieu de faire genre : Oh, ma petite chérie... Oh que la vie est dure avec toi... et Oh que tu es méconnaissable dans ce déguisement qui te va si mal et qui te vieillit tant, elle a ajouté un truc qui voulait dire exactement la même chose, mais en bien plus beau.

Oui, au moment de nous séparer dans la rue, elle a fait celle qui venait juste de s'en souvenir et elle m'a lâché comme ça :

— Dis donc, ma petite Billie... Il faudrait que tu passes à la maison un de ces jours parce que j'ai une lettre pour toi... Et même deux, je crois...

— Une lettre, j'ai fait, mais une lettre de qui ?

Elle était déjà loin quand elle a ajouté en criant à moitié :

— De ton Perdicaaan !

Et je pleure.
Mais là, je peux, hein ?

Oui.
Là, je peux.
Parce que c'est de la bonne larme ça, madame.

J'ai attendu plusieurs jours avant d'aller la voir.

Je ne sais plus ce que je m'inventais encore comme raisons, mais la seule de réglo, c'est que j'avais peur. J'avais peur de retourner chez elle toute seule, j'avais peur d'y retourner tout court et surtout, j'avais peur de ce que Franck avait à me dire. Est-ce qu'il allait me demander si c'était bien moi, la roulure qu'il avait aperçue l'autre jour devant le marchand de poulets ? Est-ce qu'il allait me demander combien de mecs il fallait que je suce pour avoir un beau blouson en cuir comme celui-là ? Est-ce qu'il allait me dire qu'il était déçu et qu'il préférait ne plus jamais me revoir tellement je lui faisais honte ?

Oui, j'avais peur et j'ai attendu au moins cinq jours avant d'oser frapper à sa porte...

J'y suis allée en mode Billie d'autrefois, c'est-à-dire à pied, en jean et sans maquillage. Bien sûr, c'était sûrement qu'un détail pour elle, mais pour moi, non. Pour moi, c'était comme un retour heureux en enfance heureuse.

Je ne me souvenais même plus de la tête qu'avait mon visage sans toutes les saloperies que j'y plâtrais pour me cacher derrière. Oui, j'avais peur d'aller chez Claudine, mais en me faisant une queue-de-cheval, ce jour-là, je me suis souri dans la glace. Pas parce que je me trouvais belle, mais parce que j'avais l'air d'une gamine et... oh... que ça m'avait fait du bien, ce petit sourire imprévu.

Que ça m'avait fait du bien...

*
* *

C'était vraiment mon nom sur les enveloppes... Mademoiselle Billie chez madame Claudine Truc et tout ça.

Mademoiselle Billie...

Purée, ça m'a fait bizarre... C'était la première fois de ma vie que je recevais une lettre... *Des* lettres, même ! La première fois... Avec un vrai timbre, une vraie enveloppe et une vraie écriture d'être humain.

Bien sûr, je ne suis pas restée. Je ne voulais pas les ouvrir devant elle et même, je crois que je ne voulais pas les ouvrir du tout. Elles aussi, je voulais les ranger direct dans ma vitrine et les garder non déballées pour toujours.

Je les ai mises dans ma poche et j'ai marché.

J'ai marché sans savoir où j'allais. Enfin, ma tête ne savait pas, mais mes jambes, si. Comme elles sont plus intelligentes que moi, de détour en détour, elles ont fini par me conduire jusque dans mon caveau de Camille.

J'ai poussé la vieille porte, je m'y suis faufilée et je me suis rassise sous le petit autel comme autrefois.

L'oubli, le calme, le silence, les dessins du lichen, le chant des oiseaux, le vent qui secouait les chaînes rouillées et tout ça, ça m'a fait tellement de bien aussi... Ça me rappelait la petite Billie qui ne couchait pas encore à tour de bras et qui voulait ressembler à une fille beaucoup plus noble qu'elle... Ça me rappelait un moment de ma vie où j'apprenais par cœur et facilement des sentiments qui étaient beaux et qui me faisaient croire que j'avais du potentiel pour la suite.

Si y avait eu un psy dans les parages, il aurait sûrement fait tout un discours comme quoi j'étais recroquevillée là-dedans comme dans le ventre de ma mère ou je ne sais quelle connerie dans le genre, mais y avait pas de psy. Y avait juste les lettres de Franck Mumu et c'était quand même vachement plus efficace...

J'étais bien. Je me suis oubliée et je me suis même un peu endormie.

Au bout d'un moment, j'ai fini par les ouvrir dans l'ordre de leur arrivée. La première était écrite sur une copie simple à grands carreaux et elle disait :

Salut Billie. J'espère que tu vas bien, moi je vais bien. Tu sais, je n'ai plus trop le temps d'aller voir ma grand-mère le week-end et je pense que ça lui manque alors j'ai décidé de t'écrire chez elle toutes les semaines comme ça, toi t'iras la voir pour moi.

Merci de me rendre ce service. J'espère que ça ne t'embête pas trop. Bisou, F.

La seconde, c'était une carte postale moche de sa ville, avec l'église, le château et tout ça :

Salut Billie. J'espère que tu vas bien, moi ça va. Dis à Claudine que j'ai bien reçu son paquet. Bisou, F.

Je les ai remises dans leurs enveloppes et j'ai eu envie de pleurer de gratitude. Parce que d'accord, j'étais conne, tout le monde me le faisait assez comprendre depuis que j'étais née, mais là, je voyais très bien ce qui se cachait derrière cette entourloupe. Franck m'avait aperçue en pute et ça lui avait fait pitié, du coup il avait inventé quelque chose avec sa mamie pour que je ne perde pas complètement le contact avec moi-même.

Oui, tout ça, c'était juste pour m'obliger à me démaquiller une fois par semaine et à aller boire un verre de grenadine ou d'Orangina dans une petite maison qui m'aimait bien.

Il m'est arrivé de rester plusieurs semaines sans aller à sa rencontre, mais lui, il n'a jamais failli à sa règle. Chaque mercredi, en dehors des vacances scolaires et pendant presque trois ans, j'ai eu droit à ma carte postale moche avec un « J'espère que tu vas bien, moi je vais bien » écrit derrière et à chaque fois, à l'occasion, j'ai croisé le regard d'un être humain qui ne me jugeait pas. Je ne restais jamais très longtemps parce que j'étais trop en mode warrior à cette époque-là pour prendre le risque de la douceur, mais juste de passer vite fait comme ça, avec mon vrai visage de l'époque, ça m'a permis de tenir jusqu'à la suite de ma vie.

Un jour, je me souviens, alors que je venais juste de sonner chez elle, je l'ai entendue dire à je ne sais qui au téléphone (la fenêtre de sa cuisine était ouverte) : « Attends, je te laisse, Billie vient d'arriver. Mais si, tu sais bien, cette pauvre gosse dont je t'ai parlé l'autre jour… », ça m'avait poignardé le cœur et j'étais repartie en courant à moitié.

Merde, pourquoi elle parlait de moi comme ça ? J'avais seize ans, je couchais déjà et je me démerdais sans jamais rien réclamer à personne. Je trouvais ça injuste. Je trouvais ça dégueulasse. Je trouvais ça humiliant. Et puis je l'ai entendue qui m'appelait au loin : « Billiiiie ! » Crève, j'ai pensé en faisant la sourde, crève. J'ai encore fait un pas ou deux et puis il y a un truc à l'intérieur de moi qui s'est déchiré et j'ai fait demi-tour.

Oui, que ça me plaise ou non, j'étais une pauvre gosse et je ne pouvais me payer le luxe de me faire croire le contraire…

Je suis revenue sur mes pas, elle m'a embrassée, j'ai bu un café au lait avec elle, j'ai pris ma lettre et je l'ai embrassée.

En repartant, j'étais toujours aussi crevarde, mais j'ai eu vraiment l'impression d'avoir grandi.

Avec tout ce que ça voulait dire de prometteur pour moi.

Je n'ai pas fait que regarder la télé, abandonner l'école ou être la boniche des garçons les moins regardants avec mes origines à cette époque, j'ai aussi accepté des tas de petits boulots. J'ai gardé des enfants, j'ai gardé des vieux, j'ai fait des ménages et j'ai déterré des pierres ou des patates.

Le problème, c'était toujours mon âge. Les gens voulaient bien m'exploiter, mais ils ne pouvaient pas m'embaucher. Comme ils disaient, ils n'avaient pas le droit. Bien sûr, tiens... pour torcher leurs grands-pères et nettoyer leurs chiottes, ça allait, mais pour me payer au prix, les pauvres, ils avaient des contraintes de légalité...

J'ai perdu Franck de vue. Je savais qu'il revenait certains week-ends ou pendant les vacances, mais il ne sortait plus de chez lui. C'est seulement bien plus tard que j'ai compris qu'il aurait eu tellement besoin de moi, lui aussi, dans ces années-là et je m'en veux encore de n'avoir pas eu le courage, ou simplement l'idée, de frapper à sa porte pour lui sortir ses idées morbides de la tête. Mais vraiment, j'étais moi-même trop loin de ma base pour penser une seconde que j'aurais pu avoir la... je ne sais pas... la légitimité de venir en aide à quelqu'un.

C'était le temps de la survie personnelle comme d'autres disent : « C'était le temps de ma jeunesse... » Désolée, mon Francky. Désolée. Je ne pouvais pas imaginer que c'était aussi dur pour toi que pour moi.

Je te croyais dans ta petite chambre bien confortable, à lire, à écouter de la musique ou à faire tes devoirs. Je n'avais pas encore appris que les gens normaux aussi, pouvaient avoir des problèmes...

*
* *

Et puis un jour, les choses ont bougé.

Un jour et sans le faire exprès bien sûr, mon père s'est enfin bien comporté avec moi : il est mort.

Il est mort électrocuté en allant chourer des câbles ou je ne sais quoi sur une ligne de TGV.

Il est mort et le maire est venu me trouver un matin que j'étais justement en train de trier des patates avec toute une bande de vrais Gitans pour le coup.

Alors même que mes mains étaient super crades, il m'a tendu la sienne et là... là, j'ai compris que le vent était peut-être en train de tourner... Oui, quand il m'a dit au revoir, je suis retournée à mes baquets de calibrage en souriant à moitié.

Petite étoile, petite étoile, tu commençais à t'ennuyer de nous, pas vrai ?

Levez la tête, Franck et Billie ! Levez la tête !

Il m'a serré la main et il m'a demandé de passer le voir la semaine suivante. Une fois dans son bureau, il m'a appris que un, ma belle-mère et mon paternel n'avaient jamais été mariés et que deux, le bout de Morilles dont j'avais hérité avait de la valeur. Pourquoi ? Parce qu'il était situé en hauteur et qu'il intéressait plein de gens qui souhaitaient y installer des relais pour les téléphones portables ou je ne sais quelle antenne.

Allons bon... C'était donc ça, toutes les lettres qu'il nous envoyait depuis des années et qu'on ne lisait même pas ?

Allons bon, j'étais l'unique héritière de cette porcherie et la mairie me proposait de la racheter ?

Allons bon...

Le temps que la procédure se fasse, j'ai eu mes dix-huit ans tant attendus, ma belle-mère et ses ratons ont été relogés en HLM, j'ai touché mon chèque de 11 452 euros, j'ai écouté le baratin du notaire qui m'a expliqué combien je devais mettre de côté pour les impôts et j'ai ouvert un compte à mon nom à La Poste.

Bien sûr, à cette époque, ma belle-mère m'a fait les yeux doux et des chantages pas possibles pour que je lui en refile une part... Et au moins la moitié, sinon ça voulait dire que j'étais vraiment une saleté d'ingrate vu tout ce qu'elle avait fait pour moi, et qu'elle m'avait élevée comme sa fille et tout alors que j'étais celle d'une souillon.

Je pensais que j'avais mangé toute ma merde possible avec elle, mais même là, même dans ces circonstances, ce mot de souillon y m'avait fait mal... Comme quoi, hein ? Même un peu riche, on n'est jamais aussi blindé qu'on croit... Je l'ai écoutée cracher son poison en faisant celle qui aurait peut-être pitié, peut-être, mais moi, toute mon enfance, je l'avais entendue se plaindre de ma présence en répétant que je lui avais gâché sa vie et qu'elle rêvait d'un fauteuil massant, alors je lui ai payé son putain de fauteuil massant, je l'ai fait livrer dans son nouveau clapier et je me suis sauvée une bonne fois pour toutes.

Tout le monde me faisait les yeux doux à cette époque, tout le monde. Puisque tout se sait dans les villages... La rumeur courait que j'avais amassé un gros pactole, genre des millions et tout ça, et moi, je laissais dire.

C'est sûr, maintenant on me disait bonjour dans la rue, mais j'ai continué de travailler comme avant et, l'âge des grands emplois glorieux légaux étant enfin arrivé, je suis devenue caissière à l'Inter.

À cette époque je vivais avec un garçon qui s'appelait Manu et qui, lui aussi, évidemment, était devenu plus gentil. À force, il avait même réussi à se faire payer les réparations de sa voiture et le fusil de chasse de ses rêves par sa Bibi et à faire croire à la Bibi en question qu'elle l'aimait. Bref, ça roulait. C'est tout juste si on ne parlait pas de se marier.

Je pensais aux copines de Camille qui pleuraient dans leur couvent parce qu'elles n'avaient pas de dot et je mesurais combien tout se mesurait au pognon ici-bas...

Oui, je voulais bien faire semblant d'être heureuse mais de là à me demander d'y croire, y avait de la marge...

Y avait 11 452 euros.

Mais bon, je prenais ce qui venait : j'avais du travail, du blé de côté, un mec qui ne me cognait pas dessus et des radiateurs électriques dans la petite maison qu'on retapait ensemble, question bonheur, je savais que j'étais au taquet.

Donc, tout s'emboîtait à peu près, mais toi, petite étoile, tu te sentais inutile, alors un samedi soir d'hiver, le Manu en question, il est revenu de la chasse et du café (ou plutôt du café, de la chasse et du café) à moitié bourré et il n'arrêtait pas de rire bêtement parce qu'il en avait une bien bonne à me raconter : Hé, le petit pédé... Mais si tu sais, le petit pédé du bled d'à côté... Celui qui dit jamais bonjour et qu'est fringué comme une tapette, là... Ouais, eh ben, ils l'avaient chopé, dis donc... Ouais, ils l'avaient chopé qui se promenait tout seul aux Charmettes et pis, ils l'avaient un peu chauffé, ce con-là, et comme y répondait rien et qu'y faisait sa fière, eh ben, ils l'avaient embarqué avec eux, dis donc... Putain, hé, dans le C15 à Mimiche, tu sais ce qu'y z'y avaient fait ? Ils l'avaient aspergé d'urine de laie en chaleur... Mais si... tu sais bien... le truc, là... l'appât... le produit qu'on mettait sur les troncs d'arbres et qu'attirait les mâles en rut... Ouais, hé... toute la bouteille qui y était passée... Wouarf ! Wouarf ! Hé... trempé qu'il était... Et après, ils l'avaient largué en plein milieu des bois... Comme ça, hé, eh ben, il allait bien se faire démonter le cul, ce gros pédé ! Depuis le temps qu'il en rêvait ! Wouarf ! Wouarf ! Ah, putain, ah, qu'est-ce qu'y s'étaient marrés avec ça... Ah, le con... Ah, le pédé... Ah, il allait passer une bonne nuit, mon salaud et y pourrait venir les remercier demain matin... Hé, mais pour ça, y faudrait qu'il arrive encore à marcher, hein ? Wouarf ! Wouarf !

Je me souviens, j'étais en train de faire du repassage et il faisait déjà nuit noire. Putain, l'électrochoc. Là, dans la seconde, exactement comme Hulk, je suis redevenue ma vraie nature.

Là, tout mon vernis de petite mémère bien rangée a craqué et, dans la seconde, j'étais de nouveau la petite moricaude enragée des Morilles.

Là, j'ai remercié mon père et tous ces connards qui m'avaient appris à recharger n'importe quelle arme et qui m'avaient forcée à tirer sur toutes ces pauvres petites bestioles qui fouinaient au milieu de leurs carcasses de bagnoles pourries parce que ça les faisait marrer de me voir pleurer.

Là, oui.

Là, merci.

Là, je le palpais enfin mon vrai héritage.

Et là, le Manu, il a pas tout compris.

J'ai rien dit. J'ai débranché mon fer, j'ai replié ma table et je l'ai rangée au sous-sol, j'ai été dans notre chambre, j'ai mis des affaires dans son sac de sport, j'ai récupéré mes papiers, enfilé mon blouson et attrapé mon sac à main et ensuite, son beau fusil de chasse bien braqué sur la porte, j'ai attendu qu'il ait fini de pisser ses bières et qu'il sorte enfin des chiottes.

Comme il n'avait pas l'air de me croire, ce con, la porte, je l'ai dézinguée et je lui ai sûrement emporté un bout de tympan avec. Et après, allez savoir, il m'a crue.

Une main sur l'oreille, il m'a conduite là où ils l'avaient abandonné. Si tu me le retrouves pas, je te bute, je l'ai prévenu de ma voix méconnaissable, s'il lui est arrivé le moindre problème, je te repeins le pare-brise.

Grâce aux coups de Klaxon et au faisceau des phares, on l'a aperçu qui longeait une allée cavalière.

Le fusil, mon regard, l'autre connard à moitié sourd et complètement terrorisé au volant, lui, Franck, il a tout de suite pigé la map. Il est monté à l'arrière de la caisse avec moi et notre gentil chauffeur si serviable nous a conduits jusque chez ses parents.

— Fais comme moi, je lui ai dit, prends un sac d'affaires. Et grouille.

Pendant les dix minutes qu'il a été absent, l'autre connard n'a pas arrêté de me répéter : « Mais tu le connais ? Mais tu le connais ? Mais tu le connais ? »

Oui, connard, je le connais.

Et maintenant, ferme ta gueule. Il se trouve que j'y tiens et qu'ici, on respecte ma volonté.

Notre gentil chauffeur bien aimable nous a ensuite conduits jusque dans la grande ville où Franck avait été lycéen (je ne donne pas les noms exprès, mais toi, petite étoile, évidemment, tu sais où) et il s'est garé devant le commissariat. J'ai demandé à Franck d'aller chercher un flic armé et, quand ils sont ressortis tous les deux, j'ai rendu mon cadeau à mon ancien fiancé.

Ah, ben oui, monsieur l'agent... Parce que reprendre, c'est voler...

Le flic n'a rien compris. De toute façon, le temps qu'il regarde la voiture de Manu s'éloigner, on était déjà barrés de l'autre côté. Il a un peu gueulé pour la forme puis s'en est retourné à son poulailler.

Il faut dire que ça caillait dur ce soir-là...

On est allés dans un hôtel de merde près de la gare et j'ai demandé une chambre avec une baignoire. Franck était bleu. Bleu de froid, bleu de moi, bleu de tout. Oui, je crois qu'il avait peur de moi, à ce moment-là. C'est sûr, presque vingt ans de Morilles qui vous remontaient d'un bloc dans la face, ça devait pas être très jojo à voir...

Je lui ai fait couler un bain brûlant, je l'ai désapé comme un petit garçon et oui, j'ai vu sa tebi, mais non, je l'ai pas regardée, et je l'ai plongé dedans.

Quand il en est ressorti, j'étais en train de mater un film à la télé. Il a mis un slip et un tee-shirt propres et il est venu dans le lit à côté de moi.

On s'est rien dit, on a regardé la fin du film, on a éteint la lampe et, dans le noir, on a guetté les paroles de l'autre.

Moi je ne pouvais rien dire parce que je pleurais en silence, alors c'est lui qui s'y est collé. Il m'a caressé les cheveux très doucement et au bout d'un long moment, il a chuchoté :

— C'est fini, ma Billie... C'est fini... On ne retournera jamais là-bas... Chuuuuut... C'est fini, je te dis...

Mais je pleurais toujours.
Alors il m'a serrée dans ses bras.

Alors j'ai pleuré encore plus fort.
Alors il a ri.
Alors j'ai ri aussi.

Et je nous ai foutu de la morve partout.

J'ai pleuré pendant des heures et des heures.

C'était comme une bonde en moi qu'on aurait tirée. Ou comme une purge. Ou comme une vidange. Pour la première fois depuis que j'étais née, je n'étais plus sur la défensive.

Pour la première fois...

Pour la première fois, je sentais qu'enfin, ça y était. Qu'enfin, j'étais en sécurité. Et tout est sorti d'un coup. Tout... L'abandon, la faim, le froid, la saleté, les poux, mon odeur, les mégots, la crasse, les bouteilles vides, les cris, les baffes, les marques, la laideur de tout, les mauvaises notes, les mensonges, la violence, la peur, les vols, les parents de Jason Gibaud qui m'interdisaient de chier chez eux, leurs restes à finir, mon cul, mes nichons et ma bouche qui m'avaient tellement servi de monnaie d'échange ces derniers temps, tous ces mecs qui avaient tellement profité de ma situation, et si mal, et tous ces boulots de merde, et Manu qui m'avait fait croire qu'il m'aimait un peu pour de vrai et que je pourrais avoir ma maison à moi et...

Et j'ai tout dégobillé en larmes.

Et plus je me vidais, plus Franck semblait se remplir. Je ne saurais pas l'expliquer vraiment, mais c'était l'impression qu'il me donnait. Plus je pleurais, plus il se détendait. Son visage devenait de plus en plus bonasse, il me tortillait une mèche de cheveux dans l'oreille, il se moquait gentiment de moi, il m'appelait Calamity Jane, ou Camille la Dingue, ou Billie the Kid et il souriait.

Il me racontait mon visage méconnaissable, il me racontait la façon dont j'avais labouré la nuque de ce pauvre mec avec le canon de mon fusil pendant qu'il conduisait, il me décrivait son lobe d'oreille déchiqueté qui pendouillait dans les tournants, il imitait le ton de ma voix quand je lui avais ordonné de rabouler un flic et comment j'avais balancé mon arme dans la gueule de Manu en lui disant « Ton cadeau » et il riait presque à certains moments. Oui, il riait presque.

Je n'ai compris que bien après, que bien des confidences plus tard, quand il a commencé, lui aussi, à me raconter un peu ce qu'avait été sa guerre en solitaire avant moi, avant nous, que cette nuit-là, s'il était si heureux de me voir aussi malheureuse, c'était parce que pendant que je sanglotais dans ses bras non-stop et limite en crise de tétanie, il était, lui, en train de trouver une première bonne raison de ne plus mourir.

Les larmes que je pleurais, c'était son carburant pour la suite, et ses moqueries, c'était juste pour me rassurer. Pour me prouver qu'on pouvait rire de tout et que, d'ailleurs, on allait rire de tout à partir de maintenant puisque regarde, Billie... Regarde... Nos vies, si pourries soient-elles, nous étaient enfin rendues dans ce petit lit pourri aussi... Hé... Arrête de pleurer, ma puce... Arrête de pleurer... Grâce à toi, on venait d'abattre le plus dur. Grâce à toi, on était sauvés. Oh, et puis si, pleure, va... Pleure... Ça te fera dormir... Pleure, mais n'oublie jamais ça : bien sûr, nous n'en étions qu'au début de nos peines, tous les deux, bien sûr, mais quand nous serions au bord de nos tombes, nous pourrions nous retourner et nous dire : c'est moi qui ai vécu et non pas un être factice créé par la peur et ce sentiment de terreur que m'avaient inspiré des connards de beaufs...

En vrai, il ne disait que des chut, mais ses chut disaient ça.

Sans la gentillesse de Franck quand nous avions révisé notre scène ensemble, sans l'enfance de Billie Holiday qu'il m'avait racontée en regardant ailleurs, bien au-delà de mon appuie-tête, et sans ses cartes postales minuscules envoyées chez Claudine pendant mes années de couvent, je n'aurais jamais eu le réflexe de devenir dingue. Et sans ma dinguerie, il n'aurait pas survécu non plus.

Voilà, petite étoile... Et maintenant, je te le demande : est-il utile pour moi d'aller plus loin ? Est-ce que cette dernière phrase n'est pas trop classe et nous servirait tout à fait bien de laissez-passer pour la suite ?

Non ?

Pourquoi, non ?

Tu veux que je raconte aussi comment c'est *moi* qui nous ai mis dans cette merde pour bien tout soupeser avant de donner ton verdict ?

OK, OK. J'enchaîne...

Quand j'ai été trop épuisée pour avoir encore la force de pleurer, je me suis endormie et, juste au moment de m'endormir, je lui ai fait promettre de ne plus jamais m'abandonner. Parce que je faisais trop de conneries sans lui... Trop, trop de conneries...

Il a ri encore une fois et un peu bizarrement pour se cacher derrière et il a ajouté comme ça, dans son rire à la con :

— Oh là ! Tout ce que tu voudras ! Je tiens à ma peau, moi !

Puis tout bas et dans le pli de son coude :

— Oh... Billie... Je ne m'en souvenais plus...

*
* *

Hé, la starounette... Pas mal, la saison 2, non ?

Du cul, de l'action, de l'amour, y a tout, là !

Après, tu vas voir, c'est moins funky.

Après, c'est deux jeunes dans la débrouille. Rien de très original. Surtout que je ne vais pas pouvoir m'éterniser vu que le ciel commence à pâlir tout là-bas. Tout là-bas, ce doit être l'est, j'imagine...

Oui, il faut que je me dépêche de te raconter la fin du film avant que la lumière se rallume.

Le lendemain matin, nous avons pris le train pour Paris.

Dans ce train, Franck m'a raconté où il en était de sa vie : pour faire plaisir à son père, il s'était inscrit en fac de droit et vivait en colocation avec un de ses cousins dans un petit appartement en banlieue où les loyers étaient moins chers.

Il n'aimait ni le droit ni son cousin et encore moins la banlieue.

Je lui ai demandé ce qu'il voulait faire.

Il m'a répondu que son rêve était de s'inscrire à un stage qui lui permettrait de participer à un concours pour entrer dans une super école de joaillerie-bijouterie.

Tu veux être bijoutier ? je lui ai demandé. Tu veux vendre des colliers, des montres et tout ça ?

Non. Pas en vendre, en créer.

Il a allumé son ordinateur et il m'a montré ses dessins.

C'était super beau. C'était comme s'il avait soulevé le couvercle plein de sable d'un vieux coffre.

C'était comme un trésor...

Je lui ai demandé pourquoi il ne faisait pas ce qu'il aimait plutôt que d'obéir à son père.

Il m'a répondu qu'il n'avait jamais fait ce qu'il aimait de toute sa vie et qu'il avait toujours obéi à son père.

Je lui ai demandé pourquoi.

Il a fait celui qui était occupé avec ses fenêtres à refermer.

Au bout d'un moment, il m'a répondu que c'était parce qu'il avait peur.

Peur de quoi ?

Il ne savait pas.

Peur de le décevoir encore une fois.

Et de faire reporter cette déception sur sa mère.

Peur d'enfoncer sa mère sous terre encore un peu plus bas.

Je n'ai rien répondu.

Dès que ça touche le domaine des parents, je n'ai plus de ressource.

Alors il a rangé ses rêves et nous avons continué notre trajet en silence.

Quand nous sommes arrivés à Paris, il m'a proposé de déposer nos sacs à la consigne et de faire un peu de tourisme avant d'aller chez lui. Enfin... chez son cousin...

Nous avons refait plus ou moins le même circuit que celui de notre sortie de classe quatre ans plus tôt.

Quatre ans...

Qu'est-ce que j'avais fait, moi, en quatre ans ?

Rien.

Taillé des pipes et trié des patates...

J'étais décalquée de tristesse.

Ce n'était plus du tout comme la dernière fois. C'était l'hiver, il faisait froid, la Seine ne dansait plus, la passerelle était déserte et les cadenas avaient tous été coupés et jetés à la poubelle. Les gens ne pique-niquaient plus dans les jardins en tournant leurs visages vers le soleil, ils ne jacassaient plus en terrasse en buvant des verres de Perrier, ils marchaient toujours aussi vite, mais ils ne souriaient plus. Ils faisaient tous la gueule.

Nous avons bu un café (un court) qui coûtait 3,20 €.

3,20 €...

Mais comment c'était possible ?

Moi aussi, j'avais peur.

Je me demandais si Manu avait été obligé d'aller aux urgences et s'il penserait à vider la machine avant que le linge sente le moisi. C'est tout juste si je ne cherchais pas une cabine téléphonique du regard pour lui laisser un message.

C'était horrible.

*

* *

Le cousin de Franck avait beau venir d'une famille noble avec un nom en plusieurs morceaux, un grand nez, des genres de manières et une chemise Lacoste, il m'a accueillie exactement comme les parents de Jason Gibaud.

Enfin non, justement. À cause de son éducation qui lui avait si bien appris à embrouiller la politesse et l'hypocrisie, il s'est comporté bien plus mal qu'eux : il m'a lattée dans le dos.

Sur le moment, il a fait Ah, une amie de Franck, Ah, enchanté, Ah, bienvenue à la maison, mais le soir, quand j'étais dans la salle de bains, je l'ai entendu qui lugubrait comme s'il parlait de missiles nucléaires pointés sur la Nasa : « Écoute, Franck... Ce n'était pas dans le contrat. »

J'étais prête à repartir direct. Parce que c'est vrai ça... ça commençait à faire beaucoup, là, pour une seule petite Billie qui n'avait encore jamais pris le train et qui pensait toujours à ses serviettes abandonnées...

Où que j'aille depuis que j'étais née, je dérangeais. Où que j'aille, quoi que je fasse, quoi que j'essaye, je me trouvais toujours dans le passage et je prenais des gnons pour la peine.

Je n'ai pas entendu la réponse de Franck, mais quand il est entré dans la chambre que nous allions partager désormais (il m'avait laissé son petit lit et s'était installé sur un bout de moquette en me précisant que les Japonais dormaient tous comme ça et qu'ils vivaient bien plus vieux que nous), oui, quand il est entré et qu'il a vu mon regard, il s'est assis à côté de moi, il a pris ma tête entre ses mains et il m'a dit dans les yeux :

— *Hey, Billie Jean* ? Est-ce que vous me faites confiance ?

Je lui ai fait signe que oui et il a ajouté qu'alors je devais continuer et que tout se passerait bien. Il n'a pas dit que c'était que du provisoire, lui aussi, mais bon, il aurait pu.

Et, parce que je lui faisais confiance et que je n'avais plus de boulot, je me suis remise en mode boniche. Les garçons partaient le matin, je faisais le ménage, je m'occupais du linge et je leur préparais à manger pour le soir.

J'adorais cuisiner, j'avais découvert que c'était un truc de nan-nan pour se faire aimer sans embrouilles. J'essayais plein de trucs et j'ai pris trois kilos rien qu'à tout goûter pour réussir mes assaisonnements.

Le Aymeric, ça l'a bien détendu, tout ça. Il est devenu plus cordial avec moi. Pas gentil, cordial. Comme ces gens-là ont sûrement l'habitude de l'être avec leurs domestiques. Mais je m'en foutais. Je me faisais toute petite et j'essayais d'encombrer Franck le moins possible. Et puis, je crois que ça m'allait... Toujours ce truc de défensive qui me hantait... Pour la première fois de ma vie, je n'avais plus peur de mon ombre quand je me retournais trop vite ou quand j'entendais des pas dans mon dos.

Je savourais.

L'après-midi, je longeais les arrêts de bus pour ne pas me perdre en cours de route et j'allais traîner dans un grand centre commercial de l'autre côté de l'autoroute. Je glandais, je me la jouais bourgeoise difficile qui a la cébé de son mec, mais qui hésite encore et j'embêtais les vendeuses qui s'embêtaient aussi. Certaines commençaient à me détester et d'autres me racontaient leur vie pour compenser.

Je n'achetais jamais rien, mais, une fois, je suis allée chez le coiffeur.

La fille qui m'a fait mon shampoing m'a demandé si je voulais un soin encore en plus. J'étais sur le point de dire non et puis j'ai hoché la tête. Même si personne le savait, c'était quand même le jour de mon anniversaire après tout...

Ensuite, il y a eu Noël et le jour de l'an et je suis restée toute seule aussi. J'avais juré à Franck que je m'étais faite copine avec une des caissières du Franprix, mais si, tu sais, la blonde qui râle tout le temps, et qu'elle m'avait invitée parce qu'elle était divorcée et qu'elle voulait de la compagnie pour ses gamins. Comme j'ai bien mis le ton et que j'ai même acheté des jouets, il m'a crue et il est parti rassuré.

C'était mon cadeau.

De toute façon, je m'en foutais.
La magie de Noël ?
Alors... euh... Comment dire ?

La seule chose qui commençait à me tracasser, c'était la bibine.

Parce qu'à force d'être seule, j'avais commencé à téter, moi aussi.

L'ennui, l'isolement, le dépaysement, le pré-texte que tout ce travail domestique me donnait soif et méritait salaire, je buvais des bières.

J'allais à l'épicerie turque en bas de chez nous et j'achetais des canettes de 33 cl.

Puis de 50.

Puis un pack.

Comme les soûlots.

Comme les SDF.

Comme ma belle-mère.

C'était triste.

Tellement, tellement triste...

Parce que j'étais lucide... Je me voyais...

Oui. Je me voyais faire.

À chaque fois que je tirais sur la languette, pschiitt, je le voyais, ce bout de moi qui disparaissait...

J'avais beau me dire ce que nous nous disons tous : que c'était juste de la bière, que c'était juste pour me désaltérer, que demain, je diminuais les doses, que demain, j'arrête, que de toute façon, j'arrête quand je veux et tout ça, je savais exactement ce qui était en train de se passer.

Exactement.

Vu que c'était ma bonne éducation à moi...

À la gorgée près, je le reconnaissais, ce naufrage en route... Cette hérédité de merde... Ma tête, mes bras, mes jambes, mon cœur, mes nerfs, tout ce corps qu'on m'avait refilé en tissu-éponge...

Et qu'est-ce que ça fait, l'alcool, à une petite rurale désœuvrée et perdue au milieu des voitures ?

Ça la ramène à ses origines...

Ça la fait de nouveau piquer dans les magasins du centre commercial pour se payer ses degrés sans attaquer l'argent du ménage.

Ça la fait remarquer des vigiles et des mecs de la sécurité.

Ça la force à faire sa pouf à deux balles pour qu'ils ne lui cherchent pas d'embrouilles.

Ça la force à faire sa pouf à deux balles et plus pour qu'ils ne lui cherchent pas d'embrouilles *et* qu'ils l'aient à la bonne.

Ça lui fait une réputation.

Ça la fait traîner avec ces cow-boys de super-marché dans leurs uniformes de synthèse qui sont convaincus d'avoir un petit pouvoir entre les mains et donc un peu plus bas.

Ça lui fait des amis.

Des genres d'amis...

Des garçons qui sont plus chaleureux avec elle que les deux qu'elle nourrit tous les soirs et qui ne lèvent jamais le nez de leurs bouquins...

Qui lui font oublier la tronche de Franck Muller qui s'était remis en mode caisson tellement il n'aimait pas ce qu'il étudiait pour obéir à un père qu'il aimait encore moins.

Qui la distrayaient d'être toujours la moins intelligente à table...

Et puis ça la fait se rhabiller plus court.

Beaucoup plus court.

Et plus voyant.

Bref,

Ça nous la remettait en pute.

Un après-midi que je sortais voir mes nouveaux amis, j'ai croisé Franck dans les escaliers.

Merde, j'avais dû mal comprendre son nouvel emploi du temps...

J'avais une jupe au ras de la moule, des bottes chourées de deux pointures différentes (la faute aux antivols) et mon faux sac Vuitton que j'ai hissé direct comme une sorte de bouclier entre nous deux.

Je ne sais pas pourquoi j'ai fait ça. Il n'a rien dit de méchant pourtant... Au contraire.

— Et alors, la petite Bill ! Il fait froid dehors, tu sais ? Tu ne devrais pas sortir comme ça, tu vas attraper la mort !

Je lui ai répondu un truc idiot pour me dépatouiller de sa gentillesse qui tombait si mal, mais quelques heures plus tard, alors que j'étais enfermée avec un vigile en pause dans un local à poubelles à me faire limer debout contre des rouleaux d'essuie-tout, la douceur de sa voix a résonné avec le reste et j'ai mangé ma misère.

Le mec, il était gentil, on s'amusait, le problème n'était pas là, c'était juste que je ne pouvais pas repartir dans l'autre sens.

Je ne pouvais pas. Je savais trop bien où ça menait... Surtout vers la fin.

C'est dans ces cas-là qu'une maman ça doit être bien... Une maman méchante qui te fait les gros yeux ou une gentille qui t'aide à ramasser les rouleaux d'essuie-tout et les balais avant de te pousser vers la sortie.

C'était ce que j'étais en train de penser sur le chemin du retour. Qu'il fallait que je sois ma propre mère. Au moins pour une journée dans toute ma vie. Que je fasse pour moi ce que j'aurais fait si j'avais été ma fille. Même chiante.

Même pleureuse. Même si Michael m'avait lâchée entre-temps.

Allez, je pouvais bien essayer quand même...

J'avais fait des trucs tellement plus durs...

Je marchais tête baissée, je scritchais les trottoirs avec mes talons pointus, je me faisais la mère et la fille à tour de rôle en m'énervant toute seule.

J'étais soûlée. J'étais mauvaise. J'étais grossière en interne.

J'avais pas l'habitude de l'autorité. Et putain, qu'est-ce qu'elle venait me faire la morale maintenant, celle-ci ? Après tout ce qu'elle m'avait imposé comme souffrances ? Tous ces chatons en miettes que j'avais dû enterrer en secret, tous ces cadeaux des fêtes des mères que j'avais été obligée de rater tellement ça m'aurait détruite d'offrir quelque chose de joli à ma belle-mère, toutes ces maîtresses qui avaient cru pendant des années que j'avais deux mains gauches et qui m'avaient regardée comme une demeurée. Toutes ces connes qui avaient confondu ma tendresse et ma pauvreté.

Tous ces chagrins... Tous ces petits chagrins à la queue leu leu.

Merde, c'était trop facile de venir m'expliquer la vie aujourd'hui...

Dégage, souillon.

Dégage.

Ça, tu sais faire.

Je fronçais les sourcils et je me jetais des regards de vipère dans les vitrines.

Je me disais non, non, non et si, si, si.

Non.

Si.

Non.

Si je ruais ainsi dans mes brancards, ce n'était pas pour faire mon ado rebelle, c'était parce que ce que je me demandais là, c'était trop dur pour moi. Beaucoup beaucoup trop dur... Je voulais bien tout le reste, mais pas ça.

Pas ça.

J'avais prouvé que j'étais capable de prendre le risque d'aller en taule pour Franck, mais ce que ma Dame Pluche exigeait encore de moi aujourd'hui, c'était pire que la prison comme danger.

C'était pire que tout.

Parce que je n'avais et je n'aurais jamais que ça au monde entre le quart monde et moi.

C'était mon seul rempart. Ma seule sécurité. Je ne voulais pas y toucher. Jamais. Je voulais le conserver intact jusqu'à ma mort pour être sûre et certaine de ne jamais repiquer aux humiliations des cheveux qui grattent et des plis de peau qui commencent à sentir le hamster mort.

Toi, l'étoile, tu ne peux pas comprendre. Tu dois penser que j'invente des phrases à grandes emmanchures pour faire genre comme dans un livre.

Que je me la joue Camille. Toute seule et dépecée face au monde entier.

Personne ne peut comprendre. Personne. Y a que moi qui peux. La Billie de son cimetière à petits chats...

Donc je t'emmerde.

Je vous emmerde tous.

C'est niet.

Jamais je ne toucherai à mon assurance vie.

Je suis rentrée, j'ai encore évité le regard de Franck qui révisait dans notre chambre et je me suis changée.

J'étais en train de regarder une émission débile quand ce crétin d'Aymeric de La Porte du Garage à Saint-Pierre est rentré de son école de commerce avec sa raquette de tennis dans le dos.

Genre pour faire trop cordial, il a lancé comme ça :

— Et alors ? Qu'est-ce qu'on mange de bon, ce soir ?

— Rien, j'ai dit en continuant de me revernir les ongles avec une couleur un peu plus classe que la précédente, ce soir, j'invite mon ami Franck au restaurant.

— Aaaah ouiiii ? il a fait en continuant de galocher le calot brûlant qu'il avait toujours sous la glotte, et que lui vaut cet honneur ?

— On a un truc à fêter.

— Aaaah bon ? Et peut-on savoir quoââ si ce n'est pas trop indiscret ?

— La perspective de ne plus jamais voir ta sale gueule d'hypocrite, petit trou du cul.

— Oooh ! Mais quelle chaaance !

(Ben oui, parce que je m'étais dégonflée. J'avais dit : « C'est une surprise » à la place.)

Merde... le ciel devient de plus en plus clair... Il faut vraiment que je me dépêche au lieu de te faire ricaner bêtement avec l'autre crétin.

Allez, boucle ta ceinture, ma titine with diamonds in the sky parce que je vais mettre le turbo, là...

J'ai plus le temps de fignoler alors je te fais la fin de la saison 3 en a-*ziiiiiit*-vance ra-*ziiiiiit*-pide.

J'ai donc invité Franck dans une pizzeria tenue par des Chinois et, tandis qu'il crevait la croûte de sa calzone, j'ai pris nos vies en main pour la deuxième fois de nos vies.

Je lui ai raconté la promesse secrète que je m'étais faite quand on était encore tout minots sur la passerelle du pont des Arts.

Comment j'avais pas osé la lui dire à voix haute, mais qu'elle existait toujours dans ma tête et que le moment était venu pour moi de la tenir...

Je lui ai dit qu'on allait se casser d'ici. Que c'était trop moche, que son cousin était trop con et qu'on n'avait pas fait tout ce chemin pour revoir de la laideur et se fader un nouveau genre d'abruti. Mieux habillé, je ne dis pas, mais aussi débile que les mecs des Prévert.

Je lui ai dit qu'il devait nous trouver un endroit où vivre, mais à l'intérieur de Paris. Même un truc tout petit. Qu'on y arriverait. Que notre chambre ici était petite aussi et qu'on s'était déjà prouvé qu'on se respectait. Que moi, j'avais toujours vécu dans des caravanes et que ça me faisait pas peur de rapprocher encore les murs. Que ça, c'était dans mes cordes. Qu'en matière de logement, j'étais à toute épreuve.

Je lui ai dit que mon moment préféré de la journée, c'était le soir, quand je le voyais de dos, qui dessinait au lieu d'apprendre des lois à la con que personne ne respectait jamais.

Oui, que c'était la seule chose belle que j'avais vue depuis qu'on était ici : ses dessins. Et surtout, son visage enfin détendu quand il était penché dessus. Son visage de Petit Prince que j'aimais tant quand j'étais gamine et que je l'apercevais au loin dans la cour. Ses cheveux en pétard et son écharpe claire qui m'avait fait tellement rêver à un moment où j'en avais eu tellement besoin...

Je lui ai dit qu'il devait me prouver qu'il avait du courage, lui aussi, et qu'il ne pouvait pas continuer à m'expliquer le sens de la lumière en me demandant de larguer les amarres avec ma famille et faire exactement le contraire.

Je lui ai dit qu'il aimait les garçons et qu'il avait raison parce que c'était bien d'aimer qui on aimait, mais que, et il fallait qu'il l'imprime une bonne fois pour toutes dans sa petite tête dure, qu'entre son père et lui, c'était mort pour la vie.

Que c'était pas la peine qu'il se fasse chier à devenir avocat pour se faire pardonner sa sexualité vu que ça ne changerait rien du tout. Que son père ne le comprendrait jamais, ne l'accepterait jamais, ne lui pardonnerait jamais et ne s'autoriserait plus jamais à l'aimer.

Et qu'il pouvait me faire confiance sur ce point parce que j'étais la preuve vivante que les parents pouvaient faire ça aussi : débrayer.

Et que j'étais aussi la preuve vivante qu'on n'en mourait pas pour autant. Qu'on se démerdait autrement. Qu'on trouvait d'autres solutions en chemin. Que lui, par exemple, il était mon père, ma mère, mon frère et ma sœur et que ça m'allait très bien. Que j'étais très contente de ma nouvelle famille d'accueil.

Là, déjà, je crois que je chialais ma larmichette et que sa calzone était presque froide, mais j'ai continué, parce que je suis comme ça, moi : ou pute ou porte-avions.

Je lui ai dit qu'il allait arrêter ses études inutiles et s'inscrire dans son stage de préparation à son école de bijoux. Que s'il ne tentait pas le truc, il le regretterait jusqu'à sa mort et qu'en plus, c'était sûr qu'il allait y arriver parce qu'il était doué.

Parce que oui, la vie était aussi injuste avec ça qu'avec le reste, que les gens qui sont nés avec plus de talents que les autres ont plus de chances que les autres. Que c'était dégueulasse, mais que c'était comme ça : qu'on ne prêtait qu'aux riches.

Oui, qu'il allait cartonner, mais à la seule condition d'être courageux et de travailler dur.

Qu'en ce moment, il était pas très courageux, mais que comme j'étais sa mère, son père, son frère et sa sœur, moi aussi, j'allais foutre tous ses bouquins de droit à la benne et le faire caguer jusqu'à ce qu'il cède.

Que pendant qu'il ferait son école, je chercherais un vrai boulot et que j'en trouverais facile. Pas parce que j'étais plus maligne que les autres, mais parce que j'étais blanche et que j'avais des papiers en règle. Que je ne me faisais pas de souci. Que le seul truc que je ne voulais plus faire, c'était calibrer des patates, mais qu'a priori, à Paris, je craignais rien de ce côté-là.

(Là, c'était la séquence Humour, mais ça n'a pas marché. Il n'a pas ri du tout et je ne lui en ai pas voulu vu que sa mâchoire du bas pataugeait dans sa pizza.)

Je lui ai dit qu'on avait rien à craindre. Que tout allait rouler pour nous. Qu'il ne fallait pas avoir peur de Paris et encore moins des Parisiens parce qu'ils étaient tous tout gris et tout maigrichons et qu'il suffisait d'une pichenette pour les faire tomber à la renverse. Que des gens capables de payer des cafés courts 3,20 € ne représenteraient jamais aucun danger pour nous. Oui, qu'il ne devait pas s'inquiéter. Que le monde rural et putréfié de merde d'où on venait avait au moins cet avantage-là : qu'on était plus solides qu'eux. Beaucoup, beaucoup plus solides. Et plus courageux. Et qu'on allait tous les niquer.

Donc voilà, je me résumais : sa mission à lui, c'était de nous loger et la mienne, c'était de tenir la boutique pendant qu'il apprenait le seul métier qu'il avait le droit d'apprendre.

Et là, genre, il y a eu un silence si long et si paranormal que le serveur est venu nous demander si y avait un problème avec la bouffe.

Et même ça, Francky l'a pas entendu.

Moi si, heureusement. Alors je lui ai demandé s'il pouvait nous remettre nos pizz' au four deux minutes.

— Biêng Sûh', il a fait en s'inclinant.

Pendant tout ce temps, Franck continuait de me regarder comme si je lui rappelais quelqu'un dont le nom lui échappait et que ça commençait à bien lui prendre la tête.

Au bout d'un moment, quand même, il a fait son petit kéké pathétique et trop miséricordieux :

— Tu tiens de très jolis discours, ma petite Billie... C'est toi qui devrais faire du droit, tu sais... Tu ferais sensation dans un prétoire... Veux-tu que je t'inscrive ?

Quel ton méprisant... C'était nul de me parler comme ça... À moi qui avais arrêté l'école dès qu'il était parti...

Nul de chez nul et indigne de lui.

Les pizzas sont revenues, on les a attaquées en silence et comme l'ambiance était devenue bien crade et qu'il regrettait déjà de m'avoir blessée, il m'a donné un sale coup de pied dans le tibia pour me faire sourire.

Et puis il m'a dit en souriant aussi :

— Je sais que tu as raison... Je le sais... Mais comment je fais ? J'appelle mon père et je lui dis : Allô, papounet ? Écoute, je crois que je ne te l'ai jamais dit, mais je suis de la jaquette et ton droit, tu peux te le foutre au cul, toi aussi, parce que je veux dessiner des boucles d'oreilles et des sautoirs en perles à la place. Allô ? T'es encore là ? Donc, alors... euh... aurais-tu l'obligeance de me faire un virement dès demain, s'il te plaît, pour me permettre de ne plus passer pour une brêle aux yeux de Maman Billie ?

— ...

Et toc. Un bide partout.

Ben ouais. J'ai pas ri du tout, moi non plus.

À la place, j'ai fait ma blasée à la Aymeric de La Porte du Sien Derche et j'ai lâché comme ça en, *pfuitt*, recrachant mon noyau d'olive dans son assiette :

— Nan, mais le fric, c'est pas un problème, ça. J'en ai, moi.

Bon, bien sûr, ça a continué pendant des plombes, cette petite conversation pour caler notre retour vers le futur, mais je t'ai fait une capture d'écran, petite étoile, parce que j'aime trop cette image : la tête de Franck Mumu quand il a réalisé que le coucou pourri qui squattait son nid depuis des mois était en réalité un aigle majestueux avec des plumes en or qui tenait dans son bec en or une clef en or vers une vie en or.

Je ne sais pas ce que ça aurait donné en broche, mais dans une pizzeria chinoise déserte du neuf-quatre un mardi soir vers 22 heures, sérieux ça flashait bien.

Sinon, et c'était à prévoir vu que les garçons sont très prévisibles, il m'a beaucoup résisté.

Je lui disais qu'il me rembourserait quand il aurait sa boutique à lui sur la place je ne sais plus quoi où y avait un genre de colonne au milieu et que je n'oublierais pas les intérêts qui seraient monstrueux et tout ça, mais comme il se découvrait beaucoup plus macho que je ne l'aurais imaginé, à la fin, j'ai craqué.

À la fin, je lui ai avoué que quand il m'avait croisée tout à l'heure dans les escaliers habillée en Billie du bled, c'était parce que j'étais en route pour aller me faire tirer debout par un vigile en pause dans un local à poubelles contre des rouleaux d'essuie-tout et que s'il ne le faisait pas pour sa goule, au moins qu'il ait la générosité de le faire pour la mienne...

Que son talent, c'était son fusil de chasse à lui et qu'il me devait bien ça.

Et là, bien sûr, il a cédé.

— Ton cadeau, qu'il m'a fait, en imitant ma voix de braqueuse de beauf.

*
* *

Le temps presse... Encore un résumé à l'arrache qui s'annonce...

Bah, ça n'a plus tellement d'importance, tu sais... En ce qui nous concerne, le plus gros de la feuille de route, il est derrière.

À partir de maintenant, je crois qu'on perd beaucoup à continuer d'être connus. Notre petit *Warcraft* à nous, il nous a bien occupés jusqu'à ce que Francky daigne enfin terminer sa calzone chaude puis froide puis carbonisée puis refroide, mais après, on a tout rendu : les gourdins, les haches, les armures, les casques à pointe et toutes ces conneries.

On a passé la main. On était fatigués de se battre.

À partir de maintenant, on devient des petits bobos comme les autres et putain, et je ne devrais pas dire ce mot, mais je le dis quand même : et putain... que c'est bon !

Oh oui, que c'est bon d'être aussi con que les Parisiens ! De se foutre en rogne pour un Vélib' foireux, une place de livraison occupée, un PV injuste, un restau bondé, un téléphone déchargé ou un horaire de brocante mal indiqué.

Que c'est bon, que c'est bon, que c'est bon...

Perso, je m'en lasserai jamais !

*
* *

Résumé :

Au cours des épisodes suivants, nos deux héros, Franck et Billie, sont partis vivre à Paris et ils ont vécu comme ils se l'étaient promis.

Ils ont déménagé cinq fois en deux ans en prenant un peu de mètres carrés et en perdant quelques cafards à chaque barre de seuil.

Franck a été reçu à son école et Billie a exercé différents métiers plus ou moins glorieux, il faut bien l'avouer, mais, coup de bol, jamais dans les tubercules.

Petite étoile, vous êtes trop bonne...

Ils sont tombés amoureux chacun de leur côté, amoureux pour de vrai, amoureux avec de l'amour à l'intérieur. Ils y ont cru, ils se sont racontés, ils se sont motivés, ils ont déchanté, ils se sont pris des sots, des pelles et des râteaux, ils ont ri, ils ont pleuré, ils se sont consolés et ils ont fini par apprendre

Paris. Ses codes, ses privilèges et ses servitudes. Ses grands fauves, ses territoires et ses points d'eau.

Ils ont travaillé comme des chiens, ils se sont nourris, pansés, beurrés, dégrisés, engueulés, quittés, gavés, gâtés, pourris, détestés, sevrés, réinitialisés, déçus, adorés, retrouvés et épaulés tout du long et surtout, ils ont appris à lever la tête ensemble.

Ce sont eux qui ont vécu.

Ce sont eux.

Dans les années qui ont suivi, ils se sont donc séparés plusieurs fois, mais ont toujours conservé, soit l'un soit l'autre et selon les aléas de leurs béguins respectifs, leur petit deux-pièces de la rue de la Fidélité qui demeure, encore à ce jour, leur unique port d'attache sur cette terre.

À part pour aller en vacances, et encore, Billie n'est plus jamais sortie de Paris, ville-doudou qui était devenue sa seule famille en plus de Franck, et Franck, parce qu'il était bon fils, a continué de prendre le train vers la sienne les veilles de fêtes et de jours fériés.

Son père ne lui parlait plus, mais ce n'était pas grave : il ne parlait plus à personne en dehors de son groupuscule d'amis en faction contre les Saboteurs. Sa mère était dans le gaz et Claudine allait bien. Claudine ne manquait jamais de lui transmettre des bisous pour Billie. Jamais. Et même des sablés un peu mous quelquefois.

Il y avait presque trois ans déjà, alors que Franck travaillait encore en alternance dans un atelier de polissage situé dans le Marais et que Billie venait

l'y débaucher tous les soirs vu qu'elle était de nouveau célibataire, qu'elle travaillait de nuit à cette
époque (blanche et avec des papiers, certes, mais
il ne fallait pas trop rêver non plus) et qu'elle prenait son petit déjeuner tandis qu'il buvait son petit
chablis du soir, espoir, les choses ont de nouveau
roqué pour elle.

Parce que Franck était souvent en retard et que
la petite dame fleuriste installée en face de son atelier avait au moins deux mille ans d'âge et qu'elle
mettait des plombes à rentrer ses seaux, ses petits
buis, ses pots de fleurs et tout son bordel, Billie
– qui n'aimait pas attendre un garçon plus que de
raison – avait commencé à lui donner un coup
de main et à plier boutique avec elle pour ne pas
rester inactive. (Et risquer de boire un demi avant
son café-crème, disons-le, nous qui le savons.)

Et donc, de petits coups de main en petits coups
de main, de petites parlottes en grandes discussions, de petits bouquets en grandes croix de deuil,
de petits conseils en grand apprentissage, de petits
samedis en grandes semaines, de petites initiatives
en grands changements, de grandes innovations
en petits succès, de petits chèques emploi-service en
petites feuilles de paye et de petit bien-être en grand
amour, la voilà qui était devenue fleuriste superstar.

Et c'était une évidence, petite étoile, une évidence...

Billie était née pour créer du beau tandis que
tant d'autres avant elle s'étaient échinés à lui prouver qu'elle n'y aurait pas droit.

Une évidence.

Ce n'est pas une nuit qu'il faudrait pour raconter comment notre petite peureuse était devenue la coqueluche de sa rue, de son quartier, de son Rungis, des rédactrices de presse, des décorateurs et de tous les bouche à oreille du flower power à Paname, mais un livre entier.

Parce que si elle manquait de ressource côté dessine-moi un arbre de famille, question ramifications des pépètes, mammamia, elle aurait pu en donner, des cours magistraux, aux filles à papa des écoles de commerce...

Ce n'était pas une bosse, qu'elle avait, c'était un chameau complet !

Ce que Billie voulait, Dieu l'inventait pour elle.

Ses vêtements insensés (par tous les temps) de la tête (foulard) aux pieds (chaussettes), uniquement des motifs fleuris (cueillis dans des friperies), ses cheveux teints de toutes les couleurs du Pantone® et assortis aux poils de son chien (un genre de caniche croisé teckel, mais en beaucoup plus laid) selon leurs humeurs à tous deux et sa vieille estafette Renault peinte en vert tendre et couverte de boutons-d'or que les pervenches n'osaient même plus verbaliser de peur de trahir la cause.

Question compta, ce n'était pas vraiment ça, mais bon, hé, les fleurs ça se fane quand on veut, hein ? Et puis payez donc en espèces les amis, ici c'est trop humide pour un terminal de carte bancaire. Regardez, je ne mens pas : l'écran est couvert de buée... Oh, zut, pas de chance... Payez en espèces, messieurs dames et l'on vous mettra un nuage de myosotis à la boutonnière pour la peine.

Les bouquets de Billie étaient les plus jolis, les plus tendres, les plus simples et les moins chers de Paris et, pour ce qui était de niquer son monde, elle n'avait de leçons à recevoir de personne.

Debout à l'aube, couchée à l'aube, sautillant toute la journée entre ses renoncules et ses pensées, Dr. Martens en Liberty aux pieds, ceinture en rafia, gouaille à la Arletty et sécateur en liberté qui cliquetait du soir au matin, de loin, on aurait dit la fille d'Eliza Doolittle version cockney et d'*Edward aux mains d'argent*.

My Fair Fair Fair Billie...

Autant dire que de loin on ne reconnaissait plus grand-chose des Morilles.

Mhmm... un certain sens des affaires, peut-être...

La vieille était toujours là, mais elle avait totalement passé la main. Elle tenait la caisse et la convertissait en anciens francs chaque soir pendant que sa jeunette rentrait le trottoir. Oh, mon Dieu, mais ça faisait vraiment beaucoup d'argent et elle vivrait bien encore deux mille ans !

*
* *

Bon, petite étoile, j'ai passé la main deux minutes car il est difficile de se jeter des fleurs à soi-même, mais me revoilà et, sache-le... sache-le *maintenant* puisque la prochaine saison t'appartient en partie et semble plus compromise : merci.

Merci pour tout ça.

Merci pour moi et merci pour mon colocataire de vie qui, lui, est revenu d'Inde il y a six mois et travaille aujourd'hui, enfin, dans l'un des grands ateliers de la place avec la colonne au milieu. (Vendôme, insistent-ils.)

Je le savais.

Je le lui avais prédit, un soir, dans la pizzeria du Lotus Impérial…

J'aurais dû parier. Je suis bête.

Merci pour ma vie, merci pour sa vie, merci pour mes amoureux, merci pour ses amoureux, merci pour mon chien rose fuchsia que j'aime beaucoup et sur lequel personne ne tirera jamais, merci pour Paris, merci pour ma vieille momie qui me casse les cookies, mais qui paye toutes les charges, merci pour ma camionnette qui ne m'a encore jamais laissée en rade, merci pour les pivoines, merci pour les pois de senteur et les cœur-de-marie, merci de ne plus boire et de pouvoir picoler encore, merci de ne plus pleurer la nuit, merci d'avoir toujours de l'eau chaude et merci de travailler dans un endroit qui sent toujours bon.

Merci pour Mme Guillet. Merci pour le spectacle vivant. Merci pour Alfred de Musset et merci pour Camille et Perdican.

Et merci pour Billie Holiday qui a aussi chanté *No Regrets*.

Et, surtout, merci pour lui.

De lui.

Merci pour Franck Mumu des Prévert.

Merci pour Franck Muller des galères.
Merci pour mon Francky pour la vie.
Merci...

Et maintenant que c'est dit, débarque tes putains de brancardiers, bordel de merde ! Je me gèle les miches et t'es presque plus là !

C'est vrai, ça ! Mais qu'est-ce que tu fous, bon sang ?

Tu trouves pas qu'on en a assez bavé comme ça ?

Fuck ! Brille un peu !

Chatoie ! Poudroie ! Lâche-toi !

Je sais, je sais...

Je sais ce que tu veux...

Tu veux que je dise à la face du ciel combien j'ai merdé et comme je mérite de déguster ma nuit encore un tantinet.

Eh ben, on y va, mémère... On y va...

Tourne la page.

Regarde, petite étoile, j'ai mis ma robe du dimanche et mes souliers vernis et je viens vers toi comme à confesse.

Ne fais pas attention à mes cheveux qui sont un peu lilas ces temps-ci et ne vois que mon petit cœur pur.

Un lis de la Madone.

(*Lilium Candidum.*)

Si j'en suis là, à m'étioler, à me faner, à me geler le bulbe et à te supplier dans la nuit de nous aider encore une fois, c'est parce que j'ai fait une petite bêtise...

Eh oui... Ça m'arrive encore de temps en temps, figure-toi...

Habituellement, c'est quand je bois trop de ti-punch et de rhums arrangés à La Paillote à Samy, mais là, j'étais aussi à jeun qu'on puisse l'être quand on se cogne une randonnée en famille avec des ânes et des cons dans le Parc national des Cévennes.

(Mais quelle idée, aussi ?)

(Quelle idée, quelle idée, quelle idée...)

La regretté-je, cette petite bêtise ?

Non.

Je trouve même que j'aurais dû cogner plus fort.

Tu vois, je t'avoue tout...

Et si tu n'absous pas mes pulsions, considère au moins ma franchise.

Car comme Billie Holiday et pour les mêmes raisons qu'elle : je ne regrette rien.

Je ne regrette rien et je ne regretterai jamais rien dans la vie parce qu'on m'en a déjà chouré un trop gros bout. Et un qui était censé être joli en plus... Donc, non, ne compte pas sur moi pour te lécher le plasma.

Je ne saurais pas faire.

Je n'ai jamais fait.

Quand on me colle au mur, je préfère prendre un fusil ou taper dur.

Je n'en suis pas fière, mais voilà... je suis comme ça et je sais déjà que je ne changerai pas.

Depuis ma naissance, je ne tiens que par ma volonté de tenir et le premier qui touche à mes tuteurs, si fragiles soient-ils, je le démolis.

En ce moment, il se trouve que mon tuteur préféré ne va pas très fort. Il est allongé près de moi, il souffre et ne me répond plus quand je lui parle. Si tu ne m'aides pas à le réparer, je te ferai disparaître, toi aussi. Oui, je m'arrangerai entre moi et moi-même pour ne plus jamais te voir.

Toi, tu t'en fous, t'es déjà morte, mais moi, j'ai encore une petite marge de manœuvre je te signale...

Moi, je sais recharger n'importe quelle arme et abattre n'importe quel petit animal craintif. Donc, en ce qui me concerne, je ne me fais aucun souci pour mon avenir sans lui.

Aucun.

Voilà. C'est dit.

Maintenant, je peux m'amuser encore un peu et te raconter nos super vacances…

Tout a commencé dans un bar de grand hôtel.

Tout commence presque toujours dans un bar de grand hôtel entre Franck et moi depuis quelques années...

Comme nous travaillons comme des brutes, nous nous retrouvons dans des endroits feutrés où tout n'est qu'ordre et beauté, riches, calme et volupté.

Je ne tombe plus dans les pommes quand je découvre les prix des consommations sur la carte pour la bonne raison que je ne les regarde plus.

Je dors rarement plus de six heures par nuit et je n'ai plus les moyens de m'offrir le luxe de ma radinerie.

Je permets aux gens de (se) faire très plaisir en (s')offrant de très jolies fleurs six jours sur sept de 11 heures à 21 heures et, pour me remercier d'être devenue cet inestimable trésor de bienfaits, je me vautre dans des fauteuils moelleux le septième jour et j'offre à mon pauvre ami réparateur de tiares et de diadèmes de reines tombées en poussière des cocktails qui valent mille fois plus cher que la peau de mon cul.

J'adore.

J'ai un compte à régler avec mon passé et je le règle rubis sur l'ongle dans des palaces cinq étoiles. Pour le coup, c'est un contrepoids qui tient bien la route.

Je ne sais plus dans quel hôtel nous nous trouvions ni ce que nous buvions, mais ce devait être fort agréable puisque j'ai fini par céder à son caprice.

Franck avait des vues sur un garçon ravissant qui partait faire une randonnée avec des « copains » (déjà, je n'aimais pas ce mot…) et leurs enfants dans les Cévennes et qui lui avaient proposé de se joindre à eux.

Les paysages seraient sublimes, la nourriture plus bio que nature, les cieux incomparables et les ânes trop gentils.

Et puis ça leur ferait du bien de marcher un peu, de faire du sport, de prendre un bon bol d'air et tout et tout.

Bon.

Franck voulait aller baiser à la belle étoile dans une ambiance saine, familiale et zoophile, pourquoi pas ?

Non, s'énervait-il, tu n'as rien compris. Ce n'est pas du tout ce que tu crois. Celui-là, j'ai vraiment l'impression que c'est l'homme de ma vie et je n'y vais pas pour consommer, j'y vais parce que je suis romantique.

Bon.

Des hommes de sa vie, j'en avais déjà vu passer quelques-uns et je n'en étais plus à un bourricot près. J'ai cessé de ricaner.

Là où le bât commençait déjà à me blesser, c'est qu'il voulait que je l'accompagne. Genre chaperon. Genre demoiselle d'honneur. Genre pour bien montrer patte blanche et meilleures intentions. Genre pour faire famille aussi, quoi...

Oh là là, j'ai fait.
Moi ?
Marcher ?
Avec de gros godillots hideux qui pèsent une tonne chaque ?
Et un bob sur la tête ?
Et une gourde ?
Et un K-Way fluo ?
Et une pochette-banane ?
Et des moustiques ?
Et des gens que je connaissais même pas ?
Et des ânes que je saurais même pas tenir en laisse ?
Oh là là ! j'ai conclu, zéro chance que ça arrive !

Mais à la fin, j'ai dit oui quand même.
Francky sait s'y prendre pour me ramollir la couenne et les cocktails ont assuré le reste du démantèlement de ma pauvre carcasse. Et puis ça fait partie du deal-de-la-chambre-d'hôtel-d'après-la-partie-de-chasse : nous osons rarement nous demander des faveurs, mais celles auxquelles nous tenons vraiment, nous n'avons même pas besoin de nous les demander.
Et puis, disons-le : ce serait la morte-saison dans ma petite boutique et ça me ferait du bien de laisser ma momie se déshydrater peinard pendant quelques jours. Donc, banco : nous sommes allés

Au Vieux Campeur le lundi suivant et je me suis retrouvée avec des genres de Moon Boot en croûte de vachette aux pieds.

Trop belles...

J'avais décidé de prendre toute cette aventure à la rigolade et j'ai commencé là, dans la boutique. Je me la suis jouée pouf à fond et j'ai tout essayé en hésitant pendant des plombes.

Franck voulait de la bourrique, il en aurait.

En vérité, j'étais très contente de partir en vacances avec lui. Voilà des années que nous ne nous voyions plus qu'entre deux portes tambour et il me manquait. Nous me manquait.

En plus, ça tombait pile poil dix ans après nos répétitions d'Alfred de Musset et ça, ça me plaisait. La perspective de le rendre chèvre pendant une semaine au milieu des moutons, c'était un beau cadeau d'anniversaire.

Dix ans. Dix ans déjà qu'on ne baratinait pas avec l'amour et il était déjà, je ne me faisais aucune illusion sur mon cas, ma plus grande histoire possible...

Rétrospectivement, le youkaïdi youkaïda a commencé à sentir le roussi dès notre rencard à la gare de Lyon.

Eh oui, parce que tout homme de sa vie qu'il était sûrement, le Arthur de mon Francky, j'avais la nette impression que c'était plutôt moi qu'il chauffait sur le quai.

Ho, ho, ricanais-je sous mon bob, mauvaise pioche, mon petit presbyte chéri, mauvaise pioche...

Bon.

J'ai fait l'imbaisable et je n'ai rien dit.

D'abord on peut être à voile et à vapeur en plus d'être ferroviaire et puis j'étais vraiment en mode vieille fille à ce moment-là de ma vie.

J'avais trop de retard dans ma compta pour me permettre de conter fleurette au premier allumeur de réverbères venu. Alors, qu'ils se démerdent avec leurs culs, Franck et lui. Le mien était en berne.

Merde, c'était des vacances ou quoi ?

Donc, bonne copine, je te l'ai refroidi vite fait le petit Arthur en Ray-Ban Aviator et leur ai laissé les deux places ensemble dans le sens de la marche.

Et j'ai dormi pendant tout le trajet.

Sérieux, la perspective de crapahuter dans des rochers avec mes boulets aux pieds, ça m'épuisait déjà...

Ensuite, on nous a convoyés jusqu'à un super gîte super familial avec plein d'autres super bobos super excités de marcher avec des super ânes super mignons et des super quignons de pain et du super fIometon et là, direct, j'ai baissé le rideau et je me suis remise en défensive.

Hé, pas comme quand j'étais petite, hein ? Non, non ! Rien à voir ! Simplement, voilà : j'accompagnais Franck et basta. Qu'on ne vienne pas me faire chier en plus avec de la convivialité.

J'étais une commerçante qui commerçait tout le reste de l'année et là, j'avais surtout besoin de décrocher des rapports humains. Et surtout des sympathiques.

Je ne faisais pas la gueule, j'étais juste en congé.

Tout ça, c'était trop familial d'un coup pour moi et je savais déjà que je n'avais pas les moyens techniques d'assurer ma part d'excitation générale.

Toi Franck, moi Billie. Moi venir avec toi, toi pas demander plus.

Comme il m'aime et me connaît bien, il m'a laissée tranquille.

Nous dormions dans la même tente et, le deuxième soir, il m'a avoué qu'il leur avait dit à tous de ne pas m'en vouloir si j'étais si taciturne... Que c'était parce que je traversais un gros chagrin d'amour...

Je lui ai répondu qu'il avait bien fait vu que je suis toujours plus ou moins en train de traverser un gros chagrin d'amour et, quelques secondes de sourires plus tard, j'ai pas pu m'empêcher d'ajouter que c'était même l'histoire de ma vie, non ? Et là, genre on a gloussé dans nos duvets pour nous faire croire que j'étais vraiment trop trop rigolote, comme fille.

J'adorais dormir dans cette petite cabane avec lui (j'avais bien réparti les tâches : moi je la lançais en l'air (2 secondes) et lui, il la repliait (2 heures)), je sortais ma flasque de gnôle et on se racontait plein de trucs. On disait du mal du groupe, on ricanait, on pouffait, on faisait du mauvais esprit, on se racontait nos vies, nos bouts de feuilletons de l'autre qu'on avait loupés, nos bouquets, nos commandes, nos histoires de boulot, de bagues, de clients et de bracelets.

Franck m'imitait aussi certains youkaïdis de la rando encore plus gratinés que les autres et je riais comme une baleine.

Je riais tellement que, parfois, notre tente était au bord de s'envoler. Les autres devaient penser que je m'en remettais bien vite de mon grand chagrin d'amour...

Bah, je m'en foutais...

Je m'en fous des autres... Je n'aime que mes vis-à-vis.

Et mon chien.

À un moment, on nous a séparés en trois groupes pour une histoire de sentiers trop fragiles et on s'est donc retrouvés avec des « nouveaux » dont une famille très propre sur elle et bien dégagée derrière les oreilles.

Bien que le garçon et les deux petites filles fussent ('tain, j'en ai placé un ! 10 points ! Ten points pour Billie qui cause si bien la France !) très sages, leurs parents avaient l'air grave au taquet avec tous leurs principes de Grands Éducateurs Infaillibles.

Ils avaient encore les autocollants de la Manif Pour Tous sur leurs sacs à dos et nous ont demandé, à Franck et à moi, si nous étions fiancés et si nous allions nous marier.

Pauvres, pauvres hères...

Franck, occupé avec les vivres, n'avait pas entendu la question, du coup je leur ai répondu qu'on était frère et sœur.

Ben, ouais... Je voulais pouvoir continuer de hurler de rire toutes les nuits dans ma petite tente avec ma petite tante sans qu'ils viennent nous balancer un seau d'eau froide sur le dos...

Nous marchions derrière eux et, du menton, j'ai indiqué le fameux autocollant à Franck pour le faire sourire, mais il était un peu choubidou et n'a pas réagi.

Son Arthur s'était barré avec un autre groupe de Minimoys où y avait une petite Sélénia de vingt ans qui était bête à pleurer mais qui se réfléchissait trop bien dans ses verres miroir et ça l'avait un petit peu déçu de la vie. Bah, je lui ai fait en lui poquant les côtes : « Tu m'as, moi... » et comme il ne se détendait pas, j'ai sorti la trousse de secours :

— Que me conseilleriez-vous de faire le jour où je verrai que vous ne m'aimez plus ? je lui ai demandé comme ça.

— De prendre un amant, il m'a répondu du tac au tac.

— Que ferai-je ensuite le jour où mon amant ne m'aimera plus ? j'ai insisté.

— Tu en prendras un autre.

— Combien de temps cela durera-t-il ?

— Jusqu'à ce que tes cheveux soient gris, et alors les miens seront blancs, il a souri.

Et hop, c'était reparti pour un tour. Après ça, il avait de nouveau la patate. (Ah, nan ! Plus jamais, on a dit !)

Et après ça, il avait de nouveau la pêche.

Vive Alfred.

Nous on avait pas d'âne parce qu'on avait pas de gamins.

La famille Biendégagée, elle avait des gamins alors elle avait un petit âne gris trop chou qui s'appelait Bourriquet. (Super original.) J'en avais peur, mais je l'aimais bien quand même...

(Lui, Franck, avec ces gens-là, il n'était pas près d'avoir, ni de mari, ni de famille, ni de gamins, ni de dignité, ni de respect, ni de pardon, ni de paradis, alors un âne, c'était même pas la peine d'y penser.)

Bourriquet...

Je l'appelais Boubou et de temps en temps je lui donnais des trucs à bouffer en loucedé.

M. Biendégagé me regardait d'un air mauvais vu que c'était bien précisé dans le règlement qu'il ne fallait *jamais* nourrir les bidets pendant qu'ils convoyaient.

C'était la règle numéro un, avait bien répété le monsieur Hertz des cadichons : Tout ce que vous voulez quand ils sont débâtés, mais plus un brin d'herbe autrement. Sinon... sinon je me souvenais plus... sinon ça leur détraquait le GPS, je crois...

Bon, moi quand je finissais une pomme, j'allais pas jeter le trognon aux fourmis alors qu'il y avait ce gentil petit Bourriquet qui la reluquait depuis un quart d'heure, hein ?

C'est bon, on n'est pas des bêtes.

Entre M. Biendégagé et moi, ça commençait déjà à sentir un peu la merde.

J'aimais pas comment il parlait à sa femme (comme à une conne) et j'aimais pas comment il parlait à ses enfants (comme à des cons). (Dès que je m'énerve, je lourde les négations, vous avez remarqué ?) (Chassez le naturel et, direct, y a les Morilles qui refoulent à mon goulot.) (Direct.) (Hélas.)

Il n'arrêtait pas de flairer Franck parce qu'il commençait à se douter que c'était un homme oh, comme ils disent et ça me mettait dans un état de nerfs pas possible. Cette façon qu'il avait de lui flairer le cul comme si c'était un chien, ça me débectait.

Et puis il avait le don de gâcher tous les bons moments. Si la petite cueillait une fleur pour l'offrir à sa maman, c'était grave parce que c'était une espèce protégée. Si le gamin voulait regarder avec les jumelles, il fallait qu'il attende parce que ses mains étaient trop sales. S'il avait faim, c'était non parce que c'était pas encore l'heure du goûter. S'il voulait tenir l'âne, c'était non parce qu'il risquait de le laisser s'échapper. S'il voulait faire des ricochets, jamais il n'y arriverait parce qu'il ne se donnait pas assez de mal. (Du mal... Se donner du mal pour faire des ricochets... Non, mais quel connard...)

Si l'autre petite passait encore une fois derrière l'âne, elle allait se prendre un coup de pied qui risquait de la tuer. (Mon Boubou... N'importe quoi...) Si madame disait que la vue était belle, il répondait qu'elle serait mieux de l'autre côté de la colline, si elle prenait une photo de ses mômes, il lui prédisait qu'elle serait ratée vu qu'elle était à contre-jour et si elle finissait par accepter de porter sa petite, il levait les yeux au ciel en lui rappelant que ce n'était pas une bonne idée de céder à tous ses caprices comme ça.

Bon.

J'ai ralenti le pas et j'ai fait celle qui s'intéressait vachement à la faune et à la flore pour me refroidir.

Fais chier ton monde loin de mon âme, sale petit kapo, moi je regarde quelles graminées je mettrai dans mes bouquets...

Au moment du pique-nique, il s'est assis à côté de Franck pour faire genre franche camaraderie virile et il lui a demandé comme ça si on voulait des enfants, nous aussi.

Francky m'a jeté un coup d'œil qui voulait dire : Ne t'en mêle pas, je t'en supplie, et il lui a répondu une connerie évasive pour noyer le sujet.

Pendant que nous rabibochions nos sacs sur le dos de Boubou, il m'a glissé à l'oreille :

— Hé, Billie, tu ne me fais pas d'embrouilles avec ce type, hein ? Dans l'autre groupe, il y a une de mes collègues de travail que j'aime beaucoup et je ne veux pas de scandale, OK ? Moi aussi, je suis en vacances…

J'ai hoché la tête.

Et je me suis calmée.

Pour lui.

Le soir, au refuge, il a fabriqué des bâtons de marche pour les enfants avec son joli couteau.

Comme c'est un ciseleur hors pair, à la fin, il leur a tendu à chacun un petit bijou et leurs sourires étaient trop craquants.

Ils avaient tous eu droit à leurs initiales et à un symbole personnalisé gravé dans l'écorce. Pour le garçon, une épée et pour les filles, une étoile et un cœur.

J'ai fait un énorme caprice alors j'ai eu le mien, moi aussi. Un bâton plus long et plus gros avec un B artistique et la tête de mon chien juste en dessous. Quand il me l'a offert, j'avais exactement le même sourire que les petits, mais en beaucoup plus gamin.

Ensuite, on a dormi comme des loirs.

*
* *

Le lendemain matin, j'étais de nouveau de bonne humeur.

Note, petite étoile, je n'avais pas tellement le choix car le paysage était vraiment très beau...

Rien ne résiste à tant de beauté... et surtout pas la connerie humaine... donc tout allait bien. Comme il me voyait détendue, Franck s'est détendu aussi et comme on n'avait pas droit à un petit âne vu qu'on vivait dans le péché, on est partis devant pour ne plus prendre le risque de nous laisser crisper par l'autre empêcheur de jouir en rond.

Après tout, chacun sa vie, hein ?

Mais oui...

Chacun sa vie...

Dieu est malin et reconnaîtra les siens...

À un moment, on a croisé un énorme troupeau de moutons. Bon, au début, ça allait, mais après j'en avais un peu marre.

Quand t'as maté un mouton, c'est un peu comme si tu les avais tous vus, ça manque de nuance. J'étais en train de tirer Franck par la manche pour qu'on regagne le GR bidule, sauf que, patatras, Jésus.

Mon Francky : foudroyé.

La Vision. L'Apparition. La Révélation. La Fulguration. Les Palpitations. Le Coup de bambou sur la chetron.

Le berger.

Sérieux, j'avoue, il ressemblait vraiment à Jésus-Christ et il était trop, trop sexy...

Beau, souriant, bronzé, cuivré, doré, sec, musculeux, barbu, bouclé, cool, calme, lumineux, torse nu, en short-pagne avec des sandales en cuir et un bâton noueux.

Franck était exactement comme le loup de Tex Avery, mais en plein milieu d'un troupeau de moutons encore en plus.

À voir, c'était divin...

Hé, mais moi aussi j'étais chaude pour retourner communier direct, hein !

On a un peu discuté... enfin... on a essayé de discuter au lieu de le mater...

Franck lui demandait si ce n'était pas trop pesant la solitude (le gros malin...) et moi je lui posais des tas de questions sur son clebs et puis on a vu nos amis Biendégagés et Cie qui se pointaient au loin et on l'a salué pour aller les rejoindre sans les rejoindre parce qu'on avait peur de se perdre.

Juste avant, on lui a demandé où il allait et il nous a indiqué une petite montagne par là-bas.

Bon, ben au revoir, alors...

Ah ! Seigneur... Que Vous êtes cruel avec Vos ouailles ! La messe était dite, mais elle fut bien trop courte !

Inutile de préciser que je n'ai plus cessé d'emmerder Francky avec ça dans les heures qui ont suivi.

Au moment du pique-nique, M. Biendégagé lui a demandé s'il voulait du saucisson.

— Seulement si c'est du Bâton de Berger ! j'ai répondu et ça m'a fait glousser pendant au moins deux minutes non-stop.

Quand j'ai enfin réussi à me calmer, j'ai ajouté :

— Mais, hé... celui aux noisettes, hein ?

Et c'était reparti pour deux minutes de plus.

Pardon.

Mille pardons.

Mme Biendégagée a fini par s'inquiéter et Franck lui a dit en soupirant que j'avais des problèmes d'allergie avec le pollen.

Et, hop, deux minutes de rab.

Aaah... Je commençais à bien l'aimer, cette petite balade, moi !

Franck mimait l'accablé, mais il était tout jouasse lui aussi...

On sait d'où on vient, tous les deux, et à chaque fois qu'on voit l'autre heureux, ça nous fait un peu l'effet Kiss Cool + 1. On savoure pour l'autre, on savoure pour soi et on savoure encore pour le grand kif que ça procure, de foutre en l'air la donne de départ.

Pour fêter ça, j'ai attendu que la Schlague Pour Tous s'éloigne pisser et j'ai donné une pomme entière à mon petit Boubou.

Il l'a gobée direct et, pour me remercier, il m'a rouflouflouté un genre de gros bisou chaud et venteux dans le cou.

Oooh... je commençais déjà à le regretter... En plus, devant ma boutique avec un chapeau de paille à deux trous et des paniers remplis de fleurs sur le dos, il aurait été trop, trop classe...

Donc, voilà, petite étoile... Tout allait bien et si tout a dégénéré, ce n'était vraiment pas de notre faute, vu que nous, sérieux, on avait été touchés par la grâce et on marchait sur l'eau.

On était transfigurés.

On adorait notre trip dans les Cévennes.

On l'a-do-rait.

Des petites brebis, tout ce qu'il y avait de plus converties !

Le pique-nique terminé, on a décidé de s'accorder une pause parce qu'il faisait très chaud et que la petite s'était endormie dans les bras de sa maman.

(Je sais, je ne devrais pas le dire... ça ne sert à rien... à rien du tout... mais vraiment... ça me faisait bizarre...)

Moi, je sais que je n'aurai jamais d'enfants. Et ce n'est pas une expression à la con. C'est une certitude tripale. J'en veux pas. C'est tout. Mais quand je voyais le visage de cette dame qui regardait celui de sa puce et comment elle se démerdait pour la garder à l'ombre en se déhanchant comme elle pouvait et en se raclant le cul sous cet arbre tout en faisant super gaffe de ne pas la réveiller au passage, je ne pouvais pas m'empêcher de me dire que ma mère devait être vraiment super mal dans sa tête... Super super mal... Vu que moi, j'étais encore plus petite que ça...

(Bref. Sans intérêt.)

Pour ne plus y penser je me suis mise en travers et je me suis assoupie sur le ventre de mon Francky.

Et tac. Encore niquée, la vie.

Je ne sais pas si c'était à cause de la fatigue de la marche, du ventre du berger ou de la scène de la Mère à l'Enfant, mais j'ai mal dormi cette nuit-là...

Et même, je n'ai pas dormi du tout.

Et le pauvre Franck a mangé aussi. Comme je suis égoïste et que je ne voulais pas rester toute seule avec mon insomnie, j'essayais de taper la discute encore et encore. Et, bien sûr, quelle sale petite rate je fais, de blablas en détours, j'ai fini par arriver à mes fins et à murmurer dans le noir que moi, je n'avais pas quatre ans mais onze mois et que vraiment, je ne comprenais pas...

Il était soûlé. Je crois que lui, il était plutôt parti pour prier Jésus toute la nuit avec son petit chapelet maison, alors il m'a un peu envoyée au diable.

Du coup, j'ai encore moins dormi et du coup, lui pareil.

Donc voilà, petite étoile... Tu vois, je commence déjà à te préparer le terrain : quand on a repris la route ce matin-là pour aller rejoindre le reste du groupe sur le plateau de je ne sais quoi, la carte postale de vacances, elle était déjà un peu cornée...

C'était la première fois de ma vie que j'étais confrontée à une maman en action, et une gentille en plus, et ça me faisait un sale effet. Je ne disais rien et je continuais de faire ma bécassou comme avant, mais je sentais un truc au fond de moi qui commençait à envoyer des fusées de détresse.

Au lieu de regarder le ciel, le soleil, les nuages, le beau paysage, les papillons, les fleurs et les cabanons en pierre, j'étais obnubilée par cette femme.

J'écoutais le son de sa voix, je regardais où se posaient ses mains sur le corps de ses enfants (toujours les endroits les plus doux : la nuque, les cheveux, les joues, le potelé des petits mollets), ce qu'elle leur donnait à manger, comment elle répondait toujours à leurs questions, comment elle ne se gourait jamais de prénom et cette façon qu'elle avait de toujours les tenir du coin de l'œil en douce et... et ça me tuait.

Ça me tuait en moi toute cette tendresse... Toute cette injustice... Tout ce manque en creux qui me sautait à la gueule à chaque fois que je tournais la tête de son côté.

Du coup, je collais Franck comme une sangsue et comme je sentais que je l'énervais, je me suis mise en quarantaine toute seule.

Après le déjeuner, vu que j'étais toujours aussi délabrée, j'ai demandé à tenir le petit Bourriquet.

Que j'arrive à surmonter au moins *une* de mes angoisses...

L'adjudant Biendégagé m'a passé la main en me lâchant mille recommandations débiles (genre il me confiait un pitbull de combat qui n'avait rien bouffé depuis une semaine et qu'était sous amphètes et tout ça) et moi, pour me changer les idées, je me suis lancée dans un plan drague d'enfer.

Je lui susurrais, dans sa grande oreille qui cliquetait de plaisir : T'es sûr que tu veux pas venir à Paname avec moi ? Je te filerai toutes mes roses fanées à bouffer et je t'emmènerai draguer les petites ânesses du jardin du Luxembourg... En plus, je récupérerai ton crottin, je le mettrai dans des petits sacs en toile de jute trop mignons et je les vendrai à prix d'or à tous ces charlots qui se font des potagers à la con sur leurs balcons...

Allez, dis oui, quoi... T'en as pas marre de porter des sacs Quechua, toi aussi ? T'as pas envie de mener la grande vie ? Je te teindrai la crinière en bleu lavande et on ira boire des mojitos sur les Champs...

Parce que j'ai remarqué que t'aimais bien ça, toi aussi, les feuilles de menthe, hein mon petit ami ?

Allez, mon Boubou... Sois pas têtu, quoi...

Ses grands yeux doux me regardaient gentiment. Il n'avait pas l'air contre et se frottait à mon bras de temps en temps pour chasser les mouches et me forcer à continuer de le faire braire encore un peu avec toutes mes bêtises.

Du coup, j'allais mieux.

J'allais mieux et je ne prêtais plus attention à la douceur de maman Biendégagée et à la connerie intersidérale de son mec.

Tu vois, petite étoile, c'était pas prémédité tout ça. J'avais fini par la déglutir, cette sale petite bouchée de Morilles qui m'empêchait de vivre depuis la veille et il n'y avait plus rien de haineux en moi.

Tu me crois, j'espère ?

Il faut me croire.

À Franck et à toi, je dis toujours la vérité.

*
* *

Bon, t'es prête ?

OK. Je passe à table alors...

À un moment, le petit garçon qui en rêvait depuis des jours et des nuits, a encore demandé s'il pouvait tenir le petit âne, lui aussi.

Son père a dit non et moi, j'ai dit oui.

Exactement en même temps.

Et, là, déjà, gros blanc dans la conversation.

— Ça va, j'ai ajouté, il est tout calme et tout gentil... Regardez, moi, j'en avais une trouille bleue et puis tout s'est bien passé... Si vous voulez, je reste juste derrière votre fils au cas où il y aurait un problème, OK ?

M. Biendégagé l'avait super mauvaise, mais il a été obligé de céder parce que tout le monde lui disait que j'avais raison, que c'était pas un âne, le nôtre, mais un agneau et qu'il fallait faire confiance aux enfants et tout le toutim.

HeilHitler a fini par céder, mais on sentait qu'il plaçait son gamin dans le viseur de son fusil à pompe et que le petit n'avait pas intérêt à merder.

Ambiance.

Le môme était trop jouasse. On aurait dit Ben-Hur au volant de sa Lamborghini.

Comme promis, je me tenais derrière lui et, comme sa maman, quelquefois, je touchais ses cheveux en douce.

Juste comme ça.

Pour voir...

Et, puisque tout se passait bien, on a tous fini par se détendre.

Une demi-heure plus tard à peu près, il a annoncé qu'il en avait marre de tenir Bourriquet et qu'il voulait me le rendre pour retourner chercher des fossiles.

— Pas question, a rétorqué son père, trop content de pouvoir rasseoir son autorité aux yeux du groupe, tu as voulu le tenir, eh bien, maintenant, tu le tiens jusqu'au bout. Tu apprendras qu'on assume ses choix dans la vie, mon cher Antoine. Tu as décidé de te porter responsable de cet animal, fort bien, alors maintenant, tu te tais et tu le mènes jusqu'au campement, c'est compris ?

Nan, mais qu'est-ce que c'était que ces conneries encore ?

Ho, ho... Il fallait vraiment que je me mêle pas de cette conversation, moi...

Ho, ho... T'es où, mon Francky ?

Reste pas trop loin de moi, mon chat, parce que je sens que y a ma chemise qui commence à se craquer au niveau des emmanchures, là...

Et j'ai le teint qui commence à verdir aussi un peu, non ?

Alors ce petit Antoine, qui était super mignon, super bon marcheur, super gai, super courageux, super facile à vivre, super affectueux et super gentil avec ses petites sœurs, s'est mis à pleurnicher en appelant sa maman.

Et là, son père lui a donné une méchante petite claque derrière la tête pour lui apprendre la vie.

Oh, putain...

Oh, je la reconnaissais, celle-ci...

Je la reconnaissais parce que je la connaissais par cœur.

C'était la pire.

La plus lâche d'entre les plus lâches.

La plus vicieuse.

La plus douloureuse.

Celle qui ne laisse pas de marque et qui te décolle le cervelet dans la seconde.

Celle qui te fait le coup du lapin en interne.

Celle que personne ne soupçonne jamais et qui te brinquebale tellement la boîte crânienne que tu restes un moment sans pouvoir penser et tout le reste de ta vie un peu secoué.

Oh, putain...

Ma petite madeleine de Proust à moi...

Bon, tout ça, je n'y ai pas pensé sur le moment, bien sûr. D'ailleurs, je n'y ai pas pensé du tout puisque c'est tatoué dans ma chair.

Et puis je n'avais pas le temps de penser vu que j'étais déjà en train de décrire un grand arc de cercle derrière mon dos avec mon super beau bâton Van Cleef de mon Francky et que je lui ai explosé la gueule direct à ce monsieur bien propre sur lui qui venait de lever la main sur un enfant.

Direct.
Explosée.

Plus de nez.
Plus de bouche.
Plus rien.

Que du sang, entre ses doigts et sur tout son visage.
Et des cris.
Des cris de porc, forcément.

Oh, le bordel...
En plus, à cause de mon geste brusque et du bâton levé, l'âne avait pris peur et s'était barré au triple galop jusqu'à Katmandou avec tous les vivres sur le dos.
Oh, le bordel...

Et comme tout le monde me regardait comme si je l'avais canné, j'en ai remis une couche pour le ressusciter, ce cogneur de gentil petit garçon :
— Alors ? que je lui ai fait de ma voix méconnaissable des grands soirs, t'as vu ce que ça fait ? T'as vu ce que ça fait d'être frappé par surprise ? T'as vu comme c'est déplaisant ? Tu recommences jamais ça, hein ? Parce que la prochaine fois, je te tuerai.
Et comme il ne pouvait pas me répondre vu qu'il mastiquait ses dents, j'ai continué :
— T'inquiète, je vais me casser illico parce que j'en peux plus de supporter ta sale gueule de facho, mais je vais te dire un dernier truc avant de partir, connard... Hé, regarde-moi... Tu m'entends ?

Alors écoute-moi bien : tu le vois, mon ami, là... (et en même temps que je disais ça, je n'osais pas regarder dans la direction de Francky évidemment) (pas tous les courages le même jour...), eh ben, il est pédé... et moi, je suis gouine... eh, ouais... Et figure-toi que toutes les nuits, dans notre petite tente, eh ben, ça nous empêche même pas de faire des trucs vraiment immondes avec nos corps, tous les deux... Des trucs que tu peux même pas imaginer... Il éjacule rarement en moi, je te rassure, mais imagine qu'on se loupe un soir de grosse beuverie... Imagine... Eh ben, si y avait un môme qui devait naître de toutes ces saloperies entre un pédé et une gouine, tu sais quoi ? Non seulement, on le gardera juste pour te faire chier, mais en plus, on le tapera jamais, nous. Jamais tu m'entends ? Jamais, on ne lui fera le moindre mal. Jamais, jamais, jamais... Et si vraiment, y nous emmerde trop et qu'y nous empêche de retourner à nos partouzes, tu sais quoi ? On le butera, mais on fera ça bien... Je le jure sur la tête de tes gosses qu'il ne souffrira pas. Juré, craché. Allez... Salut la compagnie... Et bonne bourre...

Et là, j'ai craché à ses pieds et je suis partie dans la direction de mon berger.

Parce que j'étais, moi, dans la Foi, la Vie, la Lumière et la Vérité.

J'ai marché droit devant moi pendant des heures et des heures.

Droit vers la montagne de Jésus.

Je ne me suis même pas retournée une seule fois pour voir si Franck me suivait.

Je le savais, qu'il me suivait.

Qu'il me haïssait, mais qu'il me suivait quand même.

Qu'il me haïssait et qu'il me remerciait en même temps.

Et que ça devait être bien le bordel dans sa tête.

Parce que entre l'autre pète-couilles et son paternel, y ne devait pas y avoir une si grande différence que ça…

Ça se trouvait, y faisaient partie de la même cellule de Nettoyeurs de l'Occident…

À un moment, je me suis figée devant un genre de vide au-dessus des montagnes.

D'un, parce que c'était la fin du sentier, de deux, parce que je n'entendais vraiment aucun bruit de pas derrière moi depuis des heures et des heures.

Aucun.

Je me suis figée sur place et j'ai attendu.

La foi du charbonnier, c'est bien, mais je ne suis pas charbonnière, moi. Je suis fleuriste.

Et en plus, comme dirait le poète, y a pas d'amour.

Y a que des preuves d'amour.

Je me suis figée et j'ai regardé ma montre.

Si dans vingt minutes, il n'est pas là, je me suis dit, je rends le bail de la rue de la Fidélité.

J'ai beau faire ma faraude de temps à autre, je suis quand même une petite chose fragile, moi aussi.

Merde. C'était autant pour lui que pour moi que j'avais pété un câble.

Menteuse.

Oui, j'avoue. Ce n'était que pour moi.

Même pas pour moi, d'ailleurs... Pour une petite fille que je côtoyais quand j'étais petite fille...

Une petite fille à qui je n'avais jamais eu l'occasion de dire que même si elle puait les mois d'hiver, elle restait mon amie et qu'elle pouvait toujours entrer dans mon groupe et s'asseoir à côté de moi en classe.

Toujours.

Et pour toujours.

Bon, ben, voilà. Maintenant, c'était fait.

Elle l'avait, elle, sa preuve d'amour.

Si dans dix-neuf minutes, il n'est pas là, je me suis répété en serrant les dents, je rends le bail de la Fidélité.

Et pile dix-sept minutes plus tard, une voix derrière mon dos m'a postillonné son venin :

— Hé ? Tu sais quoi ? Tu fais chier, la Morille. Tu fais vraiment vraiment chier...

J'en aurais chialé de bonheur.

C'était la plus belle et la plus romantique déclaration d'amour qu'on m'avait jamais faite de toute ma vie !

Je me suis retournée, je lui ai sauté au cou et je ne sais pas comment je m'y suis prise mais en sautant dans ses bras comme ça, je nous ai entraînés tous les deux dans le vide.

On a débaroulé un genre de pente rocailleuse de merde et on s'est retrouvés tout en bas, en plein dans des buissons super piquants et plus ou moins en mille morceaux.

Ensuite, on a rampé comme on a pu vers un endroit un peu plus plat et on a commencé à se faire la gueule pour de bon.

Voilà, petite étoile, voilà... C'est fini... Et si tu veux nous retrouver en live et pour les bonus, reviens au premier épisode de la saison 1 parce que moi, je n'ai plus rien à ajouter.

Hi, hi, hi !

Je rêvais que Franck me chatouillait.

Hi, hi, hi ! Mais... euh... arrê-teuh...

Et quand j'ai ouvert les yeux, j'ai compris que je m'étais finalement endormie et que ces petits gui-lis, ce n'était pas Francky en rêve, mais Bourriquet qui me faisait les poches.

— Ton nouvel ami a envie d'une pomme, on dirait...

Je me suis redressée en grimaçant, toujours à cause de mon bras en vrac et je l'ai vu qui était là, bien tranquille, assis sur un rocher en train de se faire un petit café.

— Le petit déjeuner est servi, il a dit.

— Francky ? C'est toi ? T'es pas mort ?

— Non, pas encore... T'as pas encore réussi ton coup...

— T'as rien de cassé ?

— Si. La cheville, je crois...

— Mais euh... j'avais du mal à remettre les mor-ceaux du puzzle dans le bon sens, là... mais... tu... t'étais pas dans le coma ?

— Non.

— Ben, tu faisais quoi, alors ?

— Je dormais.

'Tain, il était gonflé, lui... Et tout ce souci qu'il m'avait causé alors ?

'Tain, il était gonflé...

'Tain, il était gonflé !

Monsieur dormait...

Monsieur se reposait...

Monsieur ronpschitait à la belle étoile...

Monsieur s'était endormi bien peinard dans les bras de cette petite pute de Morphée pendant que je me goinfrais ma misère...

Monsieur craignait.

Monsieur me décevait.

Toute cette angoisse quand il avait fait semblant de tomber dans les pommes... Et comment j'avais ramé pour nous faire beaux toute la nuit... Et tout ce que j'avais été obligée de remuer comme fumier pour qu'on ait l'air présentables... Et tout ce que j'avais dû faire comme tri en sourdine parce que je préférais inspirer le respect plutôt que la pitié.

Oui, tout ce mikado bien relou avec mes jolis souvenirs d'enfance pour pouvoir récupérer les utiles en ne touchant surtout pas à ceux qui n'auraient servi à rien d'autre qu'à m'enfoncer dans ma nuit encore un peu plus loin.

Tout ce travail de dentellière pour faire du joli avec de la merde...

Tout ce courage...

Toute cette tendresse...

Tout cet amour...

Et comme j'ai eu froid... Et comme je me suis sentie seule... Et comme j'ai été triste... Et tout ce que je m'étais donné comme mal pour nous faire aimer d'une morte... et... et son 3615 Petite Branlette Artistique en plus du reste et...

'Tain, j'avais bien les boules, là...

Bien, bien, bien...

— Et le bourricot, il est venu comment ? j'ai demandé.

— Je ne sais pas. Il était là quand je me suis réveillé...

— Mais il est passé par où ?

— Par le petit chemin là-bas...

— Mais... euh... comment il a fait pour nous retrouver ?

— Ne me demande pas... Encore un âne assez bête pour tenir un peu à toi...

— ...

— Tu boudes ?

— Ben, ouais, je boude, mon con ! Je me suis fait vachement de souci, figure-toi ! Et j'ai pas fermé l'œil de la nuit...

— Je vois ça...

Oh, je l'avais mauvaise, dis donc, et son café, il pouvait se le mettre où je pense.

— Tu m'en veux ? il a demandé avec sa petite bouche de faux derche de petit réparateur de bijoux de famille de mes deux.

— ...

— Tant que ça ?

— ...

— Vraiment tant que ça ?

— ...

— Vraiment, vraiment ?

— ...

— Tu t'es vraiment fait du souci pour moi ?

— ...

— Tu croyais vraiment que j'étais dans le coma ?

— ...

— T'étais triste ?

— ...

— Très très triste ?

— ...

C'est ça. Continue, gros con. Fous-toi de ma gueule encore en plus.

Silence.

Il s'est approché en boitillant et il a posé une tasse fumante à côté de moi avec une tranche de pain d'épice.

J'ai même pas bougé un seul cil.

Il s'est assis comme il a pu avec sa patte raide et il m'a dit d'une voix très gentille :

— Regarde-moi.

Phoque you.

— Billie djinn, regarde-moi.

Bon, crrr... crrr..., j'ai actionné ma nuque de trois millimètres vers le haut.

— Tu le sais, que je t'adore, il a murmuré en me regardant droit dans les yeux. Que je t'adore plus que tout au monde... Tu le sais depuis le temps, n'est-ce pas ?

— ...

— Si. Tu le sais. Tu ne peux pas faire autrement, de toute façon... Mais, là, voilà presque quatre nuits d'affilée que tu m'empêches de dormir et... et tu es épuisante, tu sais ? Épuisante, épuisante, épuisante... Tellement fatigante que quelquefois, pour tenir le coup à tes côtés, eh bien, il faut faire semblant de mourir un peu... Tu peux le comprendre, ça, non ?

— ...

— Allez, bois ton café, mémère...

Je pleurais.

Alors il a encore rampé jusqu'à moi et il m'a fait un gros câlin du matin, chagrin.

— J'ai-ai cru que t'éé-tais mooor-reuh, j'ai hoqueté.

— Mais non...

— J'ai-ai cru que t'éé-tais mooor-reuh et que j'aaa-llais me tuer au-au-ssi...

— Oh, Billie, tu me fatigues... il a soupiré. Allez, bois ton café et mange un peu. On n'est pas encore tirés d'affaire.

Et j'ai mastiqué mon pain d'épice tout dégueulasse à la confiture de larmes.

Et je pleurais encore plus parce que je-euh dé-éé-testais le pain d'é-pi-ii-ce-euh...

On est repartis comme on a pu, clopin-clopant dans le soleil et dans le vent.

J'avais fabriqué une attelle à Franck avec des bouts de bois et de la ficelle et il se tenait à Bourriquet comme à un déambulateur.

Ce n'était plus nous qui le guidions, ce petit âne providentiel, c'était lui qui nous ramenait au bercail.

Du moins l'espérions-nous...

Au bercail ou n'importe où.

N'importe où, mais pas auprès de ma dernière victime, hein ?

Hein, Bourriquet ? Tu me fais pas ce coup-là, OK ?

S'il te plaît...

Non, non, qu'il répondait, je vous ramène à l'écurie.

Moi aussi, j'en ai plein la croupe de toutes vos conneries...

Bon.
On lui faisait confiance.
Clopin-clopant,
dans le soleil et,
daaans le vent.

(Bon, là, c'est sûr, ça rend mieux si on a l'air dans la tête.)

Il était vraiment trop mignon, ce petit âne.
Je reviendrai le chourer un jour, tiens...

Sinon, je ne parlais plus.
Du tout.
Macache.
Trop d'émotions, trop de fatigue, trop de douleur et trop vexée, aussi, il faut bien le dire...
Franck a essayé à deux ou trois reprises de lancer un sujet de conversation, mais je l'avais laissé retomber entre nous deux comme un vieux tas de crottin tout pourri.
C'est bon. Je suis pas une sainte, non plus...

Il aurait pu me parler au moins une fois dans la nuit...
Rien qu'une.

Je lui en voulais à mort.
En plus, je m'étais ridiculisée devant toutes ces étoiles froides qui n'en avaient rien à foutre de mes histoires.
Et j'avais pleuré et tout.
Mais quelle conne...

Silence.
Gros silence dans le soleil et le grand froid sibérien.

Et puis... au bout d'une heure, peut-être... j'ai fini par craquer.

J'en avais marre d'être toute seule dans ma tête depuis la veille au soir. Trop, trop marre. J'étais en trop mauvaise compagnie. Et puis, je m'ennuyais de lui. Je m'ennuyais de mon salopard d'ami.

Alors j'ai dit comme ça :

— Dis donc, y fait chaud, non ?

Et il m'a souri.

Ensuite, on a discuté de choses et d'autres comme au bon vieux temps, mais sans jamais faire la moindre allusion à mes derniers exploits. Bah, ça y était. C'était oublié... J'en ferais bien d'autres, va...

Au bout d'un moment, il m'a demandé comme ça :

— Pourquoi tu riais ?

— Pardon ?

— J'ai bien compris que tu étais très malheureuse et extrêmement préoccupée par mon état de coma avancé, mais à un moment, pendant la nuit, je t'ai entendue rire. Rire aux éclats. On peut savoir pourquoi ? Tu pensais à tout ce que tu allais pouvoir me voler à la Fidélité ?

— Non, j'ai souri, non... C'est parce que je repensais à la gueule des mecs de notre classe quand on a eu fini de jouer notre scène...

— Quelle scène ?

— Ben, tu sais bien... celle de Musset...

— Ah bon ? J'étais en train d'agoniser à tes pieds et toi, pendant ce temps-là, tu pensais aux crétins de notre classe d'il y a perpète ?

— Ben, ouais...

— Et c'était quoi, le rapprochement ?

— Je sais pas... Ça m'est venu comme ça...

— Ah, bon ?

— Oui.

— T'es vraiment une drôle de fille, toi, hein ?

— …

Silence.

— Dis donc, tu ne parlerais pas de cette pièce où Perdican épouse Rosette à la fin ?

Et rebelote. Nous voilà repartis pour un tour.

C'était quand même le plus éculé de tous nos running gags, mais bon… allons-y s'il y tenait, allons-y…

— Non. Il ne l'aurait jamais épousée.

— Si.

— Non.

— Bien sûr que si.

— Bien sûr que non. Des mecs comme ça, ça n'épouse pas des petites gardeuses d'oies de merde. Je sais que t'aimerais y croire parce que t'es un gros romantique du temps des troubadours, mais tu te fourres le doigt dans l'œil jusqu'à l'omoplate. Moi, je viens de la caste à Rosette et je peux te dire qu'au dernier moment, il se serait débiné… Ses affaires l'auraient rappelé à Paris ou un truc dans le genre… En plus, son père n'aurait jamais permis ça. Il y avait encore 6 000 écus en jeu, je te rappelle…

— Si.

— Non.

— Si. Il l'aurait épousée.

— Pour quoi faire ?

— Pour la beauté du geste.

— Beauté du geste, mon cul. Il l'aurait sautée et il l'aurait laissée sur le carreau avec son bâtard, ses poules et ses dindons.

— Que tu es cynique...

— Oui...

— Pourquoi ?

— Parce que je connais la vie mieux que toi...

— Oh, pitié... Arrête... Tu ne vas pas remettre ça...

— J'arrête.

Silence.

— Billie ?

— Yes.

— Est-ce que tu veux bien m'épouser ?

— Pardon ?

Même l'âne s'était arrêté.

— Est-ce que tu veux bien qu'on se marie, nous aussi ?

Ah, non, il était en train de crotter...

— Pourquoi tu déconnes avec ça ?

— Je ne plaisante pas. Je n'ai même jamais été aussi sérieux de ma vie.

— Mais... euh...

— Euh, quoi ?

— Ben on est pas vraiment du même bâtiment, quoi...

— Tu parles de quoi, là ?

— Ben, tu sais bien...

— Dis-moi, c'était qui la fille déjà, qui m'avait expliqué un jour que le vrai de l'amour, ça n'avait rien à voir avec la planche anatomique ?

— Je ne sais pas. Une petite merdeuse qui voulait toujours avoir le dernier mot, j'imagine...

— Billie...

— Oui ?

— Marions-nous... Ils sont tous en train de nous casser les pieds avec leur mariage pour tous, leur manif pour tous, leur contre-manif pour tous, leur haine pour tous, leurs préjugés pour tous et leurs bons sentiments pour tous... Alors pourquoi pas nous, hein ? Pourquoi pas nous ?

Mais c'est qu'il était vraiment sérieux, ce crétin.

— Et pourquoi on ferait comme les autres ?

— Parce qu'une nuit, je ne sais pas si tu t'en souviens... c'était il y a très longtemps... Une nuit, tu m'as fait promettre de ne jamais t'abandonner parce que tu ne faisais que des bêtises sans moi... Et j'ai essayé, tu sais... J'ai vraiment essayé d'honorer ma promesse... Mais je ne suis pas encore assez balèze pour y parvenir. Il suffit que je marche quatre pas derrière toi pour que tu débloques de nouveau... Alors, je voudrais t'épouser pour qu'il t'arrive moins de bricoles dans l'avenir. On ne le dirait à personne et ça ne changerait rien à nos façons de vivre d'aujourd'hui, mais nous, on le saurait. On saurait que ce lien-là, aussi, existe entre nous, et on le saurait pour toujours.

Tu parles si je m'en souvenais de cette nuit-là...

Ainsi donc, il n'avait pas fait que dormir, lui non plus...

— Tu sais bien que j'en ferai toujours, des conneries...

— Eh bien non, justement. J'ai la prétention de croire que ça te calmerait un peu.

— De quoi ?

— D'avoir enfin un petit bout de famille rien qu'à toi...

Silence.

— Dis oui, Billie... Là, je ne peux pas me mettre à genoux parce que j'ai trop mal, mais imagine que je le fais... Imagine la scène... Avec ce petit âne pour témoin... Ça fait dix ans que je rame avec toi et aujourd'hui, j'ai vraiment envie de conclure...

— Pourquoi tu m'épouserais, moi, d'abord ?

— Parce que tu es le plus bel être humain que j'aie jamais rencontré et que je ne rencontrerai jamais et que j'ai envie que ce soit toi qu'on appelle en premier s'il m'arrivait une bricole à moi aussi.

— Ah ? Ah bon ? Ah bon, ben oui, alors... j'ai soupiré. Si c'est juste pour une histoire de coup de fil, je veux bien... Ch'uis serviable, moi...

Dis donc, petite étoile, elles ont l'air super tes fêtes, mais, hé... vas-y mollo sur les poppers, ma poulette, parce que c'est carrément cosmique, là...

Silence.
Silence dans le soleil et dans l'azur.

— Et alors ? Pourquoi elle sourit bêtement comme ça, la petite Billie, là ? il m'a lancé d'un air moqueur, elle pense à sa nuit de noces ?

Mais... rhôôô... euh... je ne souriais pas bêtement du tout. Je souriais très finement, au
contraire.

Je souriais parce que je ne m'étais pas trompée.
Eh non...

Je bichais pleins phares parce que j'avais eu raison encore une fois : une bonne histoire, surtout
d'amour, ça se termine toujours par un mariage à
la fin avec des chants, des danses, un tambourin
et tout ça.
Eh oui...

La, la, reli... drela...

MATHILDE

PREMIER ACTE

1

C'est un café près de l'Arc de triomphe. Je suis presque toujours assise à la même place. Dans le fond, à gauche derrière le bar. Je ne lis pas, je ne bouge pas, je n'interroge pas mon portable, j'attends quelqu'un.

J'attends quelqu'un qui ne viendra pas et comme je m'ennuie, je regarde la nuit tomber sur L'Escale de l'Étoile.

Derniers collègues, derniers verres, dernières blagues usées, mer étale pendant près d'une heure et Paris s'étire enfin : les taxis rôdent, de grandes filles sortent du bois, le patron tamise et les garçons rajeunissent. Ils déposent une petite bougie sur chaque table – une fausse, qui vacille mais ne coule pas –, et me pressent discrètement : il faut boire encore ou laisser sa place.

Je bois encore.

C'est la septième fois en plus des deux premières que je viens dans ce marigot m'abreuver entre chiens et loups. Je suis précise car j'ai conservé toutes les additions. Au début, j'ai dû imaginer que c'était en souvenir, par habitude ou par fétichisme, mais aujourd'hui ?

Aujourd'hui, je reconnais que c'est pour me retenir à quelque chose quand je plonge la main dans la poche de mon manteau.

Si ces bouts de papier existent, c'est bien la preuve que… que quoi, d'ailleurs ?

Que rien.

Que la vie est chère, près du Soldat inconnu.

2

Une heure du matin. Encore chou blanc. Je rentre chez moi.

J'habite près du cimetière de Montmartre. Je n'ai jamais autant marché de ma vie. J'avais un vélo – dit Jeannot –, mais je l'ai perdu l'autre jour. Je ne sais plus exactement quand. Après une fête chez des gens que je ne connaissais pas et qui vivaient, je crois, du côté de la gare Saint-Lazare.

Un jeune homme m'avait raccompagnée jusque chez lui. À son bras, j'étais gaie, mais dans son lit je ne l'étais plus. La caisse du chat, les motifs de sa couette, l'affiche de *Fight Club* au-dessus du lit Ikea, je... je ne pouvais pas.

Je tenais l'alcool mieux que prévu.

C'était la première fois que cela m'arrivait, de botter ainsi en touche en dégrisant d'un coup, et je m'en trouvais fort marrie. J'aurais bien aimé pourtant. Oui, j'aurais bien aimé partir un peu. J'aimais ça. Et puis il y avait pire que Brad Pitt et Edward Norton pour tenir la chandelle. Mais voilà, mon corps m'avait trahie.

Comment était-ce possible ?

Mon corps.

Si gentil…

J'aurais refusé de l'admettre à ce moment-là, mais ce soir, après ces kilomètres de marches solitaires, et ce vide, et ce rien, et ce manque, et ce manque de tout, partout, tout le temps, je m'incline : c'était lui.

C'était lui le parasite et son travail de sape se manifestait pour la première fois entre ces draps hideux.

Dénudée, déçue, le dos au mur, j'en étais là de ma perplexité quand j'ai entendu une voix pâteuse me rassurer :

— Hé… Tu peux rester quand même, hein…

Si j'avais eu une carabine sous la main, j'aurais visé la tête.

À cause de ce « quand même », de ce mépris, de cette faveur concédée *in fine* à la conne qui ne l'avait pas sucé.

Bang.

J'en tremblais. Dans les escaliers, dans la rue et en cherchant mon vélo au pied des lampadaires. J'en tremblais de rage. Jamais je ne m'étais mise dans un état pareil.

J'avais en bouche un goût de gerbe et je crachais par terre pour m'en défaire.

Comme je suis incapable de rouler un mollard digne de ce nom, c'est sur moi que je bavais, sur ma manche et mon joli foulard, et c'était très bien ainsi car comment expliquer tant de haine autrement ?

Je vivais ce que je méritais et je vivais… *quand même*.

3

Je m'appelle Mathilde Salmon. J'ai vingt-quatre ans. Officiellement je suis encore étudiante en Histoire de l'Art (la belle invention), mais dans la vraie vie, je travaille pour mon beau-frère. Le riche, le beau, le cool. Celui qui se frotte tout le temps le bout du nez et qui ne porte jamais de cravate. Il dirige une grosse agence de création digitale au service du design, du branding et du développement pour le Web (je décode : si vous avez de la came et que vous voulez l'écouler sur le Net, c'est lui qui vous codera une belle vitrine et un parcours fléché jusqu'à des bornes de paiement) (sécurisées) et m'a débauchée l'année dernière.

Il avait besoin de mercenaires, moi d'argent de poche, c'était le soir de mon anniversaire et nous avons topé en trinquant. Comme contrat de travail, il y a pire.

En tant qu'étudiante, je bénéficie de nombreuses réductions pour aller au cinéma, dans les musées, les salles de sport et les restaurants universitaires, mais comme je passe le plus clair de mon temps devant un écran, que je deviens idiote, et que je gagne beaucoup trop bien ma vie pour retourner à la cantine, je ne profite plus de grand-chose.

Je travaille chez moi à mon rythme et au noir, j'ai mille noms, mille adresses, mille pseudos et autant d'avatars et je rédige des commentaires bidon à longueur de journée.

Pensez au poinçonneur des Lilas, c'est exactement le même topo. J'en ponds tellement que je pourrais vous les chanter :

J'fais des com', des p'tits com', encore des p'tits com',
Des com' d'seconde cla-a-ss-eu,
Des com' d'première cla-a-asse...

On me transmet des listes de sites à n'en plus finir suivies de la mention « à pourrir » ou « *praise only* » (quand c'est chic, c'est toujours en anglais dans le digital), histoire de fragiliser puis de rabattre d'éventuels clients avant de leur offrir, mais seulement après qu'ils ont assez casqué, des avis positifs plein les forums de discussion et le meilleur référencement possible sur Google.

Exemple : La société superyoyo.com fabrique et commercialise des super yoyos, mais vu que son site est super ringard (voir, pour s'en convaincre, tous les commentaires désobligeants laissés, lâchés, dropés, partagés, blogués, catchés, spotés, tweetés, pokés, tagués, requestés, boardés, dislikés, délolisés ou tchatés ici et là par Micheline T. (bibi), Jeannotdu41 (moi), Choubi_angel (ma pomme), Helmutvonmunchen (Ich) ou NYUbohemiangirls (me and myself)), eh bien, c'est la super angoisse à Yoyoland. À la fin, monsieur et madame Yoyo qui ont été informés des prouesses de mon beau-frère via un stratagème aussi tordu qu'ingénieux (mais trop long à expliquer ici) (et tout cela n'a aucun intérêt) craquent et viennent le supplier : il leur faut absolument un nouveau site tout neuf. Mais si ! C'est une question de vie ou de mort pour l'entreprise ! Lui, grand seigneur, finit par accepter de les aider et trois semaines plus tard, ô miracle, quand tu tapes « yo » ou « yoy » sur ton clavier, t'es déjà rendu à Yoyoland (pas encore pour « y » tout seul, mais on y bosse comme des malades) et re-ô, et re-miracle, bibi en commande dix de chaque pour ses six petits-enfants, moi exulte et assure qu'il va en parler sur tous les spots de super yoyos du monde, ma pomme dit que c tro tro kool – !!!, Ich foudrait infos für defenir Yoyo Sektor Refendeur and me and myself are sooooo excited *coz yoyos are sooooo french*.

Voilà, c'est tout : je commente. Et mon beau-frère, depuis son immense appartement du XVIe arrondissement, cherche à se diversifier encore.

C'est un faux bon plan, je le sais. Je serais plus inspirée de finir (commencer) mon mémoire de master « De la reine Wilhelmine des Pays-Bas à Paul Jouanny, histoire et conception des caravanes d'aquarellistes et autres roulottes à l'usage des peintres de plein air » (énorme, non ?) ou de songer à mon avenir, mes miches et mes points de retraite, hélas, j'ai perdu la foi en cours de route et ne songe plus qu'à vivre sur le motif, moi aussi.

Puisque tout est truqué… Puisque tout n'est que commentaires… Puisque les pôles sont en train de fondre, que les banquiers sont enfin indemnisés, que les paysans se pendent dans leurs granges et qu'on descelle les bancs publics pour empêcher les clodos de s'y asseoir... Franchement ? Qu'est-ce que je vais aller m'embêter à poser mes collets dans un monde pareil, hein ?

Pour l'oublier, je marche dans la petite combine de mon beauf et de Larry Page : je mens du matin au soir et je danse du soir au matin.

Enfin... je dansais. Maintenant je me serre la ceinture et je zone au clair de lune en attendant un garçon qui ne sait même pas que je l'attends.

C'est vraiment n'importe quoi.

Faut-il que je sois ~~paumée~~, ~~en manque~~, tendre pour en être arrivée là.

4

Pauline et Julie D., les deux filles avec lesquelles je partage un 110 m² rue Damrémont, sont sœurs jumelles. L'une travaille dans la banque et l'autre, dans les assurances. Rock'n'roll attitude. Nous n'avons rien en commun et c'est justement là le secret de notre harmonieuse cohabitation : je suis chez moi quand elles n'y sont pas et quand elles rentrent chez elles, je n'y suis plus.

Elles tiennent les comptes et je réceptionne leurs paquets (conneries PayPal), je rapporte les croissants et elles descendent les poubelles.

C'est formidable.

Je les trouve un peu nunuches, mais je suis bien contente d'avoir été retenue à leur casting. Elles avaient organisé une série d'auditions du style *À la recherche de la nouvelle coloc presque parfaite* (mon Dieu...) (grandiose...) (encore un épisode inoubliable de ma folle jeunesse...) et j'étais l'Élue. Même si je n'ai jamais vraiment compris pourquoi. À l'époque, j'étais planton, que dis-je, planton, agent ! agent de surveillance ! au musée Marmottan et je crois que l'influence du père Monet avait joué en ma faveur : une jeune fille propre sur elle et qui passait autant de temps au milieu des *Nymphéas* était forcément honnête.

Bref, un peu nunuches, disais-je.

Paris n'est qu'un passage obligé sur leurs CV. Elles ne s'y plaisent guère et rêvent de retourner vivre à Roubaix où sont restés leur papa, leur maman et leur gros chat Papouille et où elles se replient le plus souvent possible.

Je profite donc de ma bonne fortune (un super appart pour moi seule chaque week-end et leur stock de lingettes microfibres bien pliées sous l'évier pour nettoyer le vomi de tous mes amis) avant qu'elles se décident à rentrer au pays pour de bon.

Disons que je profitais. Maintenant, je... je ne sais plus. Je crois que je commence à avoir du mal à les supporter... (Elles enfilent des chaussons-ballerines Isotoner en rentrant et écoutent Chante France à l'heure du petit déjeuner, quelquefois, c'est dur) pourtant le problème vient de moi, j'en suis bien consciente. Elles, elles sont toujours aussi discrètes et veillent à baisser le son quand je me perds dans leurs vapeurs de Ricoré. Je n'ai rien à leur reprocher.

Oui, c'est moi et moi seule, la fautive de mon trouble. Voilà presque trois mois que je ne savoure plus rien, que je ne sors plus, que je ne bois plus, que...

Que je tourne mal.

*
* *

Il y a trois mois, l'appartement était encore en chantier.

Il n'était pas en bon état et Pauline (la plus dégourdie des deux) avait convaincu notre propriétaire de nous confier sa rénovation en échange d'une suspension de loyers équivalente au montant de la facture finale. (Phrase un peu compliquée et qui n'est pas de moi, je vous rassure !) Elles ont été excitées comme des puces avec ça, ont pris des cotes, tracé des plans, feuilleté des catalogues et demandé des tas de devis qu'elles ont commentés des soirées entières en lapant leurs tisanes. Je me suis même demandé si elles ne s'étaient pas trompées de métier.

Ce branle-bas de combat m'avait contrariée. Pour être au calme, j'avais été obligée de déserter et d'aller tartiner ma prose dans la ruche de mon beau-frère avec tous ces gentils geekos formatés 2.0, mais bon, je reconnais que l'électricité laissait à désirer (four allumé, mon ordi clignotait), que tout s'écaillait et que la salle de bains n'était pas si pratique (il fallait sans cesse enjamber un vieux bidet). Je ne me suis occupée de rien et quand elles m'ont proposé de payer les travaux en espèces pour récupérer la TVA (au moins !) et les faveurs de M. Carvalho (entrepreneur élu, roublard et débordé sans quoi), je ne me suis pas fait prier.

De ce côté-là non plus, je ne suis pas farouche.

Pourquoi rappeler tout cela ? Parce que sans le doux chantage de ce monsieur « écourrré » par ses charges sociales, sans la hausse impromptue de la taxe sur la valeur ajoutée dans le bâtiment et sans notre cupidité à toutes, à tous – c'est encore lui qui l'emporte –, je ne serais pas là, dans ce quartier déprimant, à guetter mon néant.

Je raconte :

5

C'était un café près de l'Arc de triomphe. J'étais assise dans le fond, à gauche derrière le bar. Je ne lisais pas, je ne bronchais pas, je n'astiquais pas mon portable, j'attendais Julie.

Ma coloc, celle qui bosse à la BNP (elle, elle dit BNP Paribas) et qui calcule, en posant bien les retenues, tout ce qui peut être divisé entre nous (loyer, charges, étrennes, forfaits, pourboires, pastilles de lavage, calendrier des pompiers, rouleaux de PQ, gel douche, paillasson, j'en passe et de plus croquignolettes encore).

Nous nous étions donné rendez-vous en fin d'après-midi ce vendredi-là dans un troquet près de son boulot.

Ça m'avait un peu soûlée de traverser Paris pour ses beaux yeux, mais je savais qu'elle avait un train à prendre et c'était quand même moi la plus… euh… la moins laborieuse du lot.

Elle devait me remettre leurs deux parts de blé à l'intention de notre fraudeur de maçon préféré avec lequel j'avais rendez-vous le lendemain matin, soit une enveloppe un peu dodue, soit 10 000 euros en cash.

Eh, oui… Quand même… C'était Versailles.

J'avais profité de cette après-midi buissonnière pour courir les magasins – à l'époque j'étais encore une petite brunette tout ce qu'il y avait de plus normale : sotte, enjouée, futile et dépensière –, et je l'attendais en couvant les sacs de fanfreluches, accessoires, produits de beauté et autres paires de chaussures inutiles posés près de moi sur la banquette de moleskine.

J'avais léché des kilomètres de vitrines et je sirotais un mojito pour me remettre de mes émotions.

J'étais fourbue, fauchée, tout à fait penaude et très heureuse.

Les filles comprendront.

*
* *

Elle est arrivée pile-poil à l'heure dans son petit tailleur gris souris. Elle n'avait pas le temps de prendre un verre, bon, si, d'accord, mais juste un Vittel alors. Elle a attendu que le garçon s'éloigne, a jeté quelques regards méfiants alentour et a fini par sortir une enveloppe de son cartable qu'elle m'a confiée avec l'air douloureux qu'ont tous les banquiers quand ils sont contraints de vous tendre un peu d'argent.

— Tu ne la mets pas dans ton sac ? s'inquiéta-t-elle.

— Si, si. Bien sûr. Pardon.

— C'est une somme quand même...

De me voir touiller mes feuilles de menthe ne la rassurait guère :

— Tu feras attention, hein ?

J'ai acquiescé gravement (la pauvre, si elle savait, ce n'était pas un peu de rhum et de citron vert qui allaient me tourner la tête...) avant de glisser leur magot dans mon sac à main, que j'ai gardé sur mes genoux pour la rassurer.

— Que des billets de cent... Au début, je les avais mis dans une enveloppe de la banque et puis je me suis dit que ce n'était pas très discret. À cause du logo, tu comprends... Donc j'ai changé.

— Tu as bien fait, lui ai-je répondu en opinant du chef.

— Et puis, tu as vu, je ne l'ai pas fermée, comme ça tu pourras ajouter ta part...

— Parfait !

Et comme elle ne se détendait pas :

— Hé, ho, Julie... C'est bon, là... ai-je soupiré en passant la bandoulière de ma besace au-dessus de ma tête. Regarde ! Un vrai saint-bernard ! Il l'aura son pognon, votre fripouille d'Antonio, il l'aura. Ne t'inquiète pas.

Elle a mimé un petit truc avec sa bouche, un sourire ou un soupir, c'était difficile à dire, puis s'est mise à inspecter la note.

— Laisse, c'est pour moi. Allez, file, sinon tu vas rater ton train. Embrasse tes parents de ma part et dis à Pauline que son colis est bien arrivé.

Elle s'est levée, elle a lancé un dernier coup d'œil angoissé en direction de mon vieux fourre-tout, s'est sanglée dans son trench et est partie, comme à regret, en week-end au bercail.

Ensuite seulement, dans ce café près de l'Arc de triomphe, assise dans le fond, etc., j'ai cherché mon portable. Marion m'avait laissé un message, elle voulait savoir si j'avais craqué pour la petite robe bleue que nous avions repérée ensemble la semaine dernière, où j'en étais de mon découvert et si j'avais déjà un plan pour ce soir.

Je l'ai rappelée et nous avons beaucoup gloussé. Je lui ai décrit mon butin par le menu, pas de petite robe, mais une paire d'escarpins à tomber, des barrettes adorables et des dessous trop jolis, mais si, tu sais, un soutif comme ceux de chez Eres, avec les bonnets comme ci et les bretelles comme ça, des petites culottes à croquer, non, non, je te jure, pas chères du tout et vraiment trop mignonnes, mais si, tu vois, le genre qui vous cachent bien la coquine sous les croquets et bla bla bla et ta ta ti et ouh là là.

Après, je lui ai raconté l'air trop constipé de ma purge de coloc, l'histoire de l'enveloppe sans logo et comment j'avais mis mon Upla autour de mon cou façon grosse guidouille des scouts de France pour la rassurer et là, bien sûr, nous avons gloussé plus fort encore.

Enfin nous avons parlé de choses sérieuses, à savoir l'organisation de la soirée, qui il y aurait et quelles tenues nous allions mettre. Sans oublier un premier passage en revue de tous les jeunes mâles susceptibles d'en être avec leur profil détaillé : kilométrage, usure des pneus, situation de famille, bilan de compétences et fiabilité de l'entreprise.

De jacasser ainsi m'avait donné soif et j'avais commandé un autre mojito pour tenir la distance.

Mais que croques-tu ainsi ? s'étonna soudain mon amie. De la glace pilée, lui avouai-je. Mais comment peux-tu ? reprit-elle horrifiée et moi de faire une allusion idiote et à forte connotation

sexuelle sur l'avantage d'aimer croquer des glaçons dans certaines circonstances de la vie.

Fanfaronnade bien sûr. Pure vanterie vaseuse
pêchée dans un vieux SAS, histoire d'entendre
ricaner bêtement la bonne copine et que j'avais
déjà oubliée, mais qui allait me revenir dans la
face quelques jours plus tard pour me plonger
alors dans un terrible effroi.

Nous verrons pourquoi.

Marion a fini par raccrocher, j'ai laissé deux billets sur la table, récupéré mon barda et c'est seulement quand j'ai voulu attraper mon trousseau
de clefs pour décadenasser ma bicyclette que j'ai
commencé à perdre les pédales.

J'avais tous les autres, les godasses, les crèmes
antirides et les petites culottes à pois, mais il me
manquait le seul sac qui comptait vraiment.

Merde, ai-je murmuré, mais quelle conne... et je
suis revenue sur mes pas au triple galop en continuant de me traiter de tous les noms.

6

Comme je transpirais tout à coup... Et comme elles étaient froides, ces fines gouttelettes qui descendaient le long de mon échine... Et mes jambes... Comme elles étaient faibles... Et comme elles luttaient pour escalader ce sol qui se dérobait sous elles...

Pourtant je raisonnais, je me raisonnais.

Je me raisonnais en traversant en dehors des clous sous les huées d'automobilistes effarés. Je me disais : Allons, c'était il y a quelques minutes à peine et à quelques centaines de mètres seulement. Il y est encore. Le garçon l'aura vu, il l'aura récupéré en empochant son généreux pourboire, l'aura mis de côté et me le rendra dans deux minutes en levant les yeux au ciel : Ah, les filles...

Calme-toi, ma grosse, calme-toi.

Je manquai de me faire écraser et ne me calmais pas du tout.

La banquette était encore un peu tiède, le creux de mes fesses toujours visible, mes billets sagement posés sur la table et mon sac, introuvable.

7

Les serveurs ne comprenaient pas. Le patron ne comprenait pas. Non, ils n'avaient rien récupéré, mais bon, vu le quartier, il ne fallait s'étonner de rien. La semaine dernière encore, on leur avait embarqué des porte-savons. Oui, vous avez bien entendu : des porte-savons. Impensable, non ? On les avait dévissés. C'était un monde tout de même. Sans parler des plantes vertes autour de la terrasse qu'ils étaient obligés d'enchaîner tous les soirs. Hé ? Et les couverts ? Vous savez pour combien on nous en barbote chaque année ? Mais si. Dites un prix pour voir.

Bien sûr, je n'entendais pas cette confiture de doléances. Je n'en avais rien à foutre. J'étais en panique totale et s'ils n'avaient vu personne sortir après mon départ, c'était que l'indélicat était encore dans les parages.

J'ai fait le tour de la salle et quadrillé la terrasse en scrutant les banquettes, les chaises, les genoux, les dessous de table et les portemanteaux. J'ai bousculé des gens, demandé pardon, refoulé des larmes, suis descendue aux toilettes, Femmes, Hommes, Entrée Interdite, pénétré dans les cuisines, posé des questions, bousculé ceux qui voulaient me rembarrer, supplié, promis, craqué, juré, souri, plaisanté, détaillé, scanné, zoomé, surveillé la porte d'entrée et fini par me résigner : il n'y avait ni besace ni suspect à l'horizon.

On me mentait. Ou bien j'avais perdu la raison.

C'était possible. C'était déjà le cas, je crois. Je ne pensais plus, je moulinais : l'avais-je perdue sur le chemin de mon vélo ? La bandoulière avait-elle cédé pour me punir de m'être moquée des gentilles cheftaines ? Avais-je été victime d'un pickpocket chevronné sur le haut des Champs-Élysées ? Était-ce mon après-midi de sortie ? Étais-je en maison de repos les autres jours de la semaine ?

Je suis repartie effondrée au son déprimant de leurs encouragements de circonstance :

Vraiment désolés, ma petite demoiselle.Laissez-nous un numéro au cas où. Et vérifiez quand même toutes les poubelles du quartier. Vous savez, il n'y a que l'argent qui les intéresse, le reste, ils s'en débarrassent tout de suite. Attendez un peu avant de faire une déclaration, même si les papiers, c'est sûr, ça vaut de l'or de nos jours. De toute façon, je vais vous dire, avec tous ces Roms qui traînent sur les Champs depuis deux ans, y ne faut plus s'étonner de rien.

Allez... Bon courage.

Une fois dehors, j'ai pleuré.

Sur moi. Sur ma bêtise. Sur ces sacs absurdes que je tenais à bout de bras. Toutes ces choses dont je n'avais pas besoin, dont je me contrefichais, qui me lestaient et que...

Et mes gris-gris, et mon foutoir, et mes photos... Et mon téléphone, et ma jolie trousse de maquillage, et mes clefs, et mon adresse, et notre adresse à côté de mes clefs, et les serrures à changer, et les filles qui étaient loin et qui n'étaient pas très compréhensives avec ce genre de boulette-là... Et ma carte bleue, et mon porte-monnaie que j'aimais tant, et mon fric, et leur fric... Oui, leur fric, bon sang ! 10 000 euros ! 10 000 euros que je devais donner à l'autre zigue demain matin ! Mais comment pouvait-on être aussi conne ? Ah, ça, pour faire ma morue au téléphone avec Marion, championne, mais dès qu'on me confiait un truc important, il n'y avait plus personne.

Comment allais-je faire ? Qu'est-ce que je devais faire ? Comment je m'appelais ? Pourquoi est-ce que j'étais aussi accablante ? Pourquoi ? Et c'est par où qu'on en finit ? Elle est où, la Seine ? Maman. Marie. Mon Dieu. Aidez-moi.

Mon Dieu, faites que. Mon Dieu, je vous promets de. Jésus, Marie, Joseph, j'ai pas l'air comme ça, mais en vrai, je pense hyper souvent à vous, vous savez et... Et les 10 000 euros, putain ! Mais qu'est-ce que j'ai dans le crâne, à la fin ? Mais comment peut-on être aussi débile ? Oh... Saint Antoine... Saint Antoine de Padoue, débouchez tous les petits trous... Pitié... Mes photos, mon téléphone, mes messages archivés, mes contacts, mes souvenirs, ma vie, mes amis... Et mon vélo à présent... Mon vélo entravé qui me regardait comme un con et qui allait se faire voler, lui aussi ! Et je n'avais même pas de quoi me payer un taxi... Et encore moins de quoi rembourser mes demoiselles de Rochefort... Mon Dieu, ma carte bleue, mon code, le numéro d'urgence pour faire opposition, mes amis, ma carte de ciné illimité, la vidéo des premiers pas de Louison, mon mascara Dior, mon rouge Coco, mon agenda, les clefs de l'agence, la Photomaton que j'aimais tant de Philou et moi à l'Hyper U de Plancoët... et mon carnet que j'adorais, et tous les souvenirs glissés dedans... et ma lime à ongles... et les 10 000 boules... et... oh...

Et j'ai pleuré.

Beaucoup.

Beaucoup trop.

Certaines fois, certaines larmes servent à amorcer toutes les autres. J'ai beaucoup pleuré. J'ai tout pleuré. Tout ce que je n'aimais pas chez moi, les bêtises inavouées que j'avais commises jusque-là et tout ce que j'avais perdu en cours de route depuis que j'étais en âge de comprendre que certaines choses se perdaient à jamais.

J'ai pleuré de la place de l'Étoile à la place de Clichy.

J'ai pleuré tout Paris. J'ai pleuré toute ma vie.

8

La concierge avait un double. Je l'aurais embrassée. J'ai même caressé son chien pour la peine. J'ai
retrouvé le fixe, fait opposition à ma carte, fouillé
dans le dossier « Travaux » et laissé un message à
senhor Carvalho pour gagner du temps. Quel bonheur dans mon malheur d'être tombée sur son
répondeur. Même si je doute fort qu'il puisse saisir un traître mot de ma bouillie *déou connefousã-
tionne*. Peu importe, je suis injoignable à présent.
Je me suis enfermée à double tour, j'ai envoyé un
mail désespéré à Marion, pris une douche, fouillé
dans les affaires des filles, chouré leurs somni-
fères, tiré la couette sur la pauvre loque que j'étais
devenue et fermé les yeux en me répétant la phrase
totalement bidon de Scarlett O'Hara : Demain est
un autre jour.

Tu parles, petite peste, tu parles...

Demain sera bien pire...

J'avais envie de mourir. Je sais, c'est bête, ce
n'était pas avec deux comprimés de Donormyl
qu'on pouvait espérer ce genre de miracle, mais
bon, voilà ce dont j'avais envie ce soir-là : de ma
maman à mon chevet qui m'aurait fredonné une

chanson douce en me caressant les tempes pour l'éternité.

Je me la chantonnais tout bas pour finir de me fracasser comme il faut et quand je n'ai plus eu de larmes en réserve, je suis partie à la recherche d'une bouteille ou deux pour m'en fabriquer un nouveau stock.

*
* *

Ça m'avait déjà tellement coûté d'emprunter 3 000 euros à mon beau-frère pour finir de compléter ma part que je me voyais mal lui en redemander 10 de plus...

J'avais déjà eu droit à son petit couplet sur les écureuils, les cigales et les fourmis. Rien de bien méchant, non, mais tellement plus pénible que ça. Un peu condescendant. Un peu paternaliste.

Je n'aimais pas que l'on s'adressât à moi comme à une petite fille. Ma mère est morte l'année de mes dix-sept ans et Arthur Rimbaud me soûle avec ses bocks et sa limonade. On peut devenir très sérieux à cet âge de merde. Le tout, c'est de ne pas le montrer. On continue la route les poches crevées, on achète des tas de conneries pour compenser et, ce qu'on a de plus précieux, forcément on le paume. Bon, OK, c'est triste, mais on le sait et on s'en démerde comme du reste. Les sermons en revanche, non. Ce n'est plus possible. Les gens *qui savent* et qui vous expliquent la vie, on les crame à la racine.

Assise par terre dans le noir et contre la porte du four, je laissais à monsieur Gordon's et madame Smirnoff le soin de m'apaiser et d'embaumer mon chagrin. Je ne vais pas me lancer dans un délire psy, mais, à l'époque de sa mort, j'avais dû bien serrer les dents (avais-je eu le choix ?) et la perte de ce sac, qui lui avait appartenu, avec ce qu'il contenait de liens, de témoignages, de souvenirs et de toutes petites choses douces et irremplaçables, me permettait de la pleurer enfin.

Je riais, je morchais, je riais devort. Avec ma pouche, je disais des mots qui s'écarpillaient n'immorte foment. C'était des pains de dyma... de dyna... de dy... que je... de... vrir... c'était... qui... mes barrages...

C'était tout qui sautait.

Tout.

Tout.

Tout.

9

Je me suis réveillée à 13 : 37, four dixit, avec une gueule de bois impressionnante. La plus belle de toute ma collection.

J'étais roulée en boule sur le sol de la cuisine et, du regard, je suivais les joints du carrelage en comptant les moutons sous les meubles. Tiens, me disais-je, il est là, le petit couteau que nous pensions avoir jeté avec les épluchures, il est là…

Combien de temps suis-je restée ainsi ? Des heures. Des heures et des heures. Le soleil était déjà passé au salon. Dans notre beau salon tout neuf et pas fini de payer.

Bouh… Encore une minute, madame La Chienlit… Encore une minute ou deux le nez dans la poubelle et après j'irai au commissariat, je vous le promets. Je préviendrai mes très chères colocataires et j'appellerai mon beauf. Je lui dirai : Hé, j'en ai une bien bonne pour toi, mon Jef ! Il m'en faut 10 000 de plus ! Allez, sois gentil, quoi… Je continuerai de t'écrire des commentaires débiles pendant cent cinquante ans pour te rembourser ce que je te dois. De toute façon, je ne suis bonne qu'à ça, alors… Être n'importe qui et raconter n'importe quoi.

J'étais dans le jardin des Marevski à la Varenne. Ma mère m'expliquait pourquoi il ne fallait pas cueillir les minuscules cyclamens blancs qui se pelotonnaient au pied des tilleuls :

C'est pour qu'ils se ressèment, tu comprends ?

Elle me l'avait déjà dit des centaines de fois, mais j'étais si émue de la retrouver que je n'osais pas l'interrompre. Et puis nous avons entendu de grands bruits au loin. Le tonnerre ? s'est-elle inquiétée, non, lui répondis-je en riant, non, ce sont les travaux, tu sais bien qu'ils cassent tout dans l'appartement en ce moment, alors elle m'a...

Quelqu'un tambourinait à la porte. Merde, mais quelle heure il était, là ? Coups de sonnette, cris, barouf infernal. Oooh, ma têêête... Je me suis redressée, j'avais une... un truc collé sur la joue... Une miette de pain... 18 : 44... Merde, j'avais passé la journée à pioncer sous l'évier et... aïe... putain de siphon.

— Ouvrez ou j'appelle les pompiers ! éructait la voix.

La concierge. Elle était sens dessus dessous. C'était la troisième fois qu'elle montait. Elle essayait de m'appeler depuis ce matin. Mes colocataires n'arrivaient pas à me joindre non plus et la harcelaient dans sa loge.

— Et comme je leur ai juré que vous étiez là, eh bien, elles s'inquiétaient, vous comprenez ? On a cru que vous aviez eu un accident. Oh, mon Dieu... quel souci ! Quel souci vous nous avez causé !

Mon père les avait appelées. Mon père à qui je n'avais pas adressé la parole depuis des années et qui se trouvait encore dans le répertoire de mon téléphone sous l'appellation « Papa » par pure faiblesse et/ou reliquat de piété filiale et... et comme elle se rendait compte que j'étais complètement dans le gaz et que je ne captais rien de ce qu'elle me déroulait, Mme Starovi˘c a fini par m'attraper le bras et l'a secoué gentiment :

— Quelqu'un a retrouvé votre sac à main...

Elle m'a relâchée en écarquillant les yeux.

— Eh alors ? Pourquoi vous pleurez ? Il ne faut pas pleurer comme ça, voyons. Tout s'arrange dans la vie !

Je chialais trop pour lui donner raison. J'essayais de me ressaisir, de la rassurer, mais je voyais bien qu'elle me prenait pour une folle dingue et, tandis que je lui souriais pleine de morve, j'entendais dans ma saleté de caboche en miettes une toute petite voix qui disait : Oh, merci... Merci, maman.

10

J'ai rappelé le Grand Nord. Coup de bol, je suis tombée sur Pauline, sinon j'étais encore bonne pour le procès du vase de Soissons en amiante. Ceci étant dit, accueil assez moyen, soupirs douloureux, petites phrases pète-sec et informations distillées du bout des lèvres. Ça m'a tellement gavée que j'ai fini par lui refourguer un énorme bobard (je sais, je sais, je n'ai aucun mérite, c'est mon métier) pour ne pas prendre le risque de l'envoyer chier grave. J'avais eu mon content d'émotions pour la journée. Je lui ai donc précisé d'un ton très las qu'elle n'était pas obligée de s'adresser à moi comme à une demeurée, que leur enveloppe ne se trouvait plus dans mon sac et que leur pognon était sain et sauf. Tout va bien. Fin du drame. Rompez.

Haaaaa... Tout de suite, ça l'a détendue, ma petite louloute... Sa voix avait pris dix degrés et ses explications devenaient plus claires. Bien sûr, j'écoutais ce qu'elle avait à me communiquer de si important, mais j'ai su à ce moment précis que c'en était fini de nos fastidieuses années d'entente cordiale et que j'allais quitter la rue Damrémont le plus tôt possible. La vie était courte, je préférais encore m'exiler en banlieue (aaaarrgh), plutôt que de vivre avec des gens qui prenaient leur pied à me faire les gros yeux.

J'emmerde la morale et les moralisateurs. Je les conchie. Et plus encore quand le feu sacré qui les anime, eux, leurs homélies, leurs semonces et leur noble courroux, se chiffonne en billets de banque.

Bon... euh... voilà une belle phrase superbe et généreuse avec tout ce qu'il fallait de Totor Hugo dans les plis du drapé, mais elle sonnait aussi creux que ma pauvre tête : les 10 000 euros étaient dans la nature et je ne croyais plus au père Noël depuis longtemps. Même si le type qui avait appelé le dénommé « Papa » de mon répertoire avait récupéré mon sac, il ne me le rendrait pas garni.

Eh, non...

Tout s'arrangeait, mais de là à dire que la vie était belle, c'était risqué.

Où est-ce que j'allais trouver ce foutu blé ? Et hop, mode moulinette again. Sauf que là, ça allait. Là, on était dans le matériel et le matériel, on s'en tape.

Le matériel, ça ne meurt pas dans une chambre d'hôpital.

Le seul hic, c'est que le type en question avait prévenu mon géniteur – qui l'avait répété aux deux perruches –, il ne serait pas à Paris ce grand week-end (le lundi était férié) et me donnait rendez-vous dans le café où j'avais oublié mon sac seulement le mardi suivant vers 5 heures de l'après-midi.

Dans un premier temps, j'ai pensé qu'il était gonflé et qu'il aurait pu le confier au patron du bar et dans un deuxième temps, je me suis dit que c'était peut-être justement à cause dudit pognon qu'il ne s'y était pas hasardé. L'enveloppe était ouverte après tout... Et j'ai recommencé, pauvre de moi, à croire au père Noël...

Ensuite je suis allée prendre l'air chez Marion et nous avons fêté ma résurrection.

Dignement.

11

Les trois jours qui suivirent furent étranges. Les filles avaient posé leur congé (oui, elles avaient vingt-huit ans et se débrouillaient toujours pour être en RTT *ensemble* avec leurs parents et leur gros Papouille) et j'étais seule jusqu'au mardi soir.

Je tournais en rond. J'attendais. Quelqu'un, quelque chose, un soulagement, une déception.

Une histoire.

Je m'attelais à des tâches qui ne me ressemblaient guère : rangement, ménage, courrier et repassage. Je triais des vêtements, des papiers, des livres et des CD. J'en relisais des plages et des pages au passage. Je n'allumais pas mon ordi. J'occupais les mains pour tromper l'esprit. J'exhumais mes cours et mes notes de mémoire et retrouvais une série de croquis réalisés au musée de la voiture de Compiègne.

C'était il y a un siècle et par une belle journée d'automne... la douceur de mes rehauts me le rappelait.

Je me demandais pourquoi j'avais laissé tomber. C'était sympathique, mes histoires de roulottes, et puis ça m'épargnait la honte d'ajouter mon ânée d'inepties à toutes celles que l'art avait déjà inspirées. Pourquoi je vendais des yoyos à la place ? Pourquoi je m'appelais Choubi_angel et m'exprimais en mode neuneu ponctué de smileys ridicules ?

Pourquoi je n'étais pas encore allée visiter les écuries du palais Het Loo à Apeldoorn, admirer l'adorable boîte d'aquarelles à brancards de la reine Wilhelmine et le carrosse blanc de ses funérailles ? Hein ? Pourquoi ? :-(:-/ :'-(

J'apprenais à vivre sans appels, sans textos, sans messages et sans messagerie.

Sans ce doudou à pétrir pour un oui ou pour un non...

J'apprenais à me coltiner les langueurs du quotidien et à y trouver un certain plaisir. À quand les confitures et la broderie au tambour ? J'étais distraite, je divaguais, je pensais à ce... à l'homme qui était parti en week-end avec un peu de moi en bandoulière. Je me demandais quel âge il avait, s'il était discret, bien élevé, curieux, s'il avait essayé d'autres numéros avant de tomber sur celui de mon paternel, s'il avait vu défiler mes photos en caressant mon écran, feuilleté mon carnet, regardé la tête que j'avais sur mes papiers d'identité, mon permis de conduire où je paradais encore la boule à zéro (on porte le deuil comme on peut) et celle de ma carte UGC où j'ai l'air d'aller communier à la Madeleine, s'il avait débusqué mes préservatifs Hello Kitty, mon anticernes, mon trèfle à quatre feuilles, mes secrets...

Était-il en train de tout disséquer, là, pendant que je pensais à lui ? Et les 10 000 boules ? Est-ce qu'il les avait comptées ? Est-ce qu'il se prendrait une commission au passage pour bons et loyaux services ? Est-ce qu'il ferait l'étonné ? Ah ? Il y avait une enveloppe, dites-vous ? Je ne sais pas, je n'ai touché à rien... Oui, je m'attendais à ça aussi car s'il avait récupéré mon sac juste après mon départ, pourquoi ne m'avait-il pas rattrapée dans la rue ? Je ne marchais pas vite. J'avais deux mojitos dans le nez et toute la vie devant moi...

Pourquoi ?

Était-il lent ? Distrait ? Tordu ? Et où était-il assis, d'abord ? Pourquoi ne l'avais-je pas remarqué, moi qui n'aimais rien tant que de regarder le monde en m'arsouillant gentiment ?

Un long week-end de Pâques calme et fébrile à vaquer dans un appartement que j'avais beaucoup aimé, mais dans lequel je ne voulais plus vivre, quelques heures de silence, de réconciliation, suspendues à un rendez-vous qui m'obsédait tout en me laissant assez indifférente.

C'était la première fois depuis des années que je rêvais de ma mère, que je la voyais en cheveux et que j'entendais sa voix. Ce cadeau valait bien dix mille euros et autant de sanglots et, si j'avais su, j'aurais ressemé son sac bien plus tôt...

12

Bien sûr, avec le recul, je pourrais me chercher des noises à partir de… disons, mardi 13 heures, bien sûr.

Je pourrais me demander, tendre ingénue, pourquoi j'avais passé tant de temps à me faire si jolie. Pourquoi je m'étais gommée, crémée, étrillée, pomponnée, pourquoi j'avais mis une robe, puis un pantalon, puis de nouveau une robe et pourquoi j'avais, ce jour-là, la peau douce, les bras nus et les lèvres cerise.

C'est vrai, ça, Mathilde. Pourquoi ?

Tyrannie. Tyrannie des aigris. J'étais jolie parce que j'étais gaie et j'étais gaie parce que j'étais heureuse. Peu importait en vérité que mon ange gardien fût un homme (à ce que j'en savais) (un « type » avait répété Pauline, « un type a récupéré ton sac dans le bar où vous étiez »), on m'aurait annoncé une vieille dame ou le pire des avortons que je me serais apprêtée avec la même attention. Ce n'était pas lui que j'honorais en allant ainsi à la ville légère et court vêtue, c'était la vie.

La vie et ses bontés, si rares.

La vie, le printemps et mes retrouvailles. J'étais jolie par gratitude.

Mathilde...

Bon, OK. J'étais jolie, *aussi*, parce que c'était un rendez-vous. Téléphoné, intéressé, certes, mais inespéré.

Un rendez-vous tombé du ciel avec un être humain a priori fréquentable, un rancard à Paris, près du gros bastringue mytho de l'empereur Napoléon Ier à l'heure du thé et pour raisons d'honnêteté.

J'étais jolie parce que ça avait quand même plus de gueule qu'un plan Meetic, merde !

Voilà, vous savez tout, docteur...

Près du parc Monceau, j'ai acheté des fleurs.

Je les ai mises dans mon panier et ai rattrapé mon retard en pédalant de plus belle.

Une brassée de pivoines roses pour l'inconnu qui m'avait remise en selle.

13

Bon, bon, bon... à en croire le téléphone arabe, j'entends par là, la plus aléatoire et la moins fiable des voies de transmission terrestres, il, le type, n'avait pas dit « à 5 heures » mais « vers 5 heures », j'essayais de m'en souvenir vu qu'il était déjà la demie bien sonnée et que mes fleurs commençaient à piquer du nez.

Je ne reconnaissais aucun des serveurs et ne pouvais m'empêcher de gamberger sévère : personne ne viendrait jamais, c'était un canular, un coup tordu, la vengeance d'un pervers ou une nouvelle humiliation de mon père. Ou les premières représailles de Javotte et d'Anastasie.

On se moquait de moi. On me punissait d'avoir été si frivole puis si crédule. On me brisait mon pot au lait et mes châteaux en Espagne. Tout était truqué encore une fois. On avait laissé un mauvais commentaire sur mon profil. On m'avait taguée. On avait pourri mon site et mes forums. Un connard de troll m'avait piqué mon sac, mes papiers, mes souvenirs, le pognon de mes colocataires et mes dernières illusions avec. Ou alors il... J'essayais de me calmer : il était peut-être simplement en retard ? Ou bien nous nous étions tous mal compris, ce n'était pas mardi le rendez-vous, mais mercredi. Ou le mardi de la semaine suivante ?

Je m'étais pourtant assise à la même place que l'autre jour et j'étais bien sage. Au début, je la jouais naturelle, genre je lisais un roman passionnant en attendant qu'un importun me tirât de mon recueillement en toussotant un « Hum, hum... » embarrassé, mais là, je n'étais plus du tout dans mon trip de La Belle au bois dormant, je ne tenais pas en place et fixais désespérément la porte d'entrée façon super moche super autophotoshopée que c'en était pathétique.

Je sursautais à chaque fois qu'une silhouette passait et soupirais dès qu'elle m'ignorait. Encore un quart d'heure et j'essaierais de rappeler Pauline. Mon père, non. Mon père, je préférais encore crever la bouche ouverte.

Un serveur plus attentif que les autres a fini par remarquer ma danse de Saint-Guy.

— Vous cherchez les toilettes ?

— Nn... non, balbutiai-je, j'ai rendez-vous avec... euh... Enfin, j'attends quelqu'un qui...

— Le sac à main, c'est ça ?

Je l'aurais embrassé à pleine bouche, ce grand duduche. Il a dû le sentir car il a eu l'air un peu dérouté.

— Mais... mais il est pas déjà reparti, si ?

Il s'est appuyé contre le pilier placé à ma gauche, a piqué en avant et s'est adressé à une banquette invisible cachée de l'autre côté :

— Ho, Roméo... Réveille-toi, y a ta souris qu'est là.

Je me suis retournée très lentement. Non que je fusse intimidée, mais j'étais horriblement gênée. Mortifiée même, de réaliser qu'il se tenait si près et depuis si longtemps.

La dernière fois, déjà, il devait être assis au même endroit, embusqué, tapi dans l'ombre et... euh... c'était... Enfin, ce n'était pas très fair-play, quoi... On se découvre devant les dames quand on est bien élevé, jeune homme.

Je me suis retournée très lentement parce que je me souvenais soudain de tout ce qu'il avait pu ou dû entendre. De mon rancard avec ma coloc, de son enveloppe « discrète », de ses angoisses, de mes manières hâbleuses, de la façon dont je l'avais gentiment rassurée et comment je m'étais foutue de sa gueule deux minutes après en l'imitant au téléphone avec Marion. Et... Oh... Ho... Le téléphone... Toutes ces histoires de drague, de baisouilles, tous ces hennissements de morpionnes en chaleur... Et... et mes petites culottes... Et mes pipes on the rocks et... Oh... Au secours.

Je me suis retournée en serrant les dents et en cherchant du regard un trou de souris justement, où pouvoir me cacher avant qu'il se réveillât tout à fait.

Mais il dormait. Enfin, non, il ne dormait pas puisqu'il souriait.

Il souriait les yeux fermés. Comme un chat. Comme un gros matou ravi de son mauvais coup.

Le *Cheshire Cat* de Mathilde au pays des Emmerdes.

— Vous voyez... Il était pas bien loin... Bon, ben, je vous laisse, hein ? fit le serveur en s'éclipsant.

Gloups.

14

Au bout de quelques secondes qui m'ont paru interminables, mais pendant lesquelles j'ai eu le temps de télécharger : damned encore raté il est laid il est gros il a un épi il est habillé comme un péquenot il s'est rasé juste avant de venir en se coupant deux fois il se ronge les ongles il a une odeur bizarre et je ne vois pas mon sac, il a fini par ouvrir les yeux.

Il m'a regardée d'une façon très étrange. Comme s'il me tenait en joue ou me lançait un défi en secret. Il a touché ses paupières, cueilli un cil et les a de nouveau fermées.

Misère, ai-je songé, non seulement il est moche, mais en plus il est bourré. Ou alors il vient de fumer. Oui, c'est ça, il a toute la Jamaïque dans le sang, ce crétin...

Je me déhanchai en douce pour voir si mon sac était à ses pieds, auquel cas j'allais l'attraper et me barrer fissa en le laissant à ses plaisirs d'herboriste. Hélas, non, rien qu'une paire de godillots infâmes. Des espèces de chaussures noires à bouts ronds façon premier paquetage du gendarme et des chaussettes de tennis blanches avé la rayure.

Oh, ma fille...
Comment as-tu pu tomber si bas ?

Bon, je n'allais pas rester là à le regarder pion-cer en comptant ses écorchures. Je me suis retour-née et j'ai repris mon bouquin en attendant que mon rendez-vous... comment j'avais dit déjà ? « inespéré » ? « tombé du ciel » ? daigne me rappe-ler à son bon souvenir.

Dix minutes ont passé et je n'avais pas avancé d'une ligne.

J'hallucinais. Mais qu'est-ce que je faisais là ? Et *qui* j'attendais ? *Qui* se foutait ainsi de ma gueule ?

J'ai lâché mon histoire et repris son bouquet, j'allais me casser.

— Mathilde ?

Puis très distinctement :

— Mathilde, Edmée, Renée, Françoise ?

Je dressai une oreille et la moitié d'un sourcil.

— Je vous offre quelque chose à boire, les filles ?

Trop de chance, un humoriste.

Bon, au moins, il avait eu ma carte d'identité entre les mains, c'était déjà ça.

Comme j'hésitais à le rejoindre, il a commencé à tirer sur la fermeture Éclair de son blouson et j'ai aperçu ma bandoulière sur sa poitrine. Il n'est pas allé plus loin, il a posé ses deux mains à plat sur la table, les a observées puis a levé le menton et m'a regardée droit dans les yeux :

— Désolé... Je me suis levé très tôt. Vous venez ?

15

Je me suis assise en face de lui.

Nous avons joué à je te tiens tu me tiens par la barbichette de loin et pendant un long moment et puis j'ai perdu. Je lui ai demandé :

— Vous étiez déjà là, vendredi ?

— Oui.

— Vous dormiez ?

— Non.

— Je vous ai réveillé ?

— C'est pour moi, les fleurs ? C'est gentil.

Il m'a pris le bouquet des mains et m'a tendu ma besace en échange.

Elle était toute chaude. Je l'ai serrée contre moi et… et la vie est revenue.

Au poids, à l'instinct, à sa laideur, à son sourire, à cette petite coupure qui lui faisait comme une virgule brune sous l'oreille droite, à son humour à deux balles et à la façon dont il cachait poliment ses bâillements derrière sa grosse pogne, j'ai su qu'il ne m'avait rien chouré. Et en même temps que je me disais cela, je réalisais que ce n'était pas à l'enveloppe que je pensais, mais à tout le reste. À moi. À ma nature profonde, à ma confiance dans le genre humain. À tous ces coups que j'avais pris sur le coin de la gueule à un âge qu'on disait tendre et qui m'avaient bien sonnée, oui, mais qui ne m'avaient pas défigurée...

— Qu'est-ce que vous voulez boire ?

Après qu'il eut passé commande, nous nous sommes de nouveau regardés en chiens de faïence.

Dans le genre premier contact entre deux mormons toujours vierges, c'était torride. Au bout d'un moment, quand même, j'ai embrayé d'une voix un peu godiche :

— Vous vous appelez vraiment Roméo ?
— Non.
— Ah ?
— Je m'appelle Jean-Baptiste.
— Ah...
— Vous êtes déçue ?
— Euh... non.

Grand concours de rhétorique...

Je songeais aux tableaux que je connaissais de saint Jean-Baptiste, ou plutôt de sa tête sur un plateau d'argent et je le voyais, lui. Il ne lui manquait plus qu'un peu de persil dans les trous de nez.

Pouffant en secret, je reprenais du poil de la bête et ce n'était pas trop tôt. Qu'un garçon aussi commun m'ait à ce point déstabilisée m'avait contrariée.

— C'est d'avoir retrouvé votre sac qui vous rend si joyeuse ?

— Oui, j'ai souri.

Nos boissons sont arrivées, un thé pour moi (mes bonnes résolutions) et pour lui, un double expresso dans lequel il a consciencieusement touillé deux ou trois morceaux de sucre. Ou quatre peut-être.

— Vous avez besoin de prendre des forces ?
— Oui.
Nous avons bu en silence.

Il me regardait.
Il me regardait tellement que c'en était gênant.
— Je vous rappelle quelqu'un ?
— Oui.
OK...

Houlà... C'était laborieux, notre affaire... Et je n'avais pas du tout envie de lui faire la conversation. J'étais mal à l'aise, j'avais l'impression qu'il m'apprenait par cœur et cette sorte d'application déplacée lui donnait un air idiot. À tel point, d'ailleurs, que je me suis demandé s'il n'était pas un peu sommaire sur les bords. Dans le sens retardé, démoulé trop chaud. Sa bouche était légèrement entrouverte et j'attendais le moment flippant où un filet de bave s'en échapperait.

Dieu sait que j'ai essayé pourtant : le fond de l'air est frais, Paris, c'est grand, les touristes, ça grouille, les pigeons, ça vole, enfin quelques tremplins dans ce goût-là, assez puissants, mais il ne m'écoutait pas. Il était reparti dans ses extases béates et je me sentais un peu comme la grotte de Lourdes, la Vierge et le rosaire en moins.

C'était bien la peine d'avoir étrenné mes jolis dessous, tiens...

Je ne sais pas ce qui l'a sorti de sa torpeur, mais à un moment, il s'est ébroué, a regardé sa montre et cherché son portefeuille :
— Je dois y aller.

Je n'ai rien répondu. J'étais soulagée. Et puis j'étais pressée de vérifier si je ne m'étais pas trompée. L'humanité, je l'aime bien, mais je m'en méfie quand même un peu, à force. Il a dû lire dans mes pensées car, alors, il m'a regardée différemment, avec une sorte de... de grand dédain.

— Tu la vois cette mallette, là ?

Non, je ne l'avais pas vue, mais en effet, une fine valise en bois clair était posée à côté de sa jambe droite.

— Regarde...

Il m'indiquait une chaînette qui reliait la poignée de ladite valise à l'un des passants de son pantalon.

— Y en a pas pour aussi cher que dans ton sac là-dedans mais, bon... pour moi, c'est plusieurs mois de salaire quand même...

Il s'était tu. Je croyais qu'il avait perdu le fil de ses pensées en cours de route et j'allais dire une bêtise pour alléger la colle, mais il a fini par ajouter tout bas et en tripotant ses maillons :

— Tu sais, Mathilde... Si tu tiens vraiment à quelque chose dans la vie, eh bien, fais ce qu'il faut pour ne pas le perdre.

Oh, mais... Mais qu'est-ce que j'avais encore été ramasser dans la rue, moi ? Un illuminé ? Le fils du prêcheur ? Un témoin de Jéhovah déguisé en plouc avec son attaché-case bourré à craquer d'apocalypses et de prières tartignolles ?

Bien sûr, je brûlais de savoir ce qu'il convoyait de si précieux, mais c'eût été lui donner soudain trop d'importance et... Et pourquoi il me tutoyait, d'abord ?

— Tu devines ce que c'est ?

Au secours. Le grand jeu à présent. La cape, les accessoires et tout et tout.

— Un oreiller ?

Ça ne l'a pas fait rire. Ou plutôt il ne m'a pas entendue. Il a posé son vanity sur la table, il a bidouillé un code et l'a tourné vers moi en soulevant le couvercle.

Là, j'avoue, je ne m'y attendais pas. Il l'a refermé et s'est levé.

Alors... euh... comment dire ? Ce gros baigneur à l'air vaguement bovin et au vocabulaire somme toute limité se baladait avec une valise pleine de couteaux sur lui.

En fait, c'était Rambo, mais je ne l'avais pas reconnu.

Là, il était déjà près du bar et réglait notre addition.

Quelle histoire... Bon, ben, je me suis levée aussi, hein.

C'était bien joli tout ça, mais je voulais compter mon fric, moi !

Il m'a tenu la porte et l'a bloquée pile au moment où je passais sous son bras. Pas longtemps, une demi-seconde, un quart de demi-seconde, juste histoire d'imiter celui qui s'était pris dans ses lacets et perdait l'équilibre en trébuchant dans ma nuque. À peine. À peine un instant. Le temps que je m'en offusque, nous étions déjà dehors. Mais j'avais senti le bout de son nez tiède sur le petit os qui saille tout en haut de la colonne là-derrière.

J'étais trop pressée d'en finir pour prendre la peine de le lui reprocher et je me suis dégagée prestement.

Holà. Pas d'entrechats avec un jobard pareil. Qu'ils dégagent, lui et ses coupe-coupe de merde.

Va dans ta jungle, Cheeta, va...

Tout de même, je ne voulais pas le laisser sur une mauvaise impression. Il ne le saurait jamais, mais je lui devais beaucoup.

Alors haut les cœurs, petite madone des ratés du monde entier, haut les cœurs. Fais risette au monsieur. Un dernier petit mot gentil pour en finir, ça ne va pas te tuer.

— Votre blouson... ai-je ajouté, il a une odeur particulière...

— C'est du cerf. De la peau de cerf.

— Ah ? Ah bon ? Je ne connaissais pas. Bon, eh bien je... je vous dis au revoir et encore un grand merci.

Je lui avais tendu ma main, mais le problème, c'est qu'il ne me la rendait pas.

— En fait, bafouilla-t-il, euh... je... Je voudrais te... vous revoir.

J'ai ri bien fort histoire de m'en débarrasser une bonne fois pour toutes avant d'ajouter :

— Écoutez, je ne sais pas pourquoi, mais j'ai l'impression que vous les avez déjà, mes coordonnées...

Et, en même temps que je prononçais ces mots, je me rendais compte qu'il sonnait bien faux, mon petit rire de bourge.

— Nn... non, a-t-il balbutié en observant mon bras.

Comme il était pâle, tout à coup.

Pâle, grave, désarmé et triste. Il venait de se prendre dix ans dans la figure. Il a levé les yeux et, pour la première fois, j'ai eu l'impression que c'était moi qu'il voyait.

— J'avais tout, bien sûr, mais je... je n'ai plus rien puisque je t'ai... je vous ai tout rendu.

Euh... Je me suis demandé s'il n'était pas en train de nous sortir son crincrin, là. Il avait l'air sincère, mais justement, il en faisait un peu trop, non ?

Mes rouages s'affolaient : Ho, lui file pas ton numéro. Tu vois bien qu'il est complètement taré, ce mec. Mais si, voyons. Regarde. Regarde-le ! Regarde sa tête. On dirait le petit-cousin de province de Jack l'Éventreur. En plus, je sais pas si t'as remarqué, mais il lui manque un bout de doigt. Et un gros en plus. Et puis, bon, il est brave, je ne dis pas, mais il est vraiment moche, quoi... C'est un plan à ne t'attirer que des galères et tu le sais très bien. Tu as déjà donné plein de fois. Allez, trompe-toi, Mathilde... Mais si... Juste sur le dernier chiffre, alors... Ce ne sera ni la première ni la dernière fois.

Non, mais quand même... il a été classe...

Qu'est-ce que t'en sais, idiote ? Tu ne l'as même pas ouvert, ton foutu sac !

Peut-être, mais en attendant, je le tiens, là. Je ne suis pas en train de pleurer ma mère au commissariat à l'heure qu'il est.

Je peux toujours le lui donner et ne jamais répondre...

Comme tu veux, mais franchement, tu les cherches, hein ?

C'est vrai que j'avais eu mon lot d'histoires bien désespérantes ces derniers temps. Je ne sais pas si c'était un vieux contentieux entre Cupidon et moi, mais qu'est-ce que je lui en laissais comme plumes, à ce gros bigleux... Bon, passons, hors sujet, j'allais lui donner mon numéro pour la seule et unique raison que je craignais qu'il eût gardé celui de mon père et qu'il le rappelât en désespoir de cause.

Taré pour taré, je préférais encore me dépatouiller de celui-là.

— Dites... vous pouvez me lâcher une seconde ?

Il les avait tant serrés que la rougeur de ses gros doigts avait déteint sur les miens.

J'ai noté mon numéro sur un ticket de métro.

Il l'a examiné longuement comme s'il voulait s'assurer de sa validité, l'a glissé dans les entrailles de son portefeuille puis dans la poche intérieure de son blouson, m'a dévisagée une dernière fois, a hoché la tête et s'est éloigné dans la direction opposée.

Pfiou...

J'ai fait trois pas avant de me retourner, confuse en vérité d'avoir brassé tant de mauvaises pensées :

— Hé... euh... Jean-Baptiste !

Il s'est retourné à son tour.

— Merci !

Dernier regard, dernier sourire, beaucoup plus pincé que les autres, celui-là. Dernier haussement d'épaules qui pouvait signifier « De rien », « Ta gueule » ou « Dégage » et il a de nouveau tourné les talons.

Je l'ai observé de loin qui traversait l'avenue de Friedland avec son dos de cerf légèrement voûté, ses grands couteaux dans une main et son bouquet de pivoines dans l'autre, et je... j'étais troublée.

La preuve, j'ai attendu d'être à la maison pour ouvrir mon sac et compter enfin mes biftons.

16

Ils y étaient tous. Et dans mon porte-monnaie aussi. Et pour une raison qui m'échappait, et qui me déplaisait, je m'en trouvai un peu déçue.

Je me suis remise en jean, j'ai ajouté mes 5 000 balles dans l'enveloppe maudite et l'ai déposée sur la table de la cuisine avec un petit mot qui disait en gros : « Voilà, et maintenant lâchez-moi avec vos travaux à la con » avant de décamper.

Mes Ch'tites allaient rentrer d'une minute à l'autre et c'était au-dessus de mes forces. Marion aussi. Tout. Tout était devenu au-dessus de mes forces.

Je sentais que j'avais encore envie de pleurer alors je suis allée au cinéma voir une comédie romantique.

DEUXIÈME ACTE

1

Le générique de fin avait à peine commencé – je ne pensais pas que j'allais le répéter, mais bon, au point où j'en suis, ce n'est peut-être plus la peine de faire ma mijaurée – que j'ai dégainé mon portable en l'espérant.

En l'espérant, lui. Jean-Baptiste le Warrior.

Bien sûr, à l'époque, j'aurais juré mes grands dieux que non, et que vraiment, n'importe quoi, mais si je me retourne avec honnêteté sur la grande fille malhonnête qui remontait la rue Caulaincourt cette nuit d'avril en croisant sur son cœur les pans élimés de son vieux duffle-coat, je la regarde et je vous le dis – et vous pouvez le consigner, madame la greffière : c'était le film de la séance de 18 heures qui l'occupait.

C'était son visage à lui qu'elle arrêtait sur image, c'était leurs répliques (inoubliables...) qu'elle se repassait en boucle et c'était ses morceaux de sucre qu'elle comptait de nouveau en broyant dans sa poche un morceau de plastique muet.

Fondue au noir. Coupez.

*
* *

Et ensuite ? Ensuite, la vie a repris son cours.

C'est comme ça qu'on dit, non, quand il ne se passe rien ?

Quand on oublie ses bonnes résolutions, quand on abandonne ses rêves de liberté (pourquoi partir alors que ma chambre venait d'être repeinte ?) et de grandeur (pourquoi reprendre mes études alors que mon ordinateur me servait de bandit manchot ?) et qu'on continue à boire des coups et à en tirer à gauche à droite en s'inventant des comédies pas romantiques du tout.

À déshabiller Paul pour rhabiller Pierre pour se retrouver finalement nue dans les bras de Jacques.

Oui, c'est comme ça qu'on dit.

La jeunesse...
Cette salle d'attente...

Qu'était devenu mon dormeur halluciné ? Un gag, une anecdote, une histoire drôle dans les dîners. J'avais mon petit succès, notez... Je lui coupais une nouvelle phalange et je lui rajoutais un couteau à chaque fois. À la fin, ce sera *Lord of War* à la léproserie de Calcutta.

Au début, j'y pensais. Il y avait des choses de lui qui me perturbaient encore : ce « Vous venez ? » tellement autoritaire, la méticulosité avec laquelle il m'avait imprimée de la tête aux pieds, son air douloureux quand il avait parlé de nous revoir et le fait qu'il n'avait pas dû tellement fouiller, sans quoi il les aurait trouvées tout seul, mes coordonnées, et puis je revoyais ses socquettes blanches et m'en retournais à mes webcoms de beaufs avec une inspiration toute renouvelée.

Mon brave GPS avait raison : cul-de-sac droit devant.

*
* *

Trois fois, dans les jours qui suivirent, on essaya de me joindre au milieu de la nuit sans laisser de message. La première, j'ai cru qu'il s'agissait d'une erreur, la deuxième, j'ai eu un doute et la dernière, j'ai su que c'était lui : j'avais reconnu son silence.

Bien qu'il fût 2 heures du matin, j'étais encore debout et avais tenté de le rappeler, mais c'était un numéro en 01 et mes sonneries se perdirent dans le lointain.

Et là, quelque chose a commencé à se détraquer chez moi. J'ai renié l'un de mes rares principes (autant moral que « sanitaire », si je puis dire), j'ai dormi avec mon téléphone allumé près de mon oreiller. Tant pis pour les ondes, tant pis pour le cancer et tant pis pour ma fierté et mon repos : il fallait que j'en aie le cœur net. Qui donc essayait de me joindre ainsi à la dérobée et en mettant de son côté toutes les chances de ne pas me trouver ? Qui ? Et si c'était lui, pourquoi ? Que me voulait-il, à la fin ? Sur le moment, je n'avais pas du tout mesuré la... je ne sais pas... la portée d'un tel acte et pourtant... comment mieux s'immiscer dans l'intimité d'un autre être humain qu'en s'en prenant à son sommeil ?

Désormais, chaque soir, je réglais le volume de ma sonnerie au maximum et partageais mon lit avec un fantôme.

Je sortais moins. Oui, ça me tue de l'admettre et j'avais mille raisons toutes prêtes à qui m'aurait titillée sur ce point, mais les faits sont là : je sortais moins. Dix jours, ou plutôt dix nuits, ont passé sans encombre et j'avais décidé de m'éteindre de nouveau car je dormais mal. Je me réveillais de temps en temps pour voir si le petit signal d'appel ne clignotait pas ou si mon téléphone ne s'était pas étouffé sous la couette.

Et je lui en voulais. Et je m'en voulais. Oui, je m'en voulais terriblement d'être devenue si friable. Je nous en voulais tellement que ce soir-là, je me souviens, je me suis couchée en me promettant que c'était la dernière fois. Que c'était sa dernière chance de revenir me hanter.

Qu'il aille au diable avec ses chaînes, ses couteaux et ses appels furtifs, j'étais fatiguée de tout ce merdier.

Les téléphones, les textos, les écrans, les chats et les e-mails, je ne voulais plus de ces bornes imaginaires sur ma carte du Tendre.

J'avais donné, j'avais souffert, j'avais payé mon écot à tous ces plans foireux, absurdes et chimériques que nous imposait l'amour au temps du numérique.

Oui, j'étais fatiguée. Pire, même, je me sentais dépouillée, vidée, désincarnée, d'avoir si souvent aimé sans aimer. Maintenant, je voulais de vraies histoires avec des vraies gens et du vrai gras autour autrement je préférais encore passer mon tour.

Et comme il est très fort et que, question gras, il se pose là, cette nuit-là, il a rappelé.

2

Il avait dû sonner plus tôt que les fois précédentes car j'étais plongée dans un profond premier sommeil et n'ai pas compris tout de suite si c'était en rêve ou dans la vraie vie que j'allongeais un bras et sentais le dur et le tiède de quelque objet lisse contre mon oreille.

Il ne se passait rien. C'était un rêve. Tout ensuquée, j'ai fini par murmurer :

— Jean-Baptiste ?

— ...

— C'est vous ?

— Oui.

— Les autres fois aussi ?

— ...

— Pourquoi tu fais ça ? Pourquoi tu ne parles pas ?

— ...

J'étais enroulée autour de mon poing. C'était long. C'était beaucoup trop long. Je me rendormais en attendant ses réponses.

Je ne sais pas combien de minutes se sont écoulées ensuite. Au matin, mon journal d'appels m'apprendrait que notre conversation avait duré deux heures trente-quatre, mais j'imagine que j'avais dû mal raccrocher. À un moment, j'ai entendu :

— Jevourouairouroéramanger.

Là, j'ai ouvert les yeux et c'est moi qui suis restée sans voix.

Il s'est inquiété :

— Vous êtes toujours là ?

— Oui.

— Tu sais, je… je suis cuisinier.

— …

— … et je voudrais te faire à manger.

Ah, pardon. J'avais compris je voudrais vous faire arranger. Mais… euh… on était rendus dans quelle dimension, là ? Un chef coincé, toqué et insomniaque m'appelait à minuit et quart pour me lire sa carte… Rendormez-vous, les amis ! Rendormez-vous ! Tout est sous contrôle ! Et bons baisers de Sainte-Anne !

— Tu veux bien ?

— Maintenant ?!

— Non, sa voix était plus gaie, y a de la préparation quand même !

— Quand ?

— Je te dirai. Il faut que je m'organise. Tu peux noter un numéro et me rappeler demain soir à la même heure ?

Ben, voyons, c'était pratique comme horaire.

— Je t'écoute.

J'ai attrapé un livre au hasard sur ma table de nuit. Toujours en somnambule et à la clarté de mon écran, j'ai recopié une série de chiffres sous sa dictée. Ensuite je ne sais plus. J'ai entendu mon prénom encore une ou deux fois, mais je ne saurai jamais si c'était sa voix ou son écho dans mes vapes.

3

Au matin, j'ai su que je n'avais pas rêvé car un numéro de téléphone était griffonné sur la page de garde – ô ironie – de *L'Épouvantail* de Michael Connelly.

Le problème, c'est que je devais être bien dans le coaltar car je n'arrivais pas à me relire. Ici, c'était un 7, un 3 ou un 1 ? Et là ? Un 2, un 3 ou un 5 ?

Bon. Je les essaierais tous.

J'étais nulle en maths et plus encore en calcul des probabilités, mais je subodorais déjà que ce petit tricotin allait me tenir éveillée un moment.

L'autre problème, c'est que je ne pouvais décemment pas attendre minuit pour pianoter une série d'éventuels mauvais numéros. Je risquais de réveiller des tas de bonnes gens et de me faire lyncher au passage. Je m'y suis donc mise vers 10 heures et bien m'en a pris, car deux plombes plus tard, je ne tenais toujours pas mon lascar.

Les voix qui me répondaient étaient de moins en moins obligeantes et je commençais à m'y perdre dans mes combinaisons. Je ne me souvenais plus de ce que j'avais déjà essayé, ne cessais de demander des Jean-Baptiste et de répondre des Oh-Pardon, de présenter des excuses, de mettre la pagaille dans tous les foyers d'Île-de-France dont le numéro de téléphone commençait par 01.42, 01.43 ou 01.45 et de... oh et puis merde, j'abandonnai.

Ça me prenait la tête, ce truc. Il allait bien rappeler, lui...

Les monomaniaques, ça ne lâche jamais l'affaire.

J'étais aussi énervée qu'on puisse l'être, mon super polar tout couvert de ratures et mon portable au bord de l'implosion.

Je suis sortie.

Je suis allée prendre l'air avec d'autres insomniaques plus diserts.

C'est vrai, ça ! Y commençait à me les briser, l'autre autiste ! Qu'il aille se faire cuire le cul ! Qu'il aille faire sa tambouille à des filles dans son genre ! En plus, je ne suis pas gourmande ! Je me fous de la gastronomie française comme de mon premier bavoir ! Moi, tu me donnes un croûton et je suis contente !

Ah, comme j'étais mauvaise... Il m'avait gavée avant même de se mettre à ses fourneaux, ce con... J'avais les nerfs en papillotes et je rendais de la bile. Il fallait que je raccroche, que j'arrache la prise, que j'oublie toutes ces conneries et que j'enfourche mon Jeannot.

Oui, il fallait que j'aille zouker, boire et l'oublier.

Et je pédalais, et je pédalais, et je pédalais en déraillant encore.

J'apostrophais les étoiles.

Je leur disais :

— Pourquoi ça tombe toujours sur moi, ces conneries, hein ? Oh hé, le pépé là-haut, c'est à vous que je parle ! Pourquoi vous ne m'envoyez que des cas sociaux, à la fin ? Putain, mais c'est votre boulot ça, merde ! C'est bon, là. Vous m'avez déjà bien servie, que je sache. Mon Dieu... Mon Dieu, je vous en supplie : abandonnez-moi.

Il n'a jamais rappelé.

Ni ce soir-là ni les suivants.

Pourtant je m'étais mise minable encore une pelletée de nuits en omettant d'éteindre ma saloperie de téléphone, mais non. Je m'étais gourée sur son compte. Il n'était pas si barré que ça.

Ou alors beaucoup plus. Ou moins motivé que je ne le pensais.

Bref, il m'aura fait caguer de bout en bout, ce gros lard.

Et la vie, comment j'ai dit déjà ? a « repris son cours ».

Voilà.

C'est ça.

Et merde.

Bien sûr, je m'en suis remise. J'étais passée par des moments plus difficiles comme on dit pudiquement. C'était le printemps, le printemps à Paris, le printemps de Cole Porter et d'Ella Fitzgerald. Les terrasses, les promesses et les jours s'étiraient, j'étais vivante et en bonne santé, j'avais d'autres atouts dans ma manche et plus d'un tour dans mon sac, je le dégageai.

Sérieux. Je l'avais oublié. Et puis un matin, j'ai vidé mon sac, justement. Parce que je voulais en changer. Parce que j'allais à un mariage et qu'il m'en fallait un de plus coquet. Et ce jour-là, surprise du chef : sa bombe glacée et son poulet à la diable.

Mon cuisinier est revenu sans crier gare et là... là, je me le suis pris grave dans le buffet.

Chaud devant, chaud.

APARTÉ

1

Si j'avais une pire ennemie et si je souhaitais pour elle le pire des supplices, le plus doux, le plus lent, le plus cruel et le plus mutilant, je la jetterais dans les bras d'un écrivain, je veillerais à ce qu'elle en tombe amoureuse d'amour pur et je la regarderais souffrir en feuilletant négligemment un très très vieux *Match*...

J'avais à peine dix-neuf ans quand cette calamité m'est tombée dessus. Dix-neuf ans... Une enfant... Une orpheline, en plus... Ouh, c'est bon, ça, coco. L'oiseau tombé du nid vide avec ses grands yeux tristes et son crâne rasé. De la chair bien tendre... De la chair bien tendre à roman... À premier roman... En plus d'un bel objet, un putain de beau sujet, non ?

Bon. J'arrête. Il s'est fait un nom depuis. Je lui ai porté chance ou plutôt mon cas lui a porté chance et il n'a pas besoin de réclame. Il s'en charge très bien tout seul. Un jour que je serai bien vieille on viendra peut-être me poser une ou deux questions pour une note en bas de page, mais en attendant je préfère me taire.

Paix.

Paix aux artistes.

Place aux mythes.

Juste une dernière chose alors... Le passage de ce garçon, de cet homme, de ce pillard dans ma vie n'aura eu finalement pour seule réelle incidence que de me rappeler et de me conforter dans la certitude que la longue maladie et l'agonie de ma mère m'avaient inspirée quelques années plus tôt à savoir que l'expression « Ce qui ne te tue pas te rend plus fort » est complètement con, ce qui ne te tue pas, ne te tue pas, point.

(Phrase bien compliquée et probablement discutable sur le plan de la syntaxe que je pourrais très bien simplifier en la résumant ainsi : ce bâtard m'avait laminé la gueule.)

Seigneur Boileau, au temps pour moi.

*
* *

C'était mon premier amour. Ce n'était pas la première fois que je couchais avec un garçon, mais c'était la première fois que je faisais l'amour et c'était le... bon, j'ai dit que j'arrêtais, je m'y tiens. Je ne suis pas un écrivain, moi. Je n'ai pas besoin de me palucher avec le passé, de mettre mes émotions dans des tubes à essai et d'exploiter ce que j'ai vécu de plus cristallin pour en faire de la caillasse, alors abrège, Mathilde, abrège. Ce peu de dignité de toi qu'il a eu la délicatesse ou la négligence d'épargner, ne l'abîme pas davantage, je t'en prie.

D'accord, d'accord, une ellipse dans ce cas. (Hé, oui, il m'aura quand même appris deux ou trois trucs au passage...) Préciser simplement et pour les besoins de l'histoire qui nous occupe à présent, que cet adoré m'avait adressé de nombreuses lettres – d'amour, m'enorgueillissais-je alors, de gammes, d'écriture, ai-je été obligée d'admettre depuis –, que j'ai fini par jeter à la poubelle un soir que je m'en croyais libérée.

Oui, que j'ai fini par noyer sous un monceau de mégots, de bouteilles vides, de coulures de marc de café et de Demak'Up bien crasseux.

Alléluia. J'avais enfin réussi à les bazarder.

Sauf une.

Ah, bon ? Et pourquoi ?

Pourquoi celle-là ?

Parce que c'était la dernière. Parce qu'elle m'appartenait mieux que toutes les autres. Parce que j'ai eu, et j'ai encore, la faiblesse de penser qu'elle était sincère et quand bien même ne l'aurait-elle pas été, ça n'avait plus tellement d'importance. Que je suis assez honnête, moi, pour faire la part des choses entre le beau et le vrai et préférer le beau quand il s'impose. Parce que la question de déterminer si c'était de l'art ou du cochon ne m'a jamais paru intéressante. Parce qu'elle me rappelait que j'avais été aimée par un garçon talentueux, que je l'avais inspiré et que oui, en dépit de tout, en dépit de lui, j'avais eu cette chance.

Et parce qu'elle est belle.

Et que je l'étais aussi...

Parce que j'ai grandi avec elle. Parce qu'elle m'avait vue grandir. Feuilles de papier A4 des plus ordinaires, mais saturées de petits signes tracés à l'encre noire et ainsi placés à la suite les uns des autres qu'ils m'avaient trouvée tour à tour terriblement gênée puis flattée, sceptique, écœurée, terrassée de chagrin et penchée au-dessus d'une poubelle et enfin... ravisée.

Ravisée. Fataliste. Conservatrice. Gardienne. Simple gardienne du petit temple de ce qui me tenait lieu de vie avant de finir dans...

... mon sac à main.

Par discrétion. Pour ne pas tomber entre les mains de mes camarades de chambrée ni de personne d'autre. Jamais.

Elle se trouvait dans le petit soufflet caché à l'intérieur. Le seul qui fût fermé à l'aide d'une fermeture Éclair. Fine, discrète, insoupçonnable pour qui ne l'aurait pas cherchée exprès.

Elle y était toujours, seulement elle n'était plus dans son enveloppe comme j'étais certaine de l'y avoir murée, mais autour de ladite enveloppe. En tenaille. En tenaille autour de mon nom et de mon adresse de l'époque, façon de me signifier, j'imagine, qu'elle avait été lue et qu'il était important que je le suss...

(Oh ! maudite langue ! Non ! Pas là ! Pas maintenant ! Pas à ce moment précis de mon récit ! Et je ris. Et je ris toute seule et tout haut d'être assujettie à des règles de concordance aussi taquines.)

... et qu'il était important que j'en fusse informée.

Voilà. C'est plus lourd, mais ça ira aussi.

Oui, tu vois, j'ai demandé à un inconnu de rédiger l'enveloppe à ma place... La feinte est grossière, j'en conviens, mais ne me la renvoie pas. Pas cette lettre-là. Elle vaut mieux que moi, je te le promets.

Si tu ne veux pas la lire maintenant, attends. Attends deux mois, deux ans, dix ans peut-être. Attends l'indifférence.

Dix ans, je suis bien prétentieux.

Attends le temps qu'il faudra mais, un jour, s'il te plaît, déplie-la. S'il te plaît.

Notre dernière conversation, notre ultime combat devrais-je dire, me hante depuis des semaines. Tu me reprochais mon égoïsme, ma vilenie, mon intérêt. Tu me reprochais de m'être servi de toi, de t'avoir vampirisée, d'avoir été amoureux de ce que tu m'inspirais plutôt que de qui tu étais.

Tu me reprochais de ne t'avoir jamais aimée.

Tu te sens trahie. Tu m'as jeté à la figure que tu ne lirais plus jamais un seul livre de ta vie. Que tu haïssais les mots autant que tu me haïssais moi et même davantage si une telle répulsion était humainement possible. Que les mots étaient des armes minables au service de minables dans mon genre. Qu'ils ne valaient rien, qu'ils ne disaient rien, qu'ils mentaient. Qu'ils abîmaient tout ce qu'ils touchaient et que je t'avais dégoûtée d'eux à jamais.

Maintenant, ce soir, dans deux mois ou dans deux ans, tu liras ceux qui suivent et tu sauras, mon amour, que tu n'avais pas toujours raison.

*
* *

Tes paupières closes lorsque tu t'abandonnais dans mes bras, Mathilde, ressemblaient à l'intérieur des coques de litchis. Le même pailleté iridescent, le même rose, inattendu et poignant. Les mignons lobes de tes oreilles étaient comme deux crêtes de chapons bien gras – minuscules galets de porcelaine amollis, attendris, fondants d'avoir mijoté si longtemps dans un jus de salive par tes baisers sans cesse écumé –, et leurs méandres de cartilages, une agacerie, des beignets de Carême, une fricassée de têtes d'oiseaux.

La base de tes cheveux, cette odeur, là, dans ta nuque, juste au-dessus de ce delta, de cette brèche secrète et duveteuse, de cet entonnoir à caresses, avait l'amertume piquante de la mie véritable des pains au levain et tes ongles, pour qui les avait longtemps sucés, étaient autant d'amandes mondées un peu trop tôt avant la fin de l'été.

Du creux de tes salières perlait un suc vinaigré qui piquait la langue et du bombé de ton épaule venait sa consolation : le frais, le grainé fin, la chair fondante d'un cul de poire.

Une beurré d'Anjou tétée dans la pénombre du cellier...

À la commissure de tes lèvres, ces minuscules bulles de salive quand tu riais aux éclats crépitaient en larmes de brut rosé et le bout de ta langue, mon adorée, avait le grenu, le grenat, le rêche pâle et délicat des fraises des bois.

Comme elles, adorable sainte-nitouche cachée, secrète, farouche et éperdument, éperdument sucrée.

La pointe de tes seins ? deux févettes de Provence, les premières, celles que l'on ramasse en février et qui se méritent car il faut les éplucher à cru tandis que leur galbe, sous ma main, avait le moelleux ambré, lisse, gai et parfumé des beurres de printemps.

Les vallons qui menaient à ton nombril, pour peu que l'on ait su te moitir d'aise, rappelaient cette sorte d'acidité sucrée des quetsches cueillies dans les vergers oubliés et réveillaient heureusement une bouche étourdie d'avoir happé tant d'onctuosité.

Tes hanches façonnaient deux bonnes têtes de brioche et le creux de tes reins avait, a toujours j'imagine, non, je me souviens, le goût suave des fleurs d'acacia. Fragrance entêtante et impérieuse que l'arrondi de tes fesses prolongeait en l'exhalant jusque dans ces exquises fossettes gravées à la pliure de tes cuisses. Ces collets de chairs tendres, douces et polies qui emprisonnaient souvent des doigts trop hardis...

La voûte de tes pieds était musquée, le creux de tes chevilles amer, l'arçon de tes mollets, fruité, le revers de tes genoux, salé, l'intérieur de tes cuisses, minéral et ce qui venait dedans, et ce qui venait ensuite, et ce qui perlait enfin, une réduction de tout ce qui m'y avait mené. Un fond. Un fond de toi et de tout l'univers.

Or ce goût, le goût de ton être, princesse des temps modernes, délicieuse, inconvenante et tatouée dont je me serais servi alors et que j'aurais abusée, eh bien, je n'ai plus que les mots pour m'en délecter.

Hélas, ces misérables outils, et c'est toi qui me l'as rappelé, n'ont aucun mérite. Ils ne savent rien, n'inventent rien et n'enseignent rien quand ils se souviennent, ils rapportent.

Plus que ta peau, tes cheveux, tes ongles ou ton odeur, c'est ton essence, tes humeurs, la sève de ton ventre, ta pectine, ta cyprine, ton suc, ce messager, ce liftier, ce mouchard de ta faim, de ta soif et de tes vertiges, cet enfant de chœur de tes désirs qui me met, cette nuit encore, l'eau à la bouche.

Quel goût avait-elle, ta bien-aimée ? s'enquièrent les 26 lettres du seul alphabet que l'on m'eût jamais appris et dans quel ordre nous rangerais-tu, toi, si tu nous mettais au défi de le lui apprendre ?

Nid d'hirondelle. Figue tiède. Abricot trop mûr. Minuscule framboise gobée sous un crachin serré.

Quelquefois, dérayure. Quelquefois, écorchures des marées, saignées de l'âme et sang de lune. Ou laitance. Ou lactescence. Colostrum d'Aphrodite.

Terrifiant mélange de lait maternel et de morve de bête en rut.

Truffe en aumônière. Bouquet garni de lèvres et d'ourlets de chair pochés à grand mouillement. Raie éviscérée. Chair rose à l'arête. Eau des coquillages. Jus infiltré sous les carapaces. Émulsion de corail d'oursin. Succion d'encre de chipirons pêchés à la turlute. Bêtises de cambrée. Pointe de berlin-

got à la langue émoussée. Roudoudou d'ambroisie.
Cédrat. Cédrat rouge au zeste iodé. Vi...
  Oh, Mathilde,
  Je renonce.

  Je t'ai aimée.

  Je t'ai plus aimée que je ne saurais le dire,
  Et beaucoup moins bien.

2

Mes mains tremblaient. Quelque chose, je ne sais pas exactement quoi, des relents de honte, de pudeur, de secrets éventrés, déflorés, me remontait jusque dans la gorge en me soulevant le cœur au passage.

Je ne comprenais pas ce qui m'arrivait. Hé, m'énervais-je, on se calme, là, mémère, on se calme. Ce n'est rien, ce *n'était* rien, juste une petite branlette d'intello qui se la racontait en suçotant son capuchon.

En plus, ça se trouve, y savait même pas lire l'autre CAP en coutellerie-charcuterie...

Peu importe, je l'ai brûlée aussitôt dans l'évier.

Je frissonnais, je transpirais, j'avais la nausée et m'échinais à repousser des chiures de papier noirci vers la bonde, une main posée en bâillon devant ma bouche.

J'étais pressée, apprêtée, en retard, une sueur glacée me piquetait le visage et je sentais tout mon maquillage qui se barrait en quenouille.

J'ai dégueulé.

3

J'ai nettoyé le bac à la Javel avant de le rincer à grandes eaux. Longtemps. Longuement. Le temps que toute cette misère disparaisse jusque dans les tréfonds des égouts de Paris.

— Ça va ?

La voix de Pauline.

Je ne l'avais pas entendue entrer. Ce n'était pas ma santé qui l'inquiétait, mais le gâchis d'eau.

— Tu es malade ?

En me retournant pour la rassurer, j'ai compris qu'elle ne me croirait pas.

— Oh, mon Dieu… Mais qu'est-ce qui t'arrive encore ? Tu as trop bu hier, c'est ça ?

Quelle réputation…

— Ah, non ! ai-je fanfaronné connement en me rafistolant le mascara aux index, c'est ce soir, le grand soir ! Regarde comme je suis chic… Je vais au mariage de mon amie Charlotte…

Ça ne l'a pas déridée.

— Mathilde ?

— Oui.

— Je ne comprends pas la vie que tu mènes…

— Mais moi non plus ! ai-je ri en me mouchant dans mes doigts.

Elle a haussé les épaules avant de se diriger vers sa bouilloire chérie.

Je me sentais bête. C'était rare qu'elle s'intéresse ainsi à moi. Je voulais réparer. Et puis j'avais besoin de me confier à quelqu'un.

— Tu te rappelles... Le type qui a récupéré mon sac...

— Le taré, là ?

— Oui.

— T'as de ses nouvelles ? Il t'embête encore ? Oh, mince, il n'y a presque plus de thé...

— Non.

— Il faut que je dise à Julie d'en racheter...

— Il est cuisinier.

Elle m'a regardée bizarrement.

— Ah ? Ah, bon ? Et alors ? Pourquoi tu me dis ça ?

— Comme ça... Allez, j'y vais, sinon je vais encore tout rater.

— Tu rentres quand ?

— Je ne sais pas.

Elle m'avait suivie jusque dans l'entrée.

— Mathilde ?

— Yes.

Elle a réajusté mon col.

— Tu es belle...

Je lui ai souri en inclinant pieusement la tête.

Qu'elle s'imaginât un charmant embarras tandis que je me bagarrais avec mes larmes.

4

Ensuite, rien. Ensuite c'est maintenant, et je n'ai plus rien à raconter. Et puis je n'ai plus envie. Maintenant, et même si ça ne se voit pas à l'œil nu, je suis recroquevillée sur le bord de la vie et j'attends qu'elle passe.

« Dépression larvée », je ne sais plus où j'avais encore été crocheter cette expression de faux derche, mais je me la resservais bien volontiers. Elle me convenait. Le côté larve, je suppose. Voilà des années que l'on me citait en exemple, que l'on me montait le bourrichon avec ma force, ma gaieté, mon courage et... Eh bien, c'était trop facile, bande de lâches. Beaucoup trop facile. C'est vrai que j'ai essayé de vous protéger et j'ai tenu aussi longtemps que j'ai pu, mais je ne peux plus continuer, là.

Je suis esquintée.

Parce que c'était chiqué, mes amis... Oui, tout... Tout était chiqué... Je le savais, que ma mère remplissait ses trucs de protocoles n'importe comment, qu'elle mettait des croix où il fallait et qu'elle les laissait traîner exprès pour me rassurer. Je le savais, que c'était pipeau toutes ces bonnes nouvelles qu'elle racontait pendant des heures à ma grand-mère en parlant fort au téléphone. Je le savais, qu'elles me mentaient toutes les deux. Je le savais, que mon père allait baiser sa morue juste après l'avoir déposée à l'hosto pour sa chimio et je le savais, qu'elle le savait aussi.

Je le savais, qu'il se barrerait de la maison avant même qu'elle ait eu le temps de refroidir. Que je finirais chez ma grande sœur, que je me raserais la tête et les sourcils, que je raterais mon bac et que je lui garderais ses petits pour compenser. Je le savais, que je la jouerais sympa, insoupçonnable, classe, à la tata Yoyo qui sautait sur les lits et savait si bien classer les decks de Pokémon et de Bella Sara. Je le savais, que je laisserais mes cheveux repousser, que je rattraperais le temps perdu, que j'aurais la cuisse hospitalière et le gosier en pente. Que je m'inventerais une réputation de bonne fêtarde, de cœur vaillant, de toujours partante, pour que l'on m'étiquetât comme il faut et que l'on m'oubliât dans cette case-là une bonne fois pour toutes.

Je le savais, que mon beauf me faisait bosser pour flatter son côté Mickey Corleone, que la famille c'était sacré et gnagnagna, mais que si ce n'était pas moi qui lui gangrenais ses futurs pigeons, une autre vendue le ferait tout aussi bien à ma place. Oui, je *savais* tout cela et si je ne vous ai rien dit, c'est parce que je suis généreuse.

La seule chose que j'avais trouvée belle pendant toutes ces années passées au front, la seule fois que je n'ai pas menti, un connard en avait fait un livre. Alors voilà, il est poli d'être gai comme dirait l'autre, mais aujourd'hui, je n'ai plus envie d'être polie.

Aujourd'hui, je larve, je lève mon majeur et je débranche.

Hélas, on ne peut pas lutter contre sa nature, donc, bonne fille que je suis, je vais me forcer à aller jusqu'au bout de cette histoire, mais je vous préviens : vous pouvez appuyer plusieurs fois sur la touche avance rapide, vous ne manquerez pas grand-chose...

TROISIÈME ACTE

1

Un jour, il était une fois, j'ai oublié mon sac à main dans un café près de l'Arc de triomphe. Dans ce sac, il y avait une enveloppe non cachetée qui contenait cent billets de 100 euros. Cent billets verts tout droit sortis d'une banque. Jolis, craquants, bien repassés et propres comme des sous neufs. Un gros garçon l'avait récupéré et me l'avait rendu quatre jours plus tard, intact.

Bien cachée à l'intérieur de ce sac, il y avait aussi une lettre qui racontait la vie de ma chatte et de mes nichons en 3D. Bon, ce sont des choses qui arrivent, j'imagine... Une lettre aussi juteuse peut-être pas, mais des photos, des vidéos, des textos accablants, des pièces jointes indiscrètes, des pixels racoleurs, dégueulasses et malveillants, avec tous ces bidules de cafteurs, avec tout cet attirail de narcissisme et d'impudeur dont nous avions tous pris grand soin de nous équiper aujourd'hui, ça devait en faire des gros chagrins, hein ?

Oh, que si... ça devait en mettre du sel dans les prétoires et sur les cœurs en charpie... Alors pourquoi je le vivais si mal ? Pourquoi est-ce que je faisais ma vierge effarouchée tout à coup ? Qu'est-ce que j'en avais à foutre, qu'un type que je ne rever-

rais jamais ait eu un avant-goût du mien, hein ?
C'est vrai, ça ! Ça ne tenait pas la route, mes cris
d'orfraie. Depuis quand j'étais devenue délicate ?
Bordel de merde, je m'en serais rendu compte tout
de même !

Rien ne tenait plus la route. Et moi la première.
Je suis allée à ce mariage avec deux comprimés de Spasfon sous la langue et la certitude de
finir torpillée. J'étais jolie, peut-être, mais ça n'allait pas durer. Sur ce coup-là, je pouvais me faire
confiance.

2

Je suis arrivée essoufflée et, fameux escarpins à tomber oblige, je me suis tordu la cheville en attaquant tout schuss le perron de la mairie du XXe.

En grimaçant, j'ai accosté un type aussi endimanché que moi, mais qui avait l'air beaucoup moins pressé.

— Pardon, vous... euh... je... je cherche la salle des mariages, vous... Vous savez où c'est ?

Il m'a tendu un bras où me percher le temps de renfiler ma pantoufle de verre puis m'a fort aimablement renseignée :

— La forge à cocus ? C'est par là ! J'en suis ! De la cérémonie aussi, j'entends... Serrez-moi donc de près, jeune fille instable, en bons derniers nous nous ferons moins remarquer.

Bingo, j'avais trouvé mon second larron et c'est probablement lui qui m'a confiée à un chauffeur de taxi bien après minuit alors que j'avais perdu mes deux godasses depuis longtemps déjà.

Les mariés ne m'ont jamais rappelée ni remerciée de mon cadeau. Je ne me souviens plus de mon état et encore moins de ce que j'avais pu raconter à leurs invités, mais ça n'avait pas dû être très nuptial.

3

Pourtant ce fut ma dernière cuite.

Et comme ils n'ont l'air de rien, ces trois petits mots vertueux mis à la queue leu leu : ma-dernière-cuite, je ne m'en suis pas méfiée.

J'ai eu tort.

C'était très mauvais signe.

Car que reste-t-il aux gens qui ont cessé de boire alors même qu'ils s'y appliquaient par politesse du désespoir ?

Le désespoir.

C'était confus. C'est confus, le désespoir. Surtout dans mon cas de joueuse de bonneteau qui avait su si bien l'embrouiller depuis tant d'années.

J'avais du mal à distinguer la complaisance de la véritable souffrance et comme je suis beaucoup trop froussarde pour soulever ma grosse pierre et comprendre un peu ce qui grouillait là-dessous, je m'en tiendrai aux symptômes, aux signes extérieurs de détresse. Certes, j'avais arrêté de boire, mais je ne mangeais plus non plus et ne dormais pas davantage. Pour de la simple complaisance, avouez que cela représentait beaucoup de désagréments.

Une autre, plus courageuse, plus maligne ou moins radine, serait allée consulter. Un psy en direct, peut-être pas, mais au moins un médecin. Le bon médecin de famille qu'elle n'avait plus. Enfin n'importe quel généraliste de son quartier et, sans entrer dans les détails, lui aurait dit tout de go : Bonjour docteur, tout va bien, tout va très très bien, je vous assure, mais, comprenez-moi, il faut que je dorme, là. Il faut que je dorme *un minimum* sinon je vais tomber debout. Oh ! l'appétit, ce n'est pas grave ! J'ai des hanches en bonnes têtes de brioche, vous savez ! et puis, regardez… J'en suis presque à deux paquets de Marlboro par jour, j'ai de quoi tenir. Mais les nuits… les nuits, toutes, toujours, toujours toutes blanches, à la longue, on en meurt, non ?

Voilà exactement ce que j'étais en train de ressasser quand cette histoire ne faisait que commencer et que je me traînais de la place de l'Étoile jusqu'au cimetière de Montmartre au beau milieu de la nuit en lissant dans ma poche une septième addition bredouille.

Hé, oui… Je ne suis pas très finaude… Tout ça pour en arriver là : à la case départ.

Pardon ?
Sept ?!
Mais, mais Mathilde… Mais tu viens de retourner tes trois cartes à la fois, là ! Tu es fichue, ma fille ! Tu as perdu ! Tu sais comment ils appellent ça, le bonneteau, les Anglais ? *Find the Lady.* Trouver la dame. Et alors ? C'est ça ? C'est ça qu'elle cachait, ta reine de cœur ? C'est ce gros patapouf, là, qui te met dans des états pareils ?

...

Avec ses souliers vernis et ses socquettes pointe et talon renforcés bouclette ?

...

Et son doigt en moins ? Et ses couteaux pointus arrimés à son froc ?

...

Et son blouson qui pue la chèvre ?

...

Et ses lubies nocturnes ?

...

Hé, j'te signale qu'il l'a toujours, ton numéro, lui... OK, toi t'es trop manche pour en recopier un convenablement, mais lui, s'il avait voulu, il t'aurait rappelée depuis le temps...

...

Ah, p'tête pas, remarque... P'tête qu'avec que neuf doigts, y yarrive pas...

...

Ho, Mathilde ! Tu pourrais répondre quand on te parle !

La ferme. Raillez, persiflez, dénigrez tant qu'il vous plaira, mais ne me tirez pas les oreilles. Ne me faites pas la leçon. Vous savez combien je déteste cela. Si vous continuez sur ce ton, vous allez me perdre tout à fait. Et puis... Et puis qu'est-ce que vous voulez que je vous dise, à la fin ?

Tout, ma belle.
Tout.
Fous-toi à poil et passe à table.

4

Alors... euh... par où je commence ? Et je suis où, là, d'abord ?

Boulevard de Courcelles. Bon. Ça va. J'ai le temps.

Je regrettais d'avoir brûlé ma lettre. Je regrettais de l'avoir brûlée sans l'avoir relue une dernière fois. Je ne me souvenais plus bien de ce qu'elle baratinait et ce décousu de moi faussait la donne. Je regrettais de ne pas m'être remise en bouche une dernière fois, histoire de me figurer à peu près ce qu'il pouvait cogiter et me souvenir de l'état de mon stock de munitions.

Je partais désavantagée. J'aurais voulu en savoir autant sur lui. Enfin... autant, certainement pas, mais plus que je ne possédais déjà. Plus que des petites coupures au rasoir, un épi, une phalange manquante, un regard fixe et des manières de maquignon.

Je sentais qu'il me manquait des pièces et m'en trouvais lésée.

Je voulais comprendre comment c'était possible qu'aujourd'hui, dans notre monde à nous, dans ce que nous avions fait de notre monde, dans ce vaste tripot auquel je participais avec si peu de vergogne chaque matin, un quidam rende à un autre quidam inconnu de lui dix mille euros en espèces sans y faire autrement allusion que par une mise en garde bienveillante quant à l'importance de ne pas laisser échapper sa bonne fortune et en réglant la note à la fin encore en plus.

Je voulais comprendre comment il était possible d'avoir l'indélicatesse de fouiller dans le sac à main d'une fille, de le lui faire savoir en signalant ses brisées, de forcer son intimité, de s'en trouver troublé, de la mettre de nouveau dans la confidence en la radiographiant pesamment, calmement et en silence au fond d'une salle de café pendant plus d'une demi-heure puis de la renifler sous le groom avant de s'enchaîner à sa main et, dans le même temps, d'être assez couillon pour lui rendre ses effets sans avoir eu l'idée de pirater ses coordonnées, de se trouver donc dans l'obligation de les lui réclamer, de l'appeler en catimini et à des heures indues comme si c'eût été un crime de lèse-majesté, d'avoir eu néanmoins le projet, le besoin, l'envie, de nourrir la responsable de tant de scrupules pour lui rendre ainsi l'appétit qu'elle avait perdu et attisé à son insu, d'essuyer, dès le lendemain soir, l'affront d'une bonne grosse veste en peau de lapin retourné (toujours à son insu, hélas, mais comment pouvait-il le savoir ?) et de n'avoir *même pas* pris la peine de composer de nouveau le numéro de cette pourriture d'ingrate, de cette chiée de menteuse, de cette saloperie d'allumeuse, pour pouvoir l'allumer à son tour.

Bref, je voulais savoir de quelle planète venait ce garçon si étrange et, si c'était de la nôtre, toucher enfin du doigt ce que c'était, l'humanité.

Je voulais me laisser mourir de faim pour qu'il me recueillît et me cachât à l'endroit même où il avait abrité le sac de ma maman, la menue dégustation de l'autre salopard et mon petit foutoir de vie : sous son blouson.

Oui, je voulais ça et rien d'autre. Qu'il remontât la fermeture Éclair jusqu'en haut et me laissât me reposer enfin sur son gros sein.

...

Ah ! Ça vous la coupe, hein ? Vous vous dites, mais qu'est-ce qu'elle nous divague encore, l'autre péronnelle ?

Après le poète de ses fesses et son luth constellé, après toute cette clique de bons à rien et avant le pauvre bougre qui arrivera enfin à se la harponner et lui coller trois gamins dans le monospace, il lui faut son fantasme de commis boucher avec ses bonnes grosses louches, son pantalon en petit pied-de-poule et ses sabots coqués, c'est ça ?

Grotesque.

Grotesque, grotesque, grotesque.

C'est ça. Bavez.

Bavez, crapauds.

Bavez sur la blanche colombe...

Et Facebook, c'est pas du fantasme ?

Et Meetic ? Et Adopte ? Et Attractive ? Et tous ces sites de rencontres à la con ? Tous ces chaudrons misérables où l'on vous fait bien touiller votre solitude entre deux visuels de pub, tous ces « J'aime » cliqués droit, tous ces réseaux d'amis imaginaires, de communautés surveillées, de fraternités démunies, grégaires et payantes reliées à des serveurs richissimes, c'est quoi ?

Et cette fébrilité, là... Cet état de manque permanent, ce trou au côté, ces téléphones que vous rongez sans cesse, ces écrans qu'il vous faut toujours déverrouiller, ces vies que vous achetez pour pouvoir continuer à jouer, cette blessure, cette bonde, ces serrements dans votre poche ? Cette façon que vous avez, tous, toujours, de tout le temps vérifier si on ne vous a pas laissé un mot, un message, un signe, une relance, une notification, une pub, un... un *n'importe quoi*.

Et ce « on » qui peut être n'importe qui ou n'importe quoi aussi du moment que ça s'adresse à vous, que ça vous rassure, que ça vous rappelle que vous êtes vivant, que vous existez, que vous *comptez* et qu'à défaut de vous connaître autrement, on peut peut-être essayer de vous refourguer une dernière petite saloperie au passage.

Tous ces abîmes, tous ces vertiges, toutes ces lignes de code que vous caressez dans le métro et qui vous jettent comme une vieille merde sitôt que « ça » ne vous capte plus. Toutes ces distractions qui vous distraient de vous-mêmes, qui vous ont fait perdre l'habitude de penser à vous, de rêver à vous, de papoter avec la base, d'apprendre à vous connaître ou à vous reconnaître, de regarder les autres, de sourire aux inconnus, de mater, de flirter, d'emballer, de baiser même ! mais qui vous donnent l'illusion d'en être et d'embrasser le monde entier...

Tous ces sentiments codés, toutes ces amitiés qui ne tiennent qu'à un fil, qu'il faut recharger tous les soirs et dont il ne resterait *rien* si les plombs sautaient, c'est pas du fantasme, ça, peut-être ?

Et je sais de quoi je parle.

Je saigne aussi.

Je m'en moquais, qu'il fût cuisinier, balayeur ou trader. Même si j'ai la faiblesse de croire que pour choisir ce métier de chien qui consiste à nourrir ses semblables jour après jour, il faut être fondamentalement bon.

Je ne vois pas comment on pourrait tenir sinon.

Il existe peut-être de mauvaises gens avec une veste de cuisinier sur le dos, mais pour se lever si tôt et se coucher si tard, pour avoir si froid chaque matin en réceptionnant sa marchandise puis si chaud devant ses pianos, pour être à ce point sous pression au moment des coups de feu qu'on s'endort ensuite dans le premier bistro venu à l'heure de la pause, pour se donner le mal de plonger des légumes ébouillantés dans des bains de glaçons afin de leur conserver leurs belles couleurs et – ce faisant – se doter pour soi-même d'une mine à jamais terreuse, pour se sentir rétamé pendant ses jours de repos, mais avoir encore l'énergie de nouer un tablier et nourrir ses amis, sa famille, les amis de ses amis, tous ces gens trop heureux d'avoir un cuistot sous la main et s'en trouver heureux, je me trompe peut-être, mais je crois qu'il faut être bon. Généreux du moins. Courageux, c'est obligé. Parce que c'est tellement ingrat cette histoire de satiété. Tellement, tellement ingrat... Il faut toujours recommencer.

Et en admettant que je barbote dans le pur fantasme en effet et que pour un cœur pur, il y ait dix fonctionnaires de la bouffe, dix gratte-patates, dix aigris, dix bottés au cul vers le CAP des certifiés sans aptitude, dix planqués, dix faute de mieux qui passeront le reste de leur vie à compter leurs heures, leurs brûlures et leurs épluchures – et résignés, et amers, et aussi décourageants et découragés qu'on puisse légitimement l'être avec un boulot pareil –, en admettant tout cela, eh bien, vous savez ce qu'il aurait fait mon fantasme, là ? Il aurait chouré mes dix mille boules.

Hé, oui.

Hé, si.

Est-ce que j'ai tort de tout ramener à l'argent ? Non, bien sûr que non, c'est la valeur de référence, vous le savez bien...

Et en admettant encore que je fusse crevarde au point de m'inventer ce genre de tarte à la crème et de refiler trois macarons au premier tourneur de navets venu qui aurait eu la mauvaise idée de s'assoupir dans mon dos, oui, en admettant cela aussi (mazette ! mais qu'est-ce que je cogite, moi, quand je n'ai pas mon vélo et que toutes les boutiques sont fermées !) eh bien, là encore, il s'en tirait bien pour un pauvre con d'honnête garçon, je vous le dis.

Parce qu'il en avait, dans sa gibecière, des cartouches pour me pourrir la vie... Je le sais, c'est moi qui les lui ai refilées...

Fric envolé ou pas, sac confié à un tiers ou pas, il avait tout ce qu'il fallait comme infos en magasin pour s'en payer une bonne tranche. Pour me pister, me retrouver et continuer de me réveiller la nuit en me demandant, Wouarf ! Wouarf ! si c'était vrai que j'étais trop bonne, si j'aimais encore, Ho ! Ho ! croquer de la glace pilée, s'il y avait toujours du saindoux au balcon et si mon cul, rhôôô, sentait vraiment la fleur au jus de moules.

Une carte de visite pareille, dans un sac de fille, c'était royal au bar.

Au lieu de cela, il a pâli en m'avouant, affolé, qu'il m'avait « tout rendu ».

Voilà. J'ai fini.

Boulevard des Batignolles.

Miséricorde, je ne suis pas couchée, moi...

Mais bon. Ça y est. On commence à apercevoir un bout de mon Sacré-Cœur au loin.

...

Ah ! C'est vous qui restez cois, là, hein ?

...

J'ai dit quelque chose qui vous contrarie ?

...

Et alors ?! Répondez quand on vous parle, vous aussi !

C'est-à-dire que... On était loin d'imaginer tout ça, quoi...

Tout ça, quoi ?

Ben, que t'en étais là…

Là, où ?

Ben, que t'étais aussi famélique… De loin, comme ça, ça se voyait pas.

De loin, rien ne se voit.

…

Croyez-moi. Croyez-moi parce que je suis experte en la matière. Tous… Tous autant que nous sommes, nous avançons en passant le plus clair de notre vie en contrebande. De loin, de près, de face, de profil ou de biais, rien ne se voit jamais.

…

Ho, dites quelque chose ! Pitié. Parlez-moi encore. Je suis en train d'enjamber des dizaines de rails de chemin de fer, là, et ça me fiche un bourdon terrible de voir tous ces départs possibles impossibles. Soupirez, d'accord, mais accompagnez-moi encore un bout de chemin. S'il vous plaît.

Et ton fameux GPS, alors ?

Aussi perdu que moi.

Eh bien… Eh bien, si tout ce que tu nous as confié est vrai, alors il faut que tu le retrouves. Tu n'as pas d'autre solution.

Facile à dire…

Le premier serveur, celui qui l'a appelé Roméo, il doit le connaître, lui…

Non. Je lui ai demandé, mais il n'en sait pas plus et ne l'a jamais revu depuis.

Ah, zob. Alors il faut que tu prennes un compas, que tu élargisses le cercle autour de votre lieu de rendez-vous et que tu écumes tous les restaurants inscrits dedans.

Tous ?!

Tu as une autre idée ? Tu veux dérouler son portrait-robot sur l'Arc de triomphe ?

Mais ça va me prendre un temps fou !

C'est probable, mais tu n'as pas le choix.

Pourquoi ?

Pourquoi ? Mais parce qu'on s'ennuie, nous ! On en a marre de t'entendre soliloquer dans le noir ! On s'en moque de tes états d'âme ! On s'en moque ! Tout le monde en a, tu sais ! Tout le monde ! Nous, ce qu'on veut, c'est une histoire ! On est venus pour ça, enfin !

Pfff...

Quoi, pfff ? Qu'est-ce qu'il y a ? Pourquoi tu te renfrognes ?

J'ai peur de souffrir encore...

Mais Mathilde... mais c'est magnifique de souffrir quand on est en bonne santé. C'est un privilège ! Il n'y a que les morts qui ne souffrent plus ! Réjouis-toi, ma belle ! Va, cours, vole, espère, plante-toi, saigne ou festoie, mais vis ! Vis un peu ! Ton derrière bien poli et tes jambes musquées tutti frutti, là... bouge-les-nous donc un peu pour voir. Parce que sous tes grands airs, tu moralises autant que nous, je te signale. Alors, assume, petite indignée des beaux quartiers, assume. Va au bout de tes convictions pour une fois. Lâche ton ordi, ton confort, tes sœurs fouettardes dont tu dis tant de mal mais sous la tutelle desquelles tu es si heureuse de rester toute petite fille, oui, lâche les goulots, lâche ton cynisme à deux balles et lâche ta mère qui ne reviendra jamais, et... Ho ! Où tu vas, là ?

J'y crois pas… Mon vélo… Mais oui ! Mais c'est lui ! Mais c'est mon Jeannot chéri ! Oh, bonheur ! Oh, il est toujours là ! Oh, t'es toujours là, mon poulet. Oh, merci. Oh, bravo. Oh, bien joué. Bon, allez, on se dépêche de rentrer parce qu'il faut qu'on reprenne des forces.

Eh, oui, j'ai du boulot pour toi, vieille carcasse.

5

Tu sais, Mathilde, si tu tiens vraiment à quelque chose dans la vie, eh bien, fais ce qu'il faut pour ne pas le perdre.

T'inquiète, saint Jean-Baptiste, t'inquiète. Sous les plis de ma robe tu ne l'as pas vue, mais j'avais une très jolie chaîne, moi aussi...

QUATRIÈME ACTE

1

Le soleil chatouillait les cariatides de l'immeuble d'en face, le presse-agrumes grognait, la bouilloire chantait, le four indiquait 07 : 42 et Michel Delpech (ou Fugain) (ou Polnareff) (ou Berger) (ou Jonasz) (ou Sardou) (ou au choix) bêlait de bon matin.

Julie vérifiait la date de péremption d'un yaourt au lait de soja équitable et aux pruneaux bio et Pauline s'inquiétait :

— T'as vu Mathilde ?

— Non. Elle était déjà partie quand je me suis levée.

— Encore ?! Mais qu'est-ce qu'elle fabrique si tôt ?

— Deux juillet... Il faut qu'on se dépêche...

— Pardon ?

— Les yaourts... T'en veux un ?

— Non, merci.

— Attends, mais on est en train de perdre plein de trucs, là... C'est à cause d'elle, aussi ! Elle mange plus rien !

— Mais pourquoi elle se lève si tôt en ce moment ? Elle a trouvé du boulot ?

— J'en sais rien...

— Et t'as vu les plans dans sa chambre ? Avec les petites épingles plantées partout et tout ?

— Oui.

— Mais qu'est-ce qu'elle fiche enfin ?

— J'en sais rien...

— Elle veut déménager ?

Julie l'ignorait et Daniel Guichard répétait en boucle le gitan le gitan le gitan le gitan le gitan le gitan le gitan le gitan le gitan le gitan le gi...

Au secours.

2

Dans un rayon de quinze bonnes minutes à pied autour du café où ils s'étaient rencontrés (elle imaginait qu'il avait peut-être besoin de prendre l'air ou de se dégourdir les jambes entre deux services), Mathilde avait recensé deux cent vingt-huit restaurants et brasseries.

Et encore... elle avait rayé de sa liste les pizzerias, les crêperies, les salons de thé, les couscous et les restaurants indiens, afghans, tibétains, macrobiotiques et végétariens. Ces popotes-là, avait-elle décidé, n'exigeaient pas de si grands couteaux.

228.

Deux cent vingt-huit.

Cent + cent + vingt + huit.

Un peu d'organisation s'imposait : elle avait photocopié en les agrandissant des bouts du XVIIIe, du XVIe et du XVIIe arrondissement et les avait punaisés au-dessus de son bureau avant de les couvrir de petites épingles rouges pour les arpenter de façon judicieuse. (Napoléon n'aurait pas fait mieux.)

Elle avait commencé par passer des coups de fil, mais s'était vite rendu compte qu'elle ne vaincrait pas si aisément. Elle ne connaissait pas son nom, était incapable de le décrire, de dire son âge, de préciser depuis combien de temps il aurait travaillé là et encore moins les raisons pour lesquelles elle le cherchait, mais non, n'enquêtait pas pour l'inspection du travail ni ne voulait réserver de table, tombait sur des répondeurs nasillards, des maîtres d'hôtel débordés ou des patrons plongés dans leur compta, lesquels, tous autant qu'ils étaient, finissaient toujours par l'envoyer au diable.

Bref ça sentait sa retraite de Russie avant même d'avoir foulé les avenues de Wagram ou d'Iéna.

Ce qu'il fallait, c'était passer à l'offensive.

Attaquer. Marcher. Marcher sur lui.

Se montrer, sourire, plaisanter, la jouer vieille copine qui passait par là, petite sœur de province larguée dans le sept-cinq, mère Michel qui aurait perdu son chat ou pure cagole évaporée selon qui la recevait.

Et puis se lever tôt.

Car on ne pouvait rien espérer de la salle. Des maîtres d'hôtel, des dresseurs de terrasses, des garçons fatigués avant même d'avoir enfilé leur gilet, des petits chefs de rang qui se la pétaient sous le brushing, tous ces gens qui ne sont pas les mêmes selon qu'ils sont en service ou pas. Qui sont aimables quand ils ont vêtu leur habit de lumière et chassent le pourboire et qui vous niaquent le mollet quand ils sont encore en survêt à passer l'aspirateur.

Ce qu'il fallait, c'était se lever tôt et trouver la porte de derrière. L'entrée des artistes et des fournisseurs. Celle qui est borgne, qui n'a l'air de rien, qu'une cale de fortune – une cagette, un pot de crème vide ou un énorme bidon d'huile – maintenait entrouverte et par laquelle des Pakistanais, des Sri-Lankais, des Congolais, des Ivoiriens, des Philippins et autres citoyens de l'United Colors of Life de Merde sortaient en poussant devant eux des giclées d'eau savonneuse et où l'on apercevait aussi, de temps en temps, des zombies aux joues plus rondes et à la peau plus claire.

Ceux-là se frottaient le visage, étaient assez riches pour se payer des cigarettes déjà roulées et, un pied contre le mur, fumaient seuls ou à plusieurs et de plus en plus silencieusement à mesure que la journée avançait.

Frais comme des gardons à la pause de 8 heures, plus calmes à celle de 10, bien cuits à celle de 15 et, paradoxalement, complètement ressuscités à l'heure de la fermeture où, là, de nouveau, ça jactait.

Au lieu de rentrer enfin chez soi, ça causait, ça riait et ça rembobinait le service en s'envoyant des vannes, histoire de les ouvrir, justement, et de laisser au stress le temps de se diluer dans la nuit.

En quelques jours de… de quête à présent plutôt que de conquête (elle ne faisait déjà plus sa maligne), Mathilde avait appris tout cela.

Tout un monde…

Elle avait aussi compris qu'un prénom seul ne la mènerait pas loin, que la plupart de ces zigotos ne se connaissaient que par leur patronyme et qu'à chaque fois qu'elle demandait un Jean-Baptiste, on la regardait, désolé, comme si elle réclamait son doudou au monsieur pas commode qui venait justement de fermer les grilles de l'école. Jean-Ba, à la rigueur, mais Jean-Baptiste, non. C'était trop long.

Quand elle tombait sur un plongeur et qu'elle pressentait que son anglais, son bengali, son cingalais, son tamoul ou son elle-ne-savait-même-pas-quoi ne serait pas à la hauteur de son interlocuteur, elle indiquait les cuisines puis montrait sa main gauche en repliant les deux premières phalanges de quelque doigt au hasard (elle ne se souvenait plus lequel exactement lui manquait), mimait une sorte de gros ventre avec son autre main et quelquefois, même, aussi, un épi sur le haut de son crâne.

Ceux, les rares, qui ne la prenaient pas pour une barjot, secouaient le menton en écartant les bras.

Elle les entendait chuchoter entre eux ensuite, tandis qu'elle s'éloignait :

— *Avaluku ina thevai pattudhu?* (Qu'est-ce qu'elle voulait ?)

— *Nan... seriya kandupidikalai aval Spiderman parkirala aladhu Elvis Presley parkirala endru...* (Ben... J'ai pas trop compris si elle cherchait Spiderman ou Elvis Presley...)

— *Aanal ninga ina pesuringal? Ina solringa, ungaluku ounum puriyaliya! Ungal Amma Alliance Francaise Pondicherryla velai saidargal enru ninaithen!* (Mais qu'est-ce que tu racontes, toi, encore ? Tu veux dire que t'as rien pigé, oui ! Je croyais que ta mère avait travaillé à l'Alliance française de Pondichéry !)

— *Nan apojudhu... orou chinna kujandai...* (Oh, ça va... J'étais petit, hein...)

Une paire de fois, on lui avait annoncé un Jean-Baptiste qui n'était pas le sien et, un autre matin, on lui présenta des mains raccourcies en effet, seulement ce n'était pas les siennes non plus.

Les nouvelles allaient vite sur Radio Casseroles et, au bout d'une dizaine de jours, il n'était pas rare qu'on l'accueillît ainsi :

— Ne dites rien. C'est vous qui cherchez un cuistot manchot, c'est ça ? Héééé non, il n'est pas ici...

Elle était devenue une sorte d'attraction. La pause KitKat de la matinée. La folle à vélo qui rayait des trucs sur son carnet et vous taxait ou bien vous offrait une clope au passage.

Au bout du compte, elle s'amusait. Elle aimait bien ces jeunes gens toujours pressés et pas vraiment causants, mais vaillants. Toujours vaillants. Les plus jeunes surtout, la fascinaient. Se rendaient-ils compte du fossé qui se creusait, là, à ce moment précis de leur vie, entre eux et leurs camarades du civil ?

*
* *

Elle programmait son réveil à 5 heures, se douchait en réglant le jet au minimum pour ne pas déranger les filles, glissait ses plans dans sa besace et cueillait Paris à l'aube en plein solstice d'été.

Le Paris rose et ensommeillé des livreurs, des monteurs de marchés et des artisans boulangers.

Elle redécouvrait des vues, des boulevards et des avenues qu'elle avait eu, jusque-là, l'habitude d'emprunter à cette même heure, mais décalquée et en pilotage automatique, zigzaguant, clopinant, s'appuyant ou se retenant de justesse aux poignées de son guidon qui lui servait alors de balancier.

Elle admirait les étirements brumeux, la langueur canaille, l'indolence mi-close et déjà aguichante d'une ville que ses pauvres petits yeux explosés par la fatigue, l'alcool et la myxomatose des mélancoliques anonymes ne voyaient plus depuis longtemps et qui demeurait, on avait beau dire, ils avaient beau faire, belle comme le jour.

Comme tout cela était pittoresque... Elle se sentait touriste, flâneuse, en excursion dans sa propre vie. Elle fendait la bise, jouait avec les chauffeurs d'autobus, slalomait entre ces lourdauds de Vélib', suivait le baron Haussmann à la trace, laissait derrière elle le popu (ce qu'il en restait) de la place de Clichy, longeait des immeubles de plus en plus cossus, saluait la jolie rotonde du parc Monceau, se demandait chaque matin qui habitait là, dans ces hôtels particuliers de folie et si ces demi-dieux se rendaient compte de la chance qu'ils avaient, prenait son petit déjeuner dans différents troquets, voyait les prix grimper à mesure que les numéros d'arrondissement diminuaient, regardait les gens, feuilletait *Le Parisien*, tournait le dos aux écrans de télévision, écoutait les discussions de comptoir, s'initiait aux pronostics hâbleurs, vains, sonnants et/ou trébuchants du tiercé et des ligues de foot, s'en mêlait quand le cœur y était et pédalait ferme pour rattraper son retard.

Avait la chair de poule dans les descentes et des bouffées d'ardeur dans les côtes...

Y croyait.

Y croyait dur comme fer.

Elle s'était improvisé une destinée, jouait avec sa solitude, se faisait tout un cinéma, se prenait pour la Mathilde d'*Un long dimanche de fiançailles*, cherchait un garçon pas beau du tout qui voulait la faire arranger, il le lui avait murmuré à l'oreille une nuit passée et, même si elle ne le trouvait pas, même si tout cela n'était qu'une couillonnade de plus au pays des Oui-Oui de la Vie, ce n'était pas grave, ce ne serait pas grave, il lui avait déjà offert ce cadeau magnifique de se savoir debout, décidée, matinale et vivante et déjà... déjà c'était beaucoup.

Pendant tout le temps que durerait cette bolée de petits matins frais, le monde, du moins, le monde lui aurait appartenu.

3

Appartenu ?

À d'autres !

Voilà presque trois semaines qu'elle courait le guilledou en se levant à l'aube, en continuant de travailler, en se couchant avec les poules, en picorant à peine et en s'endormant déçue. C'était... minant.

Mathilde soupirait.

Mais qu'est-ce qu'elle s'était encore imaginé ?

Et quel rata infâme Cupidon lui servait-il de nouveau ?

Hein, le fessu, là-haut ?

C'était quoi, encore, ce fricot tout pourri ?

Tous les lieux auxquels elle avait cru ou qui l'avaient inspirée, tous les conseils, toutes les recommandations, toutes ces ondes de tam-tam envoyées d'une porte de service à l'autre, tous ces « Bonne chance » ou ces « Tu dis qu'il y avait comme des auréoles sur la lame ? C'est japonais, ça... si j'étais toi, je commencerais par les japonais », oui, tous ces bons tuyaux et ces faux espoirs, toutes ces descriptions si chiches et ces questions tellement énormes (« Pardon, monsieur... je cherche un cuisinier, alors... euh... je ne sais pas du tout comment il s'appelle, mais il est un peu... euh... enrobé... ça vous dit quelque chose ? ») tous ces yeux écarquillés, ces hochements de toques désolés, ces bras ballants, ces gentils renvois dans les cordes ou ces méchants envoyés bouler, toute cette vie à l'envers, ces réveils à pas d'heure et ces déceptions continuelles, tout cela, tout, tout était vain.

Mathilde vacillait.

Mais où se cachait-il, bon sang ? Travaillait-il vraiment dans ce quartier ? C'était peut-être un cuisinier du dimanche ? Ou un employé de cantine ? ou de restaurant d'entreprise ? Ou un dangereux mytho bardé de couteaux ? Ou un gentil rêveur qui n'avait pas de suite dans les idées ?

Et pourquoi ne l'avait-il jamais rappelée, au fait ? Parce qu'il était déçu ? Vexé ? Rancunier ? Amnésique ?

Parce qu'il ne savait pas lire ?

Parce qu'elle n'était pas à son goût ou qu'il la croyait encore maquée à son ratatouilleur de rimes ?

Mathilde doutait.

Et puis... existait-il ? Avait-il seulement existé ?

Peut-être qu'elle avait tout échafaudé. Peut-être que la lettre n'était plus dans son enveloppe depuis des années. Peut-être qu'un ou une autre l'avait lue bien plus tôt. Peut-être que...

Peut-être que les mots l'avaient baisée encore une fois...

Tiens, à propos de mots… c'était dans cette rue-là, il y a des années, elle l'avait oublié, mais ça lui revenait à l'instant, que son écrivain en herbe s'était trouvé pâle un soir d'hiver.

Pâle et tout ému parce qu'il avait reconnu, au loin, la silhouette d'un vieux jeune homme qui s'engouffrait dans la porte à tambour de cet hôtel en face. Il avait blêmi, l'avait retenue par le bras et s'était tu un long moment avant de répéter à plusieurs reprises et sur tous les tons de l'extase possibles : Bernard Frank ? C'était Bernard Frank ? Oh là là… Bernard Frank… Tu te rends compte ? C'était Bernard Frank !

Non, elle ne se rendait pas compte, elle avait froid et voulait prendre le métro, mais de le sentir aussi transi qu'elle l'avait émue :

— Tu veux qu'on y aille ? Tu veux le saluer ?

— J'en serais incapable. Et puis c'est un palace, tu sais… Je n'aurais même pas de quoi t'offrir une olive…

Et pendant tout le trajet retour, il l'avait bassinée avec ça : son esprit, sa culture, les livres formidables qu'il avait écrits, son style, son flegme, son élégance et patati et patata.

Émois, sabir, caquetage et logorrhée du plumitif exalté, acte II, scène 3.

Elle l'écoutait babiller d'une oreille distraite en comptant le nombre de stations qu'il leur restait et puis, à un moment, il avait ajouté que cette ombre à l'écharpe blanche avait été le meilleur ami de Françoise Sagan, qu'ils avaient été jeunes, riches et beaux ensemble, qu'ils avaient lu, écrit, dansé, joué au casino et fait la bringue ensemble et ça, ça elle s'en souvenait, ça l'avait laissée bien rêveuse.

Dans un tunnel sous la terre, un soir glacial de novembre, elle avait collé son nez à la vitre pour ne plus se cogner à son terne reflet et avait songé à ce que ça avait dû être, de faire la chouille avec Sagan...

Oui, ça, ça lui parlait et elle regrettait, à présent, de n'avoir pas eu l'audace de le suivre dans son luxueux cocon. Lui... L'ami des Gatsby...

Main dans la main et en silence, ils avaient écopé ce soir-là leurs doutes, leurs rêves et leurs regrets dans un boyau de la ligne 9.

Et Bernard Frank était mort le lendemain.

Bonjour chagrin.

Mathilde freina.

Les palaces... Elle avait oublié les palaces...

Quelle gourde.

Elle mit pied à terre, observa le ballet des concierges qui s'agitaient autour de sublimes berlines immatriculées dans les paradis fiscaux, s'accouda à son guidon et, éberluée, salua une fois encore la roublardise et la toute-puissance de la vie.

Parce qu'il était là...

Bien sûr qu'il était là.

Derrière cette grande façade en pierre de taille, dans cet hôtel inabordable, rue du faubourg de saint Honoré, faiseur de miracles et saint patron des gourmands.

Il était là et les mots, elle était bien obligée de l'admettre, avaient toujours mené la danse. C'était eux qui les avaient présentés l'un à l'autre, c'était eux qui les avaient semés et c'était encore eux qui allaient les réunir.

Ainsi, c'était vrai : la littérature déchirait et elle n'avait pas toujours raison.

Elle reconnaissait ses torts avec soulagement et son amour de destructeur de jeunesse se disculpait enfin : peu importait qu'il les eût servis avec plus de tendresse qu'il ne l'avait aimée, elle, il avait tenu sa promesse.

*
* *

Presque 19 heures. Mauvais créneau pour des retrouvailles en cuisine...

Bah... Elle reviendrait.

Elle s'éloigna rassurée et, accoudée à son vieux Jeannot, admira son sourire dans toutes les vitrines du faubourg jusqu'à l'angle de la rue Royale.

Bien sûr, c'était hors de prix, pas toujours du meilleur goût et souvent difficile à porter, mais, n'empêche... elle le trouvait beau.

4

Trop beau, même...
Bien trop beau pour être vrai !

Vous y avez cru ? Sérieux ? Mais qu'est-ce que vous espériez ? Qu'elle se pointerait le lendemain matin en sautillant, qu'elle le ferait appeler et qu'il, chabadabada, chabadabada, apparaîtrait dans un halo flouté avant de courir vers elle au ralenti avec les pigeons qui s'envolent et la caméra qui tourne autour ?

Allons, allons, bande de foule sentimentale, mais c'est dans les films, ça. Ou dans les livres que son ex abhorrait. Là, on était dans la vraie vie hélas et notre rêveuse d'héroïne en était pour ses frais : l'entrée est interdite, les portes fermées et les caméras, de surveillance.

Bon. Ça commençait à bien faire, cette histoire... Tout cela ne l'amusait plus du tout et Mathilde Salmon, qu'on se le dise, en avait plein le cul de courir après un garçon.

Les rôles de composition, ça allait deux minutes.

Elle s'est donc assise sur le capot d'une voiture, a changé de chaussures, sorti sa trousse de maquillage, noué ses cheveux, poudré ses joues, allongé ses cils, dessiné ses lèvres, parfumé sa nuque et roulé son blouson en tapon sur son porte-bagages avant de remonter la rue en roulant des hanches.

Belle, sexy, pressée et archiblindée de thunes qu'elle était, elle a ignoré les concierges, les grooms, les réceptionnistes, les porteurs de bagages, les soubrettes et les clients.
Arrière.
Arrière, menu fretin qui vous teniez sur son chemin.

Elle a foulé une moquette épaisse comme son culot, longé des couloirs, ignoré les questions et autres remarques en russe et en anglais qu'on lui adressait au passage, arrangé sur ses épaules un boa invisible, cherché une salle de restaurant, contourné un aspirateur, souri pour la peine, visé les cuisines, poussé la porte et alpagué le premier venu :

— J'ai besoin de voir Jean-Baptiste immédiatement. Appelez-le-moi, je vous prie.

5

— De qui ? Vincent ?

— Non (ton dédaigneux), Jean-Baptiste. Je viens de vous le dire. Celui qui a les couteaux japonais.

— Oui, ben Jibé (ton des teigneux), il ne travaille plus ici.

Et d'un coup, Mathilde ne fut plus belle.

Ni riche, ni sexy, ni fière, ni rien du tout.

Elle ferma les yeux et attendit qu'on la fichât dehors en lui bottant le derrière. Déjà, un grand type à l'air pas commode s'amenait vers elle en s'essuyant les mains :

— Mademoiselle ? Vous vous êtes perdue ?

Elle lui répondit que oui et il lui indiqua la sortie.

Mais comme ça se voyait comme le nez au milieu de sa triste figure qu'elle était vraiment dans la dèche, et laide, et misérable, il a ajouté :

— Vous le connaissez ? Méfiez-vous... Moi aussi, je croyais le connaître et puis... et puis je me suis fait rouler quand même... C'était un bon second pourtant... Je lui ai dit, d'ailleurs, je lui ai dit... Mais je sais pas quelle mouche l'a encore piqué... Parce qu'il est pas commode l'animal, hein ? Oh, que non... Pas commode du tout... Depuis quelques semaines, il était plus à son métier, il m'a fait connerie sur connerie et puis il est parti.

— Vous savez où je peux le trouver ?

— Non, j'en sais rien... Et je vais vous dire : je veux pas le savoir. C'est un sale coup qu'il nous a fait, là... en pleine saison, comme ça... Ah, ça, oui, je le retiens... Un matin, il s'est pointé et c'était plus le même. Plus rien l'intéressait. Il aurait même pas fait la différence entre une pastèque et un bulot, ce cabochard. D'abord il a eu un arrêt de travail parce qu'il s'était brûlé, et puis bien encore, on a dû l'envoyer aux urgences et quand il est revenu, c'était plus lui. Il arrivait plus à se concentrer. « J'ai plus le goût », c'est tout ce qu'il a trouvé à me dire... Il a vidé son vestiaire et il a pris son compte. Et pour vous aussi, la sortie, c'est par là. Et si vous le croisez un jour, dites-lui de me rendre mon Grimod. Il comprendra.

Mathilde était en train de repasser devant les plantons de l'entrée et sentait qu'elle gênait à présent. Qu'elle devait presser le pas. Que cet accès, s'en souvenait-elle, était interdit à tout quêteur, démarcheur, colporteur et autres intrus étrangers au monde des repus.

Ouste.

Elle se dirigeait déjà vers sa belle Aston Martin à la dynamo cassée quand le jeune type qui l'avait le premier renseignée lui toucha le coude :

— C'est vous ?

— Pardon ?

— La fille de l'Arc de triomphe, c'est toi ?

À la douleur que lui causa son sourire, elle réalisa qu'elle s'était mordu la lèvre jusqu'au sang.

— Je m'en doutais. Il est en province... Il a rembauché chez son oncle... à Périgueux.

Doux Jésus. Périgueux. Et pourquoi pas l'Australie pendant qu'on y était ?

— Il a un numéro ?

— J'le connais pas. T'as de quoi écrire ? Je vais te noter le nom du resto. C'est pas du tout comme ici, tu verras. Ça sera plus facile de le trouver.

Elle consigna soigneusement ses instructions puis leva la tête pour le remercier :

— Pourquoi tu me regardes comme ça ? s'étonna-t-elle.

— Pour rien.

Il tourna les talons et fit quelques pas avant de se raviser :

— Hé !

— Oui ?

— Y avait quoi dans ton sac exactement ?

— Un atlas.

— Ah ?

Il avait l'air déçu.

6

Mathilde comptait repasser par chez elle pour prendre son ordi et sa brosse à d... oh, et puis non. Ils avaient déjà perdu bien assez de temps.

Elle hésita au premier feu rouge : Merde, Périgueux, c'était quelle gare, déjà ? Montparnasse ou Austerlitz ?

Bon, allez, petit empereur, puisque tu tiens la chandelle depuis le début, je vais te faire confiance jusqu'au sacre. Sur le plan tactique, on raconte que ce fut ta plus belle victoire et moi, sur le plan tactique, je suis un peu dans les choux, là. Alors, va pour Austerlitz...

Hé, tu me plantes pas, hein ?

Elle arrima son vélo à un parapet et se dirigea vers les guichets.

— Le billet ? lui demanda une Clémence débonnaire en gilet mauve, aller simple ou retour ?

Houlà. Simple. C'était déjà bien assez compliqué comme ça.

Désormais que du simple, s'il vous plaît.

Et si possible dans le sens de la marche pour une fois.

DERNIER ACTE

1

Ce fut une longue journée d'attentes. Dans cette gare d'abord, puis dans celle de Limoges et dans les rues du vieux Périgueux, enfin.

Bien qu'elle n'y fût jamais venue, cet endroit lui rappelait des tas de souvenirs. D'Artagnan était là, partout, qui s'engouffrait dans un estaminet en gueulant : « Holà, faquin ! Holà, tavernier du diable ! Ton meilleur vin ! » Sinon il y avait beaucoup de bouteilles d'huile de noix, des confits, des cous farcis et les mêmes enseignes de fringues que partout ailleurs dans le monde entier.

La fleur de lis en avait pris un coup dans la barrette. Il faut dire qu'en Chine, ils les brodaient pour beaucoup moins cher.

Bah... C'était notre monde... Il fallait l'aimer... Et puis ces vieilles pierres, là, qui vous racontaient des romans de cape et d'épée, ça, ça ne se franchissait pas.

Mathilde flânait car elle avait décidé d'attendre la fin du service. De se montrer dans la pénombre. Non que ce fût plus romantique, mais elle avait les foies.

Oui, elle nous la jouait badaude en philosophie du terroir mais, en vérité, elle n'en menait pas large, notre jeune amie. Le courroux du grand chef éconduit l'avait ébranlée. Peut-être que l'animal en question était réellement piqué au bout du compte. Peut-être qu'elle allait se jeter dans la gueule d'un loup... ou pire, d'un abruti. Ou d'un qui s'en tapait grave le coquillard de la petite bourge friquée des Champs-Élysées avec ses fausses promesses et ses mots qui s'en souviennent...

Ou, tellement, tellement pire encore : d'un qui lui dirait dans quelques heures et en lui indiquant la pendule :

— Désolé... On ne sert plus.

Oui, peut-être qu'elle était sur le point de perdre encore une vie à ce jeu idiot qu'elle s'était inventé pour passer le temps.

Misère...

Holà, tavernier ! Un Coca bien frais pour tenir la tripaille de la mignotte !

Place du marché, elle se mit sur la pointe des pieds et photographia un joli pèlerin sculpté dans la pierre et sur la route de Compostelle.

Clic-Clac. Souvenir de vacances.

Au pire, si les choses tournaient vraiment mal, elle s'en ferait un fond d'écran.

Genre de Post-it au bâton pour se rappeler à jamais combien il était risqué d'aimer son prochain et d'y croire encore.

2

Minuit moins le quart. Voilà deux bonnes heures qu'elle poireautait sur un muret en face de l'auberge du tonton.

L'endroit était coquet, plein de poutres, de cuivres, de rires et de tintements. D'Artagnan et sa bande s'y seraient beaucoup plu.

Les derniers lambins s'ébrouaient en songeant à régler leurs additions et le Coca ne faisait plus effet. Mathilde caressait son ventre en le suppliant de porter beau encore quelques instants.

Ses paumes aussi.

Ses paumes poissaient.

*
* *

À présent, il n'y avait plus de clients, mais on s'agitait toujours dans la salle. Une dame rentra le tableau noir posé devant la porte, un jeune garçon, un casque de moto sous le bras, la salua avant d'allumer une cigarette et de ficher le camp, un autre dressait de nouveau les tables qui venaient d'être libérées pendant qu'un gros monsieur moustachu en tablier de vigneron (l'oncle ?) s'affairait derrière un comptoir.

Ensuite plus rien.

Mathilde bouillait.

À force de lever en dedans, des jurons excédés parvenaient enfin à se faufiler entre ses dents, pourtant bien serrées.

Un bourdonnement dans la nuit :

— Putain, mais qu'est-ce qu'ils foutent, bordel ? Allez, allez... Cassez-vous, bande de cons. Cassez-vous. Et toi ? Tu sors quand, toi ? T'as pas fini de me faire tourner en bourrique, à la fin ? Allez, là... lâche tes culs farcis et sors un peu de ton boui-boui, merde...

Au bout d'une dizaine de minutes, la dame et le garçon réapparurent enfin et s'embrassèrent juste devant elle avant de s'éloigner dans des directions opposées puis toutes les lumières s'éteignirent.

— Hé ! fit-elle en sautant sur ses pieds avant de traverser la rue en courant, hé, je vais pas dormir là, moi !

Elle se cogna aux tables, fit tomber une chaise, jura dans sa barbe et, tel un éphémère, se dirigea vers l'unique source de lumière qui pouvait encore la guider : l'imposte, le hublot d'une porte de cuisine.

Elle la poussa lentement en retenant son souffle, sa fierté, ses chocottes et sa bidoche.

Un homme en veste blanche était concentré sur ses mains.

Debout, affairé, il bricolait un truc posé devant lui sur un plan de travail en inox.

— Tu peux y aller, je fermerai. Mais laisse-moi tes clefs, j'ai encore oublié les miennes ! lança-t-il sans quitter son ouvrage des yeux.

Elle sursauta.

C'est à sa voix qu'elle le reconnut tant il avait fondu.

— Au fait ? T'as prévenu Pierrot pour les ris de veau ?

Et comme hélas non, elle n'avait pas prévenu Pierrot, il a fini par lever la tête.

3

Son visage ne manifesta ni surprise, ni joie, ni étonnement.

Queue de chique.

Il la regardait.

Il la regarda pendant... c'était difficile à dire. Les secondes n'en sont plus vraiment dans ces cas-là, elles sont rares et comptent triple. Pendant une éternité, mettons.

Et elle, elle la bouclait. D'abord elle était épuisée et puis c'était bon, là. Elle avait fait sa part de boulot.

Elle ne bougerait plus un cil. À son tour à présent. À son tour, de prendre leur histoire en main. De dire une bêtise et de tout compromettre ou de dire... Elle ne savait pas, quelque chose qui lui permettrait de s'asseoir et de souffler enfin.

Il avait senti tout cela. Ça se voyait sur sa figure qu'il se battait avec les mots. Les mots, la fatigue et ses souvenirs. Qu'il cherchait. Qu'il était sur le point de, puis se dédisait. Qu'il avait peur et qu'il était aussi empêtré qu'elle.

Il baissa de nouveau la tête et revint à ce qui l'absorbait. Pour gagner du temps et parce qu'il était plus intelligent les mains occupées.

Une longue pierre rectangulaire bleue était posée devant lui : il affûtait ses couteaux.

Elle l'observait.

Ils jouaient au mikado avec leurs nerfs et ce chuintement calme et régulier les apaisait tous deux. C'était, se disaient-ils peut-être, autant de minutes de gagnées sur un éventuel éboulement de tout.

Il inspecta la lame, apprécia son tranchant en la laissant filer tel un archet sur l'ongle de son pouce gauche puis la tourna et se remit à son travail d'effileur.

Une sorte de pâte sombre s'était formée sur la pierre. Il y dessinait des boucles, des huit et des volutes en pesant de tout son corps sur les trois doigts qui guidaient l'acier.

Fascinée, elle détaillait ces ongles courts qui blanchissaient sous l'effort, leurs couronnes de pulpe durcie et tailladée et, caché sous le manche en ébène, le fameux annulaire décalotté.

Ce doigt-là, borgne, doux et pâle, elle eut envie de le toucher.

Sans lui jeter un seul regard, il tira vers lui un bol d'eau et caressa de nouveau la pierre pour l'humecter.

Les frottements de la lame, les petits poings rageurs de leurs cœurs trop longtemps enfermés, le bourdonnement de la chambre froide au loin les bercèrent encore un moment et puis on entendit des pas dans la pièce d'à côté, le CLAC ! d'un disjoncteur, le bruit d'une porte que l'on refermait, d'une paire de volets que l'on tirait et d'une serrure, non, de deux, que l'on actionnait.

Ils se trouvèrent plongés dans le noir et ce fut à ce moment-là seulement qu'elle le vit sourire : ses fossettes étaient dans sa voix.

— Ah... dommage... parce que comme je te disais à l'instant, j'ai oublié mes clefs...

Il savourait déjà et elle se taisait toujours. En tâtonnant derrière elle, elle trouva un tabouret, le tira et s'assit en face de lui.

Après tout ce bruit, le silence de nouveau.

— Ça me fait plaisir... murmura-t-il.

À force de la malmener, elle avait rouvert la petite plaie sur sa lèvre inférieure. Était-ce à son tour de parler ? Pitié, non, pas maintenant. Elle était trop fatiguée. Elle était venue jusqu'à lui parce qu'il ne l'avait pas volée, qu'il continue sur sa lancée.

Pour gagner encore quelques secondes de sursis, elle joua avec sa lèvre abîmée.

Elle la mordillait là où elle avait le plus mal et tétait son propre sang.

— Tu as maigri, reprit-il.

— Toi aussi.

— Oui. Moi aussi. Moi plus que toi. J'avais plus de marge, tu me diras...

Elle souriait dans le noir.

Il se balançait d'avant en arrière comme s'il avait voulu creuser, raboter, évider la pierre.

Au bout d'une minute encore, ou de deux, ou de trois, ou de mille, il ajouta toujours aussi bas :

— Je croyais que tu... que je... Non... Rien...

Scrrritch. Une mouche venait de s'électrocuter dans le halo bleuté d'un piège posé près du passe.

— Tu as faim ? finit-il par lui demander en la regardant pour la première fois de sa vie.

— Oui.

— Moi aussi.

Comme elle souriait, elle avait mal et comme elle avait mal, elle se léchait les babines.

Elle salivait sur sa lèvre pour la cautériser tandis qu'il essuyait soigneusement son grand couteau.

— Déshabille-toi.

YANN

Un, la couille

Cette semaine, c'est moi qui suis de fermeture. Je valide les dernières commandes, j'éteins les bécanes et je vérifie que les tiroirs et tous les présentoirs sont bien verrouillés.

J'avoue, c'est ce qui me gonfle le plus, j'ai l'impression d'être un petit bijoutier de province qui rentrerait chaque soir ses chaînes et ses gourmettes en plaqué sans sourciller, mais Éric, un collègue du cinquième, s'est fait piquer pour plus de 3 000 balles de matos le mois dernier et je sais qu'il n'est pas au bout de ses peines avec cette histoire.

Oh, on ne lui a pas dit que c'était un voleur, non, on le lui a fait comprendre.

— Tu sais, quelquefois je me dis que c'est ce qui pourrait m'arriver de mieux. Être obligé de leur rendre mon badge et calmer ma copine avec ses rêves de crédit. Ne plus prendre le RER... Ne plus commencer la journée par cette humiliation-là... À peine réveillés et déjà parqués, amassés, concassés... Toute cette viande de banlieue hagarde et résignée comme toi et qui lit les mêmes conneries que toi dans les mêmes journaux gratuits que toi et exactement en même temps que toi... Je te jure, c'est ce qui me déprime le plus, tiens... m'avait-il confié en soupirant alors que nous participions à une journée de formation sur leur nouveau logiciel de vente, ouais... dommage que j'aime encore ma copine...

Nous avions échangé un sourire et puis une nouvelle intervenante est arrivée et on n'a plus moufté.

(Si on se fait mal voir de cette dame, elle le répète à notre chef et on perd notre prime de *Business, Care & Involvement*.)

(De fayot.)

Donc, voilà. J'enferme tout.

Ensuite les lumières du showroom s'éteignent, j'emprunte le monte-charge et je longe des kilomètres de couloirs éclairés seulement par les bitoniaus de secours.

Je cavale à cause de l'alarme.

Dans le vestiaire, je cherche mon casier, je compose un code – encore un, le dixième de la journée, j'imagine – et j'échange mon gilet « Yann, que puis-je pour vous ? » contre un vieux caban pourri qui dit assez bien que le pauvre petit Yann, il ne peut plus rien pour personne. Je cours encore à cause d'*une autre* alarme et je me retrouve dans un cul-de-sac derrière le boulevard Haussmann entre deux rangées de poubelles et un maître-chien qui prend son tour de garde.

Quand c'est le gros au doberman, on fume une clope en causant météo, tuning et PSG (enfin, lui il cause et moi je relance) et quand c'est l'autre, le rottweiler, j'attends d'être au bout de l'impasse pour me détendre.

Ce n'est pas son outil de travail qui me terrifie, c'est son regard.

On se demande toujours *qui* lit le magazine *Détective*. Eh bien, lui, par exemple, lui...

Ce mec-là, un gros titre comme « Lili, trois ans, battue à mort, violée, torturée et brûlée vive », ça le branche, comme il dit. Ça le branche bien.

Ce soir, c'est la semaine du gentil et c'est moi qui ai dégainé mon paquet le premier. Il est soucieux car un chiot de sa chienne, pas celle-ci, une autre, une qui ne fait que du parking (?), a une couille qui ne descend pas.

J'étais sur le point de trouver ça excellent, mais coup de bol, je me suis retenu à temps.

Ce n'était pas drôle du tout. C'était dramatique, même. Sans couille, pas de LOF et sans LOF, pas de thunes.

— Elle finira peut-être par descendre, non ?

Il n'avait pas l'air convaincu :

–Bah... Peut-être... Peut-être oui, peut-être non. *Inch'Allah*... Le Ciel dira...

Pauvre Allah, songé-je en m'éloignant, j'espère qu'Il a un mec au bureau des prières qui Lui fait un premier tri avant d'envoyer tout ça dans les tuyaux...

Deux, la vermine

Le caducée de la pharmacie américaine m'informe qu'il est déjà 22 h 10 et que la température extérieure est de – 5°.

Personne ne m'attend, Mélanie est encore barrée à l'un de ses séminaires et il est trop tard pour aller au cinéma.

Je me dirige vers la station de métro la plus proche et puis je renonce. Je ne peux pas me remettre dans une boîte maintenant, je vais crever.

Il faut que je marche. Il faut que je rentre à pied et que je traverse Paris en tapant dans mes mains et en soulevant mon bonnet de temps en temps pour tuer la vermine.

Oui, il faut que j'en bave, que j'aie froid, que j'aie faim et que je profite d'être enfin seul pour me coucher enfin mort.

Je dors mal depuis des mois. Je n'aime pas mon bahut, je n'aime pas mes horaires, je n'aime pas mes profs, l'odeur des vestiaires, la cantine et les benêts qui m'entourent. À vingt-six ans, je souffre des mêmes insomnies qu'à douze, sauf qu'à vingt-six ans, c'est mille fois pire parce que c'est moi qui me suis mis dans ce merdier tout seul. C'est *moi*.

Je ne peux pas en vouloir à mes parents et je n'ai même plus de vacances…

Qu'est-ce que j'ai fait ?

Hein ?

Qu'est-ce que t'as fait ?

C'est vrai, ça ! Mais qu'est-ce que t'as encore fait, mon con ?!

Je me maudis tout haut et tout du long car le souffle tiède qui porte ma colère me réchauffe le bout du nez.

Les clodos sont à peu près planqués, ceux qui sont en train de boire pour tenir le coup seront morts demain et la Seine est bien noire, bien lente et bien sournoise. En s'immisçant entre les piles du Pont-Neuf, elle crée un appel d'air sans faire le moindre bruit. Elle chasse. Elle traque les grosses fatigues, les salariés rompus, la gamberge des petits gars sans talent et les questions dans la nuit. Elle repère les manques d'aplomb et les parapets glissants. « Venez, feule-t-elle, venez… Ce n'est que moi… Allons… Nous nous connaissons depuis si longtemps… »

J'imagine son contact froid, les vêtements qui gonflent avant de t'alourdir, le choc, le cri qui te vient, la tétanie… Tout le monde imagine ça, non ?

Si. Bien sûr que si. Tous les gens qui ont dans leur vie quotidienne un fleuve sous la main ont ce genre de vertiges.

C'est rassurant.

Diversion :

Message de Mélanie : « Suis crevée vais me coucher temps de merde bisou. » Avec une petite preuve de bisou à la fin. (Un truc jaune avec de grosses lèvres qui clignotent.) (Émoticône, ils appellent ça.)

Émoticône. Le nom est aussi vulgaire que la chose. Je hais ces trucs de feignants. Au lieu d'exprimer un sentiment, on l'expédie. On appuie sur une touche et tous les sourires du monde sont pareils. Les joies, les doutes, le chagrin, la colère, tout a la même gueule. Tous les élans du cœur se retrouvent réduits à cinq ronds hideux.

Putain, quel progrès...

« Bonne nuit, je lui réponds. Je t'embrasse. »
Ce n'est pas tellement mieux, hein ?
Non. Pas tellement. Enfin, c'est un baiser en trois mots quand même... Et puis l'apostrophe est jolie...
Il n'y en a plus tellement, des garçons qui se donnent la peine de texter les apostrophes de nos jours. Sont-ce les mêmes qui s'imaginent noyés ?
J'ai bien peur que oui.

Mon Dieu, je ne suis pas gai ce soir.
Pardon.
Voilà un moment que ça me tient, ce truc-là. Ce découragement, ces envolées lyrico-tocardes, ce besoin d'en découdre avec d'autres, avec tous les autres, pour noyer le poison. Mélanie soutient que c'est une question de météo (fin de l'hiver, manque de lumière, dépression saisonnière) et de marasme professionnel (aucune nouvelle des promesses que l'on m'avait faites, manque d'ambition, désillusions). Bon. Pourquoi pas ?

Elle a de la chance, elle appartient à cette catégorie d'êtres humains qui trouvent des causes et des solutions à tout : les acariens, le droit de vote des immigrés, la fermeture de la droguerie de la rue Daguerre, les verrues de son père et ma mélancolie. D'une certaine façon, je l'envie. J'aimerais être ainsi tenu.

J'aimerais que tout soit aussi simple dans ma tête, aussi facile, aussi... *matérialisable*.

Ne jamais douter. Trouver toujours des suspects, des fautifs, des coupables. Foncer dans le tas, trancher dans le vif, sommer, juger, sabrer, sacrifier et avoir la certitude que mes vapeurs de chochotte existentialiste se dissiperont au début du printemps pour disparaître complètement avec 200 euros de plus sur ma feuille de paye...

Hélas, je n'y crois pas un seul instant.

J'aurai vingt-sept ans en juin et je n'arrive pas à savoir si c'est encore jeune ou si je suis déjà vieux. Je n'arrive pas à me situer sur la frise. C'est très flou, cette affaire. De loin, on dirait un adolescent et de près, un vieux con. Un vieux con déguisé en lycéen : la même fausse bonhomie, les mêmes Converse, le même jean, la même coupe de cheveux et les mêmes romans de Chuck Palahniuk dans le même sac à dos usé.

Un schizo. Un clandestin. Un jeune homme du début du XXIe siècle, né dans un pays riche et élevé par des parents aimants, un petit garçon qui a tout eu : les baisers, les câlins, les goûters d'anniversaire, les manettes de jeux, la familiarité des médiathèques, les pièces de la petite souris, les Harry Potter, les cartes Pokémon, les cartes Yu-

Gi-Oh, les cartes Magic, les hamsters, les hamsters de rechange, les forfaits illimités, les voyages en Angleterre, les sweats à la mode et tout le reste, mais pas seulement.

Pas seulement...

Un petit garçon né à la toute fin du XXe siècle, à qui l'on a répété depuis qu'il est en âge de jeter ses papiers de bonbons à la poubelle que la nature souffre par sa faute, que les forêts disparaissent dans l'huile de palme de ses petits pains au chocolat, que la banquise fond quand sa maman démarre le moteur de leur voiture, que les animaux sauvages sont tous en train de crever et que, s'il ne referme pas le robinet à chaque fois qu'il se brosse les dents, eh bien, tout ça sera en partie à cause de lui.

Puis un élève curieux et conciliant que ses manuels d'histoire ont fini par décourager d'être né blanc, cupide, colonisateur, lâche, délateur et complice tandis que ceux de géographie ne cessaient – année après année – de lui rabâcher les chiffres alarmants de la surpopulation mondiale, de l'industrialisation, de la désertification, de la pénurie d'air, d'eau, d'énergies fossiles et de terres arables. Sans parler de ceux de français qui finissaient toujours par vous dégoûter de lire à force de vous obliger à tout saloper – *Relevez et ordonnez le champ lexical de la sensualité dans ce poème de Baudelaire*, boum, terminus, tout le monde débande –, de langue, qui vous rappelaient d'une année sur l'autre how much you were ouna mayouscoula Scheise et de philo, enfin, qui s'avérèrent être un grand concentré de tout ce qui précède, mais en bien plus implacable : « Hé, toi, petit

Blanc falot qui bande mou et qui fait rire tout le monde avec ton accent pourri, cherche et ordonne le champ lexical du gâchis de ta civilisation, s'il te plaît. Tu as quatre heures. »

(Hep, hep, hep, ton brouillon... dans la poubelle jaune.)

Et quand ce viatique anxiogène au possible est enfin intégré, digéré, su, répété dans des copies d'examens et reporté dans les statistiques de réussite au baccalauréat, vas-y que je te rajoute par là-dessus quelques années d'études pour que tu ne viennes pas t'engorger trop vite dans les portillons de l'avenir.

Et toi, bon con, tu fais tout comme il faut : les révisions, les examens, les diplômes, les stages.

Les stages pas payés, les stages non rémunérés, les stages sans contrepartie financière, les stages pour l'honneur et ceux pour la gloire. Les CV. Les CV avec la photo qui plaît. Les CV en papier, en ligne, en relief, en vidéo, en veux-tu, en voilà, en n'importe quoi. Les lettres de motivation. Les mails de motivation. Les vidéos de motivation. Les... tout ce fatras de baratin à la con dans lequel tu ne sais même plus quoi inventer tellement tu n'y crois déjà plus, tellement ça te déprime, d'avoir à te battre si dur et si tôt pour avoir le droit de cotiser comme les autres.

Mais tu continues. Tu continues vaillamment : les pôles pour l'emploi, le Pôle emploi, les salons pour l'emploi, les chasseurs de têtes, les petites annonces, les jobs alertes, les plates-formes de recrutement, les codes d'accès à votre espace candidat, les abonnements aux flux des offres, les faux espoirs, les entretiens perdus d'avance, les face-bookmakers qui ne te cotent même pas en rêve, le beau-frère de ton parrain qui va en parler à ses amis du Lions, les coucou-copain-d'avant, tu sais j'en ai toujours un peu rien à foutre de ta gueule, mais ton père il avait pas une usine, au fait ? les agences d'intérim, les pistons imparables, les pistons foireux, les pistons bien pourris, les sites d'annonces qui deviennent de plus en plus payants et les assistantes de DRH de moins en moins gracieuses, les... Oui, tu as toujours assuré, tu n'as jamais jeté un seul papier par terre de toute ta vie, tu n'as jamais mis tes pieds sur la banquette d'en face, même très tard, même explosé, même quand tu étais seul dans le compartiment et tu as eu ton diplôme sans embêter personne, sauf que hé... pas de chance, dis donc. Y en a pas, du travail pour toi.

Ben, non, y en a pas. Y te l'avaient pas dit, t'es sûr ? Ça m'étonne... Tu devais encore bavarder avec ta voisine de gauche...

Ho, mon gars ! Réveille-toi ! C'est la crise !

Et alors ! écoute les infos au lieu d'apprendre un métier, tu perdras moins ton temps !

De quoi ? Tu ne comprends pas ? Attends, bouge pas, chaton, on va te résumer la situation :

Tu es jeune, tu es Européen et tu es gentil ?

Eh bien, tu vas prendre cher, mon ami !

On te ressasse à longueur d'ondes que la dette de ton pays s'élève à cent mille milliards de milliards de dollars, que ta monnaie ne vaudra bientôt plus rien, que si tu ne sais pas parler le chinois, ce n'est même pas la peine d'essayer, que le Qatar est en train de tous nous racheter, que l'Europe, c'est fini, que l'Occident, c'est fichu et que la planète, c'est foutu.

Voilà. C'est tout.

Panem et circenses. A y est. Nous y sommes.

Crois-moi, petit, y a plus qu'à regarder le foot en attendant l'apocalypse...

Allez. Couché, on t'a dit. *Fly Emirates* et tais-toi.

Et puis cesse donc de t'agiter comme ça. Arrête de cliquer, de téléphoner et de courir postuler partout, s'il te plaît. C'est mauvais pour la couche d'ozone.

*
* *

Je ne sens plus mes pieds. Dans le haut du boulevard Saint-Michel, juste après les serres du jardin du Luxembourg, des flics à jumelles sont en train de piéger des automobilistes distraits et fatigués.

Tandis que je les dépasse, tête baissée et le nez vissé dans mon écharpe, je les entends qui demandent ses papiers à une jeune femme en doudoune bleue. Je ne sais pas si c'est à cause du froid ou de ses points, mais elle a l'air tétanisée. Elle cherche nerveusement ses papiers dans son sac et laisse tomber un trousseau de clefs. À l'arrière, un bébé dort dans un siège auto. Elle ne devait pas aller si vite que ça car sa voiture, c'est une vieille Mini. L'ancien modèle. Celle dessinée par Sir Alec Issigonis. Cette pure merveille.

Je l'entends qui dit :

— Attendez, non… Il y a le chauffage…

— S'il vous plaît, lui répond le petit gradé, coupez le moteur du véhicule immédiatement. Ce ne sera pas long.

Je passe mon chemin, désorienté.

C'est quoi, ce pays ?

Cette taule démocratique dont les forces de l'ordre n'ont rien de mieux à faire que de tendre constamment des pièges aux moins farouches de ses concitoyens ? Ça veut dire quoi exactement ?

Elles sont si vides que ça, les caisses ?

C'est quoi, les mecs qui font ce boulot-là ? Qui sont payés pour aller emmerder une femme à minuit un mardi de février sous prétexte qu'il doit lui manquer un bout de phare ou que sa plaque se décolle ? Hein ? C'est quoi ? Et quand ils insistent pour qu'elle coupe le contact par – 6° alors qu'il y a un môme qui pionce dans l'habitacle, ça se passe comment dans leur tête ?

C'est si avantageux que ça, d'être fonctionnaire ?

Et toi, au fait ? C'est quoi, toi ? Ce petit merdeux offensé qui est sans arrêt en train de nous tenir de grands discours moralisateurs et qui n'est même pas capable de prendre la défense d'une jolie maman. D'une fille qui roule en Mini 1000, encore en plus. Hein, dis-nous un peu : c'est qui, cette brêle ?

Toi aussi, t'as une couille qu'est pas descendue ?

Ou c'est qu'elle a gelé, alors…

Diversion :

Avant de dessiner la Mini, Issigonis avait déjà livré la Morris Minor et ensuite, l'Austin 1 100.

Pas mal...

Quand William Morris, le big boss, vit la Minor pour la première fois, il fut horrifié. *Holy God*, he said, *a poached egg*. Un œuf poché.

La Minor eut un succès considérable.

Pourtant, Issi crut qu'il ne parviendrait jamais à obtenir son f***ing diplôme d'ingénieur en génie mécanique qu'il loupera trois fois de suite à cause des mathématiques. C'est le dessin qui le sauvera. En dessin, c'était un prince. Les règles, les postulats, les lois de la physique et des mathématiques l'assommaient, pire même, c'était selon lui *the enemy of every truly creative man*, le grand ennemi de tout homme réellement inspiré. De même, il se fichait complètement des politiques commerciales, des prévisions, des business plans, des études de marché et de tous ces ancêtres du marketing moderne. Il avait mauvais caractère.

Il soutenait que pour dessiner une nouvelle voiture, la première règle à suivre était de ne pas copier la concurrence. Il était indépendant, libre et obstiné et ne nourrissait pas beaucoup d'estime pour tout ce qui émanait des intenses séances de brainstorming des bureaux d'études. On lui doit cette phrase géniale : *A camel is a horse designed by committee*, un chameau est un cheval mis au point par une équipe.

Je sais tout cela parce qu'avec mon école (cet enseignement supérieur cher à mon cœur et aux petites économies de mes parents) (et qui ne me sert strictement à rien à l'heure où je vous parle), j'ai visité le *Design Museum* de Londres.

Wow, such a nice sôuhveunhir...

Allez... J'y suis presque... Il fait tellement froid que le lion de la place Denfert-Rochereau semble s'être recroquevillé sur son socle. Un gros matou contrarié.

J'avais choisi cette voie parce que je dessinais bien moi aussi et que, n'en déplaise à Sir Alec, j'étais bon en mathématiques. Enfin... n'exagérons rien... pas assez pour prétendre aux grandes grandes écoles quand même... Et puis curieux... Curieux des arts, de l'histoire, de l'histoire de l'art, des arts décoratifs, de la technologie, du monde de l'industrie, des techniques industrielles, de l'ergonomie, de la morphologie, des choses, des gens, des meubles, de la mode, des textiles, de la typographie, du graphisme, de... de tout, en vérité. De tout, tout le temps et à toutes les époques. Le seul hic, c'est que je ne suis pas doué. Non, non, c'est vrai. Je l'ai appris aussi. Pas doué et absolument pas formaté pour avoir l'orgueil ou le génie de créer *autre chose*. L'école m'aura au moins servi à ça : à me connaître et à mesurer le chemin qui me séparait d'un Gio Ponti ou d'un Jonathan Ive, par exemple. (Je sais, je sais... c'est devenu très ringard de dire du bien du designer d'Apple, mais être pris pour un ringard parce que j'assume pieusement et très humblement tout le respect qu'il m'inspire, ça me va.)

J'aurais dû passer un diplôme de documentaliste et postuler à la bibliothèque des Arts et Métiers ou à celle de l'ENSCI à la place, j'aurais été très heureux. Mon seul talent, c'est de reconnaître celui des autres.

Faiblesse qui m'avait été diagnostiquée lors d'un de mes innombrables entretiens d'embauche, d'ailleurs :

— En somme, jeune homme, vous êtes un dilettante.

Merde.
C'est grave ?

Évidemment, j'aurais dû m'orienter vers une filière moins cruelle (car entendons-nous : dans le monde du design, soit tu es un visionnaire, soit tu es totalement inutile) (j'aurais perdu toutes mes illusions dans la bataille, mais pas mes idéaux), moins cruelle, disais-je, et mieux adaptée à mon dilettantisme, hélas, le truc vraiment ballot, c'est que j'ai eu peur – si je suivais ma pente naturelle – de ne pas avoir de boulot.

Ha ! Ha ! le Yannou... Comme il aura trop bien modélisé sa life...

De loin, on dirait un chameau.

Début de la rue Boulard. Je chauffe. Tant mieux parce que je commence à morver des stalactites, là...

Où en étais-je déjà ? Ah, oui... Mon destin.

Donc, à ce jour et pour la faire courte, je suis diplômé d'une école de design et je suis... euh... comment dire... démonstrateur, oui, c'est ça, démonstrateur de petits robots coréens réservés à l'usage domestique, ludique et ménager des classes moyennes ludiques, domestiques et ménagères.

Le petit aspirateur teckel qui rentre tout seul dans sa niche quand il a léché toute la poussière, les baffles lumineux qui créent des ambiances différentes selon la musique qu'ils diffusent, le pommeau de douche qui fait aussi radio numérique intergalactique et le réfrigérateur intelligent qui te rappelle tout ce qu'il a dans le bide à chaque fois qu'il reconnaît le son de ta voix : état des stocks, dates de péremption, nombre de calories des aliments qu'il couve, affinités entre les produits, art d'accommoder les restes et tout et tout.

Hé, c'est pas magnifique, ça ?

Gio Ponti serait épaté.

J'ai obtenu un contrat en CDI (oui, le CDI, l'Anneau unique, la Black Lotus, le Graal, le Saint Graal) (*Hanenim Kamsa hamnida*) (merci mon Dieu en coréen) dans une espèce de gourbi hightech qui présente ses invraisemblables merveilles à une vieille Europe éberluée.

En bref, je suis représentant de commerce chez Dartyyongg.

Mais, attention, ce n'est que provisoire, hein ?

Mais oui, c'est ça, c'est ça...

Allez... Va te coucher, petit Miko...

Non seulement je n'ai pas tué la vermine, mais on dirait même que je l'ai asticotée.

Quel idiot.

Après avoir composé le dernier code de la journée, je cale un bout de carton dans l'entrebâillement de la porte cochère pour l'empêcher de claquer et procède de même avec celle du hall.

Si seulement, soupiré-je, si seulement le seul clochard du quartier qui n'a pas déjà dérouillé à l'heure qu'il est pouvait avoir le bon goût et la délicatesse de venir se réchauffer à mon petit stratagème, j'avoue, cela me ferait du bien à l'ego.

Je monte mes deux étages au pas de course pour ne pas perdre un orteil dans les escaliers, j'épluche une banane que je trempe dans un fond de vodka, je vide le chauffe-eau et je meurs enfin.

Trois, les Chamonix

Aujourd'hui je finis plus tôt que d'habitude, mais je suis toujours célibataire. Mélanie ne rentre que jeudi.

Je l'ai eue tout à l'heure au téléphone : l'hôtel est moins bien que prévu, le spa est fermé et sa team est nulle.

Bon…

(Elle est visiteuse médicale et le labo qui l'emploie organise régulièrement des séminaires de remotivation pour les aider, tous autant qu'ils sont, à surmonter le grand trauma des génériques.)

— Tu feras les courses, hein ?

Bien sûr. Bien sûr que je vais faire les courses… Voilà deux ans que je m'y colle, je ne vais pas révolutionner notre vie de couple ce soir…

— Et n'oublie pas la carte de fidélité. La dernière fois, j'ai calculé, tu nous as fait rater au moins soixante points.

Mélanie est une consommatrice avertie. Soixante points, c'est dur.

— Non, non. Je n'oublie pas. Allez, je te laisse parce qu'il faut que j'aille sortir mon petit Wouf-Houf, là…

— Pardon ?

— Mon petit aspirateur.

— Ah...

Quand elle dit « Ah... » comme ça, je me demande ce qu'elle pense vraiment. Est-ce qu'elle est accablée ? Est-ce qu'elle parle de moi à ses collègues ? Est-ce qu'elle leur dit : Moi, mon mec, il vend des Wouf-Houf de toutes les couleurs ?

J'en doute. Elle qui pensait avoir rencontré le nouveau Starck, elle se retrouve avec le clic droit d'Ubaldi.com, ça craint. En plus, je la soupçonne de croire que je passe mes journées à faire joujou avec des gadgets. Si elle savait... C'est plus facile de refourguer des anticoagulants qu'un Frigidaire qui te pète les couilles à chaque fois que tu rentres dans ta cuisine... Bon. Passons. Je termine plus tôt, mais je ne vais pas me cogner le Franprix car j'ai repéré un cycle Sidney Lumet au Grand Action et *Running on Empty* ne passe que ce soir à 21 heures.

Merci la vie.

J'ai vu ce film avec mon cousin (probablement dans cette même salle) quand j'avais quinze ans soit à peu près l'âge de River Phoenix dans le rôle de Danny Pope et j'ai été tellement ému qu'en sortant du cinéma je me suis laissé rouler dessus par un autobus. Véridique. Quatre orteils de cassés sur dix.

Autant dire que la perspective de le revoir fait battre mon cœur car, et c'est un secret que Mélanie ignore, moi aussi, à ma façon, je cumule les points de fidélité.

Je décide de repasser par la maison pour me changer et manger un morceau avant de trouver un Vélib'.

(Le vélo c'est bien quand on sort d'un grand film : le phare fait projecteur et les plus belles scènes t'éclairent dans la nuit.)

Quand j'atteins mon palier, une baguette à moitié mangée dans une main et mon courrier sans intérêt dans l'autre, je tombe nez à nez avec un meuble. Un genre d'armoire en Formica bleu. Comme elle est posée en biais, elle me bouche le passage et comme je ne suis pas manchot, je pose mon barda dessus pour la déplacer d'un mètre. Tandis que je procède ainsi, j'entends une petite voix pointue :

— Maman ! Maman ! Y a un monsieur qui est coincé !

Puis une moyenne voix :

— Tu entends, Isaac ? Tu as entendu ce que vient de dire ta fille ? Mais fais quelque chose, voyons !

Et enfin, la grosse voix de Papa ours :

— Ah ! Les Bougresses ! Ah ! Bougres de femelles ! C'est ma mort que vous voulez, c'est ça ? Vous voulez que je succombe sous le poids de cette horreur pour toucher mon héritage ? Jamais ! Jamais, vous m'entendez ? Jamais je ne vous laisserai les curiosa de Grand-Papa ! (puis, d'une voix plus douce et à mon intention) Pardon, voisin, pardon... Vous vous en sortez ?

Je lève la tête et j'aperçois au-dessus de l'arrondi de la rampe du quatrième étage une figure rougeaude encadrée d'une grosse barbe et, entre les barreaux, deux petites Boucle d'or qui me dévisagent gravement.

— Aucun souci, je lui réponds.

Il me salue et je m'éloigne en tournant ma clef le plus délicatement possible pour pouvoir entendre la fin de la scène.

— Allez, venez, les puces... Vous allez prendre froid.

Mais Maman ours ne l'entend pas de cette oreille :

— Et Hans alors ?

— Hans est un con. Nous avons eu un différend au premier et il m'a laissé en plan avec ta merde au deuxième. Voilà, si tu veux tout savoir, voilà ! HANS-EST-UN-CON ! (en détachant bien les syllabes et assez fort pour être entendu de tout l'immeuble). Allez, les filles, filez maintenant ou je vous enferme dans la saloperie que votre mère a payée deux cents euros à un bandit.Vintage, vintage, je t'en foutrais du vintage, moi... Et dépêchez-vous, péronnelles ! Votre seigneur a faim !

— Alors là, mon ami, mettons-nous bien d'accord : aussi longtemps que mon joli petit buffet sera dans les escaliers, tu n'auras rien à dîner.

— FORT BIEN, PETITE MADAME ! FORT BIEN ! PUISQUE C'EST AINSI, JE VAIS CROQUER VOS FILLES !

Le monsieur hurle comme un ogre et des tas de petits cris stridents crépitent dans toute la cage d'escalier.

Je me retourne émerveillé : les flammèches d'un cierge magique...

Leur porte claque et, allez savoir, je n'ai plus du tout envie de rentrer chez moi.

J'irai au kebab.

Je redescends songeur.

Elle, je l'ai croisée une ou deux fois, le matin, alors qu'elle emmenait ses filles à l'école. Elle est toujours échevelée, toujours à la bourre et toujours courtoise. Mélanie râle parce qu'elle gare sa poussette n'importe comment dans le hall. Une poussette pleine de jouets, de seaux, de sable et de miettes. Quand il y a des packs d'eau ou de lait en bas des escaliers, je les soulève au passage et les dépose sur les premières marches qui montent après notre palier, ainsi ont-ils fait un peu plus de la moitié du chemin tout seuls.

Mélanie lève les yeux au ciel : un livreur en plus d'un démonstrateur, ça fait beaucoup.

Un jour qu'elle, la maman du quatrième, me remerciait en coup de vent et trop vivement de ces modestes coups de main, je l'ai rassurée en lui avouant qu'il m'était arrivé, pour ma peine, de lui piquer un ou deux Chamonix oubliés dans le bas de leur poussette. J'ai entendu son rire au loin et le lendemain il y avait un paquet entier sur mon paillasson.

Je ne l'ai pas dit à Mélanie.

Lui, c'est la première fois que je vois son visage, mais il me semble que j'entends son pas, tard le soir.

Je sais qu'il est abonné à *La Gazette Drouot* car elles dépassent de leur boîte aux lettres et aussi qu'il roule en break Mercedes car les mêmes gazettes traînent sur le tableau de bord.

Un matin je l'ai aperçu qui récupérait un PV sur son pare-brise avant de ramasser une crotte de chien avec et de balancer le tout dans le caniveau.

C'est tout ce que je sais d'eux. Il faut dire que nous ne sommes pas là depuis très longtemps…

Les curiosa de Grand-Papa… J'en souriais d'aise.

C'était savoureux, leur petit numéro. En réalité, ils s'apostrophaient à la manière de grandes gueules du théâtre de boulevard. Ou d'une opérette, plutôt. Oui, d'une opérette. Lui, tonnait plus qu'il ne braillait – Bougres de femelles ! Vintage ! Vintage ! (entendre vaintage) Fort bien, petite madame ! – et sa partie du livret résonnait encore à mes oreilles.

Je souriais en tenant la rampe.

Je souriais dans l'obscurité parce que la minuterie en avait décidé ainsi et que j'étais bien, dans le noir, à me repasser en boucle ce cadeau tombé du ciel : un peu de la vie parisienne à la manière d'Offenbach.

Je n'avais pas mis un cil dehors qu'une bourrasque glacée me remettait les idées en place.

Dieu que je suis long à la détente. J'ai tourné les talons et suis remonté au pas de course.

Quatre, la marquise

— Il vous gêne, c'est ça ?

Il ne fredonnait plus. Il était presque aussi large que l'encadrement de sa porte, il portait un gilet à carreaux, une chemise rayée, un nœud papillon à pois et toutes les couleurs de l'arc-en-ciel se partageaient là un peu de laine, de coton et de soie. Je ne sais pas si c'était à cause de sa petite taille, du gilet chamarré ou de la barbe, mais il me rappelait l'énhaurme, le truculent personnage de Gareth dans *Quatre Mariages et un enterrement*. Ses fillettes avaient déjà rappliqué et levaient vers moi le même visage anxieux que tout à l'heure. Mais c'était chiqué. On sentait que ces petites avaient le goût du drame et que leur apparente gravité faisait partie du spectacle : elles en voulaient encore.

— Non, non, pas du tout ! Mais je me disais que je pouvais vous aider à le monter jusque chez v...

Sans me laisser le temps de finir, il se retourne et barrit :

— Alice ! Je connais enfin votre amant ! Mais c'est qu'il est très joli garçon... Je suis fier de vous, mon amour !

— Mais... enfin... duquel parles-tu ? pépia l'infidèle.

Et Alice a paru.
Et Alice est apparue.

J'ignore laquelle de ces deux expressions dirait mieux l'effet que je voudrais rendre. La voisine du dessus, la maman à la poussette, la semeuse de miettes et de briques de GrandLait s'est approchée. Elle m'a reconnu et m'a souri. Si, en même temps qu'elle me souriait de la sorte en me regardant droit dans les yeux, elle ne s'était accoudée à l'épaule de son mari (elle était beaucoup plus grande que lui) et n'avait négligemment passé un bras autour du cou de cet homme, je serais tombé amoureux d'elle direct. Là maintenant tout de suite et pour la vie. Hélas, il y avait ce détail, ce « négligemment » qui compromettait notre chance de grand bonheur. Car c'était cela qui la rendait si belle et si sexy. C'était cette douceur, cette confiance, cet instinct qu'elle avait eu de se coller à lui, même ici, même sur le pas de leur porte, même un torchon à la main et pour rien. Pour venir aux nouvelles... C'était parce qu'elle adorait son cabotin de petit bonhomme (ça se sentait) qui l'adorait en retour (ça se voyait) et qui devait beaucoup lui faire l'amour qu'elle pouvait se permettre de m'allumer ainsi avec une candeur aussi trash.

Hop, hop, hop, bonne mère... C'était chaud.

Bien sûr, sur le moment, j'étais trop troublé pour analyser tout ce que j'étais en train de comprendre et je me suis contenté de lui rebavoter ma proposition d'aide.

— Oh, merci ! C'est gentil ! s'est-elle réjouie et elle a aussitôt commencé à soulever la veste de son mari comme si c'eût été une cape en satin.

En y mettant ce qu'il fallait de cérémonie, mais en le poussant légèrement au derrière.

Très Mary Poppins et Rocky Balboa.

Il a pesté, il a défait ses boutons de manchette qu'il a confiés à l'une de ses filles puis son nœud papillon, à la seconde, ensuite il a remonté les manches de sa chemise (laquelle était en coton très fin et donnait en effet très envie de le peloter) et s'est tourné vers moi.

Il était tout rond, rond comme un petit bouchon, ou comme Michka le petit ours et, tandis qu'il descendait les escaliers une demoiselle dans chaque main, je procédai mentalement à une sorte de TP de physique pour déterminer s'il valait mieux qu'il se plaçât devant ou derrière le meuble.

Devant.

Ce n'était pas si lourd que ça, mais évidemment, il en a fait des tonnes et ses groupies étaient aux anges.

À chaque marche, il éructait un juron formidable : Par les saintes mamelles de mon cul ! Coquin de sort ! Mille millions de wagons de pines en fleurs ! Nom d'une loquette à morue ! Bidet de la Maintenon ! Ostensouère à enfumer les cocus ! Chierie céleste ! Saloperie de Belzébuth en Formica de mes chnolles ! j'en passe et de mieux ciselés encore…

À chaque outrage, ses filles le houspillaient plus fort en levant les bras au ciel :

— PAPA !

Je fermais le ban et buvais du petit-lait en me tapant tout le boulot.

Que leur resterait-il pour plus tard après une enfance pareille ? me demandais-je. Une vie d'ennui ou le goût de la fête ? Une crise de foie carabinée ou un toupet du diable ?

Dieu sait si j'aimais mes parents, ces gens posés, tranquilles et discrets, mais comme j'aurais apprécié qu'ils me confient ce secret en plus de leur affection... Que le bonheur était dans les escaliers et qu'il ne fallait pas avoir peur. Peur de faire du bruit, peur d'être heureux, peur de déranger les voisins et de jurer toute la sainte tripaille de son cœur.

Peur de la vie, de l'avenir, de la crise et de toutes ces boîtes de Pandore made in China que des vieux cons encore plus peureux que nous ne l'étions déjà entrouvraient sans cesse pour nous démotiver et garder ainsi tout le magot pour eux seuls.

Oui, peut-être que ces petites filles déchanteront un jour, peut-être qu'elles mangent leur pain blanc trop tôt et beaucoup trop vite et peut-être qu'elles se sentent déjà écrasées par ce mini-papa tout-puissant, mais en attendant... en attendant... quels beaux souvenirs elles engrangeaient...

Sur le palier du troisième, une mémé curieuse a entrouvert sa porte.

— Madame Bizot ! Enfin ! Enfin, vous voilà, madame Bizot ! a-t-il claironné. Maison Lévitan, nous vous livrons le petit buffet « Marquise d'Azur » que vous nous avez commandé en avril 1964 ! Regardez comme il est beau... Pardon, pardon, poussez-vous, madame Bizot, poussez-vous... Et alors ? Où est-ce qu'on vous le met ?

Et elle était affolée. Et je riais. Et je riais en me cognant toute la besogne plus quelques pans de mur au passage car il était si manche qu'il finissait toujours par m'écraser sans s'en rendre compte.

— Laissez, finis-je par ordonner en hissant le meuble sur mon dos. Je vais le prendre tout seul, ça ira plus vite.

— Oh... oh, le gredin... Vous voulez briller aux yeux de ma femme, c'est ça ? Monsieur veut faire son joli cœur ? Monsieur le gommeux, le muscadin, le... le... le pchuteux veut son heure de gloire, c'est ça ?

Il n'avait pas ponctué sa tirade que j'étais déjà devant leur porte.

Cinq, les micro-ondes

J'ai suivi les directives de sa belle pendant qu'il se rhabillait, nœud papillon y compris.

— Par ici... Dans la cuisine... Près de la fenêtre... Qu'il est beau ! Que je suis contente ! On dirait que je l'ai découpé dans un album de Martine, non ? Dans *Martine fait des crêpes*. Il ne manque plus que Patapouf !

Et quand je me suis redressé, il était là dans mon dos qui me tendait gravement son petit bras :

— Isaac. Isaac Moïse... Comme le tour operator en Égypte.

J'eus très envie de ricaner, mais lui ne riait plus du tout. Peut-être était-ce sa façon de marquer le début d'une nouvelle ère possible : après la gaudriole, l'amitié.

— Yann, répondis-je en soutenant son regard, Yann Carcarec.

— Breton ?

— Breton.

— Bienvenue à la maison, Yann. Que puis-je vous offrir à boire pour vous remercier d'avoir fait plaisir à Alice ?

— Rien, je vous remercie. Je file au cinéma.

Il avait déjà un tire-bouchon à la main et mon refus le pétrifia. Pire, même, lui coupa la chique.

Alice me souriait avec bienveillance. Elle saurait, elle, me pardonner ce premier faux pas... Les gamines, en revanche, me lançaient de nouveau leurs terribles regards de faons aux abois : mais... mais... et le dernier acte, alors ?

L'horloge du four à micro-ondes indiquait 20 : 37. En courant jusqu'au métro, j'étais encore dans les temps. Oui, mais... Mais c'était l'hiver... Et j'avais faim... Et j'étais fatigué... Et je crevais de tant d'autres choses encore... Pouvais-je seulement m'offrir le luxe de leur fausser compagnie ?

Mon pauvre petit cerveau de dresseur de Wouf-Houf se mordait la queue : je m'étais plus amusé ces dix dernières minutes que pendant les dix derniers mois de ma vie – et encore je dis « mois », j'ai ma fierté –, et les raisons pour lesquelles j'avais tellement envie de revoir ce film, intelligence, humour, humanité, me seraient, je le pressentais, également offertes si je n'allais pas voir ce film.

Oui, mais il ne...

— Yann, vous ne devriez pas tant réfléchir, mon ami, ça rend idiot.

20 : 38. J'ai souri.

Il a reposé la bouteille de rouge qu'il était en train d'inspecter avec une moue dubitative et nous sommes descendus à la cave.

Je me suis arrêté chez moi sur le chemin du retour, histoire de changer de chemise (Alice), d'oublier mon portable (Mélanie) et de récupérer, pour les petites, deux exemplaires du plus débile de mes articles en stock. (Un porte-clefs qui appelle ton prénom non-stop et de plus en plus fort quand tu l'as égaré et que tu finis – si l'on ne t'a pas passé la camisole de force entre-temps –, par lancer rageusement contre un mur quand tu as enfin remis la main dessus.) (Obsolescence programmée, ils appellent ça.)

Hé, hé... C'était leur papa qui allait déchanter...

Six, le souk

On dira : « Ce sont des détails. » Bien sûr, bien sûr... Mais, vous savez, il n'y a pas besoin de suivre les cours d'une école de design pour reconnaître l'importance des détails. Le plus émouvant ne saute jamais aux yeux puisque c'est le regard qui le trouve et le reste...

Le reste a moins d'intérêt.

Le presque rien qui m'avait décidé à accepter l'invitation de mon voisin à boire un verre en sa compagnie ce soir-là, ce n'était pas le panache de son ramage qui se rapportait sans mentir à celui de son plumage, ce n'était pas le froid du dehors ni la chaleur de sa poignée de main et ce n'était pas non plus, j'en suis convaincu, la perspective de manger encore un kebab seul debout dans la rue ni même le travail de sape de ma vermine intérieure, non, ce qui m'a décidé à me laisser aller, c'est quand il a dit : « Que puis-je vous offrir pour vous remercier d'avoir fait plaisir à Alice ? » plutôt que : « à ma femme ? »

Après son étourdissant sketch ringardo-macho-misogyno-guitryesque deux minutes plus tôt dans les escaliers, que son prénom lui soit venu plus naturellement aux lèvres qu'une sorte de... de grappin possessif m'avait ébloui.

C'est un détail, je vous l'accorde.

Il se trouve que j'y suis sensible.

Un autre :

Quand je suis revenu, leurs enfants étaient à table. Nous nous tenions dans une cuisine pleine de bruit et de fureur et je crois même que je marchais sur des coquillettes.

— Installez-vous donc dans le salon, vous serez plus au calme, je vous rejoins dès qu'elles ont fini, nous a suggéré la maîtresse de maison.

— Tiens, fit-il en lui tendant un verre du vin qu'il venait d'aérer, de humer et de goûter avec une grande application, la petite roussanne de Pierrot, dis-moi ce que tu en penses... Allez, les puces, dépêchez-vous de finir car ce monsieur Yann, ici présent, m'a dit qu'il avait... (mine de conspirateur, yeux qui ribouldinguent et carillon d'intrigants chuchotis) un petit cadeau pour vous...

Quand les souris ricanent entre elles, ça doit faire à peu près ce bruit-là.

Et nous avons trinqué au-dessus de deux petites commères qu'une telle annonce venait de bien calmer, même si le cadeau (gros soupir) devait être « sûrement quand même petit » car je n'avais « pas de sac ». (C'était la première fois que j'approchais des enfants d'aussi près et j'ignorais qu'ils avaient un tel esprit de déduction.)

Alice, debout devant l'évier, me regardait en souriant pendant que son mari, assis sur un tabouret et dos au mur, épluchait des clémentines à ses filles en me posant des tas de questions sur ma vie.

Une moitié de Yann donnait le change (« Et vous en avez aussi des à pois ? s'amusait-elle, des Wouf-Houf dalmatiens ? ») tandis que l'autre, plus en retrait, se promettait : Moi aussi... Moi aussi, quand je vivrai en couple, je ferai comme lui. Je ne laisserai pas ma femme toute seule dans la cuisine avec les enfants. Je ne ferai pas comme tous les autres hommes que je connais et qui passent au salon en paix et entre garçons.

C'était le second détail.

— À quoi pensez-vous, Yann ? Vous avez l'air bien rêveur...

— Non, non... Rien.

Je ne pensais à rien, je venais juste de me souvenir que j'étais en couple.

*
* *

Le vin me rendait buvard. Je n'avais rien mangé depuis le matin et j'étais bien. Un peu soûl, un peu gai, un peu décapité.

Je regardais, j'observais, je posais des questions et j'apprenais. Le curieux, le documentaliste, ce bon à rien de dilettante, s'en fourrait jusque-là.

... les poissons rouges décolorés, les renoncules fatiguées, la finesse du verre dans lequel je buvais, les chaises Napoléon-III, la grande table sauvée du réfectoire d'un pensionnat anglais, son plateau en bois sombre, presque noir, poli par deux siècles de roulements d'assiettes et de chahuts orchestrés au tam-tam des couverts en étain – tout du long et tout autour, un chapelet de petits creux en témoignait –, les fillettes juchées sur des piles de catalogues Artcurial, les chandeliers comme des saules pleureurs, larmoyant leurs coulures de cire isabelle, la suspension de Poul Henningsen, sa patine tellement chic et sa feuille (écaille ?) brisée, la liste des courses, les toiles désencadrées, les petits maîtres oubliés, la brioche complètement ratée d'un Chardin complètement raté et tous ces paysages abandonnés, oubliés, perdus dans une succession, remontés d'un lot, sauvés par Isaac et rendus à la lumière.

Des dessins plus récents, des gravures, des pastels très beaux, et ceux des enfants, aimantés sur la porte du réfrigérateur : une lune qui bronze, des cœurs en forme de ronds et des princesses aux bras démesurés.

Des Photomaton qui n'avaient pas été agréés par le ministère de l'Intérieur. Des Photomaton sans personne dessus ou alors un bout d'oreille de doudou en bas à droite, peut-être... Les circulaires de l'école, les jours de piscine et le grand retour des poux. Les théières, les bols anciens, les boîtes à thé. La fonte, le grès, l'osier et le bois tourné. La laque et le petit fouet en bambou. La passion d'Alice pour la céramique. Le raku, la cendre, les céladons, les bleus de cuivre, la porcelaine et les terres enfumées.

Ce qu'elle m'apprenait des différentes couvertes (couche vitreuse, espèce de glacis dont on revêt les pièces au moment de la cuisson) (enfin, je crois...) (elle parlait vite) (et j'étais cuit, moi aussi !) qui ont l'air beaucoup plus rustiques au Japon parce que les témoignages rappelant la supériorité de la nature sur la main de l'homme (asymétries ou irrégularités dues à l'Esprit de la terre, du vent, du soleil, de l'eau, du bois ou encore du feu) étaient perçus comme un signe de perfection tandis que les bols chinois, eux, étaient jugés remarquables de par leur uniformité et leur extraordinaire onctuosité.

Les fours de Ru, de Jun, de Longquan. Ce bol « à la lèvre tellement fine », cette couverte « moelleuse » et celle-ci, en « poils de lièvre ». Les splendeurs de l'époque des Song et le bonheur, surtout, d'entendre parler de la civilisation chinoise plutôt que de ses importations.

La pendule arrêtée, les crânes d'oiseaux déposés sur une étagère entre un paquet de Chocapic et des pots de confiture, la reproduction d'une photo de Jacques-Henri Lartigue, cette demoiselle qui, il y a cent ans tout juste, se cassait la figure et découvrait ses jupons en riant. Les annonces d'expositions, les invitations à des vernissages et les petits mots amicaux de galeristes sachant manœuvrer. « Forcément, tout l'argent qu'Isaac gagne en refourguant ses vieilleries, je le redonne à des artistes vivants ! » La natte de gousses d'ail rose, le piment d'Espelette, les coings ventrus, la grenade momifiée, le gingembre confit dans le tastevin en argent, la collection de poivres, le poivre long, le kampot rouge, le muntok blanc, la brassée de menthe fraîche, le bouquet de coriandre, la broussaille de thym et les cuillères en bois.

L'écuelle du chat, ses croquettes en forme de poissons et sa queue qui serpentait entre mes chevilles, la poubelle qui débordait, les torchons propres, les torchons sales, les livres de cuisine, les recettes d'Olivier Roellinger et de Mapie de Toulouse-Lautrec, l'ordonnance d'une diététicienne oubliée entre *La Bible de la tripe et des abats* et *Le Dictionnaire des noms de cépages en France*, la musique en sourdine, le reggae des Caraïbes, le panier rempli d'amandes, les amandes qu'Isaac cassait pour nous et nous offrait à tour de rôle, le goût de ce vin blanc frais et fruité après que l'on avait croqué deux ou trois amandes, l'odeur des clémentines, leurs ressources, les petites bougies de fortune dont on héritait si on avait su les dépiauter correctement, le filet d'huile d'olive que l'on y déversait et les lumières qu'on venait d'éteindre pour admirer le tremblant de ces lumignons.

Le grenu de leur bel orange en transparence, le fumet de ce qui était en train de mijoter, l'odeur de cardamome, de clous de girofle, de miel et de sauce soja en train de compoter dans des sucs de viande, et celle de camomille quand on se penchait au-dessus des chevelures des petites filles pour rallumer une bougie boudeuse...

Les gouttes d'albâtre qu'Alice portait en boucles d'oreilles, sa montre ancienne, minuscule, son chignon lâche et son cou immense.

L'émouvante cordillère de fines vertèbres qui couraient derrière sa nuque, sa chemise d'homme monogrammée I.M. sous le sein droit, son jean brut, la boucle de son ceinturon (simple, martelée, barbare, très Thorgal et Aaricia), la façon qu'elle avait de poser son verre devant ses lèvres et de nous sourire au travers, la façon dont elle riait quand son mari était drôle et son émerveillement à lui, de constater qu'il y arrivait encore, que ça marchait toujours, qu'elle pouffait aussi sûrement et aussi bêtement que la première fois quand ils s'étaient rencontrés – il était justement en train de me le raconter – au rayon Rosy de feu La Samaritaine alors qu'il accompagnait sa pauvre maman qui désespérait de trouver un panty à sa taille tandis qu'elle étudiait quelque guêpière insensée destinée à en abasourdir un autre que lui et que, pour la séduire, il s'était lancé dans une imitation en version originale et sous-titrée de Sophia Loren dans *La Diablesse en collant rose* après avoir jailli d'une cabine d'essayage tel un diable de sa boîte vêtu desdits collants.

La délicatesse avec laquelle – elle le lui avouait seulement à l'instant – elle avait attendu qu'ils se fussent éclipsés pour continuer à fureter sans vergogne dans sa came de pouf et comment, arrivée devant la caisse, elle s'était déballonnée : elle ne voulait plus sauver son couple, elle voulait rire encore avec ce petit gros en costume de lin clair qui parlait le yiddish du métro Saint-Paul avec sa mère et l'italien d'Aldo Maccione avec elle. Elle voulait qu'il lui fasse aussi, comme il le lui avait promis, *La Paysanne aux pieds nus* et *La Pépée du gangster*. De sa vie elle n'avait jamais rien voulu d'autre avec autant de rage et de désespoir. Elle les avait cherchés partout, leur avait couru après dans la rue et, quai de la Mégisserie, essoufflée, cramoisie, haletante, devant la vitrine d'une oisellerie en effervescence, l'avait invité à dîner pour le soir même. « Mon fils, mon fils, s'était inquiétée la vieille dame, est-ce que nous avons oublié de payer quelque chose ? – Non, maman, non. Ne t'inquiète pas. C'est juste cette demoiselle qui vient te demander ma main. – Ah ! Tu m'as fait peur ! » et comment, le cœur encore en vrac, elle les avait de nouveau regardés s'éloigner, bras dessus bras dessous, sous les quolibets de dizaines d'oiseaux moqueurs.

Tous mes sens étaient sollicités, flattés, fêtés. Ce n'était pas le vin qui m'enivrait, c'était eux. Eux deux. Cette escalade, ce jeu entre eux, cette façon qu'ils avaient de se couper sans cesse la parole en me tendant la main pour me hisser à bord, à leur bord, et me faire rire de nouveau. J'adorais ça. J'avais l'impression d'être un morceau de barbaque qu'on aurait mis à décongeler au soleil.

Je ne me souvenais plus que j'avais tant de repartie, que j'étais si poreux, si tendre et à ce point digne d'attention. Oui, je l'avais oublié. Ou peut-être ne l'avais-je jamais su...

Je vieillissais, je rajeunissais, je fondais de plaisir.

Bien sûr qu'à un moment, je me suis posé la question du naturel. Bien sûr que je me suis demandé si c'était ma présence qui les aiguillonnait et les inspirait à ce point ou s'ils étaient toujours ainsi, mais je connaissais la réponse : aussi conducteurs que nous fussions, l'alcool et moi ne pesions pas très lourd, ce que j'entrapercevais là, c'était leur vie, leur quotidien, la routine. J'étais un témoin bienvenu et fort bien accueilli, mais je n'étais qu'un spectateur de passage et demain, dans cette cuisine, on s'amuserait tout autant.

Je tombais des nues.
Je ne savais pas que l'on pouvait vivre ainsi. Je ne savais pas. J'étais comme un pauvre reçu chez des gens extrêmement riches et je le confesse, en plus de m'extasier, je sentais monter en moi une pointe de tristesse, d'envie. Une pointe, oui... Quelque chose qui faisait mal... Jamais je ne pourrais, ou plutôt jamais je ne saurais amasser tout ça. Jamais. C'était trop insaisissable.

Et, tout en les écoutant et en les relançant sans cesse, j'admirais la façon dont leurs gamines se serraient les coudes sous ce parapluie trop petit pour eux tous. Elles avaient déjà pigé que ces adultes ne s'intéresseraient jamais autant à elles deux qu'à eux seuls et s'armaient tranquillement pour ne pas avoir à en souffrir.
Elles bavardaient entre elles, riaient entre elles, vivaient entre elles, prenaient soin l'une de l'autre et avaient déjà quitté la table quand Isaac – qui venait, « marié dans l'année ! » (gloups), de me verser le fond de la première bouteille (il en avait choisi trois différentes, dont deux de rouge qu'il avait débouchées et rebouchées

sitôt remontées de la cave...) – gloussait dans sa barbe en entendant, pour la millième fois peut-être, la fin du début de leur histoire.

Il avait donc accepté son invitation et l'avait divertie toute la soirée, mais pas seulement, il l'avait émue, et intriguée aussi, puis s'était laissé raccompagner jusque chez lui (chez elle, c'était délicat, un apprenti cocu se tenait tapi sous le judas) avant de prendre brusquement congé en se mettant sur la pointe des pieds pour pouvoir l'embrasser.

« Alice, ma petite Alice... lui annonça-t-il, en serrant fort ses deux longues mains dans les courtes siennes, je préfère vous prévenir tout de suite : la partie ne va pas être facile... J'ai quarante-cinq ans, je suis vieux garçon et j'habite toujours chez ma mère... Mais faites-moi confiance, le jour où je vous la présenterai, nous viendrons avec notre bébé de sorte qu'elle sera beaucoup trop occupée à lui chercher des ressemblances avec moi pour vous reprocher de n'être pas juive. » Elle avait plié les genoux pour pouvoir lui tendre l'autre joue et tout s'était passé exactement comme prévu, seulement tant d'années plus tard, c'est-à-dire ce soir, elle ne s'en était toujours pas remise ! La lippe moqueuse et les mains jointes, elle rejouait pour moi cette scène insensée en imitant la soudaine gravité de sa voix : « Alice... Ma petite Alice... La partie ne va pas être facile... » et riait. Riait encore en trinquant avec nous au souvenir du souvenir de cette folie douce.

Madeleine et Misia, je découvrais leur prénom en même temps que le « modal de l'emploi » (?) de mon cadeau, m'avaient plus ou moins escaladé et m'écoutaient en silence.

— Alors, vous appuyez sur ce bouton... La petite bouche, là... Et quand la lumière verte apparaît, vous enregistrez votre prénom. Ou ce que vous voulez, d'ailleurs... Vous imaginez ce que votre porte-clefs vous dirait s'il vous appelait pour de vrai. Par exemple : « Misia ! Trouve-moi ! » ou « Madeleine ! Je suis là ! » et ensuite, vous appuyez de nouveau sur le même bouton comme ça, le jour où vous le perdrez, vous tapez dans vos mains et lui, il vous répétera exactement ce que vous avez enregistré. C'est pratique, non ?

— Et après ?

— Et après... euh... et après, j'en sais rien, moi... Après vous n'avez qu'à les essayer ! Chacune enregistre ce qu'elle veut, le prête à sa sœur qui lui cache le mieux possible et la première qui retrouve le sien aura gagné !

(Hé, j'avais la main avec les gosses, non ? 'Tain j'en revenais pas.)

— Aura gagné quoi ?

— Le martinet, rauqua leur père, le martinet et deux fessées bien saignantes.

Et les petites souris se sauvèrent en chicotant de plus belle.

Je ne sais plus comment le fil de la conversation nous avait menés là, mais nous étions en train de deviser mobilier brésilien des années 50 et 60, Caldas, Tenreiro, Sérgio Rodrigues, etc., tandis qu'Isaac (qui savait tout sur tout, qui connaissait tout le monde, qui ne disait jamais rien de convenu et qui, et c'était encore cela le plus rafraîchissant, ne parlait jamais d'argent, de spéculations, de records de ventes et de toutes ces anecdotes hâbleuses qui plombent sans arrêt les discussions sur l'art et celles sur le design en particulier) me tendait des verres et des assiettes que je rangeais maladroitement dans leur lave-vaisselle quand soudain, des salves de « Prout de zizi » et « Prout de fesse » métalliques et nasillardes venues du fin fond du couloir, se mirent à enfler, à enfler, à enfler, ET À ENFLER ENCORE dans tout l'appartement.

Scato, allegro, crescendo, vivacissimo !

Les porte-clefs semblaient bien cachés et ces chères petites beaucoup trop déchaînées pour se donner la peine de les trouver.

Elles tapaient dans leurs mains, guettaient une réponse et se bidonnaient en applaudissant de nouveau la constance et l'entêtement de leurs grossiers perroquets d'Asie qui se manifestaient derechef et plus bruyamment encore.

Alice pouffait parce que ses filles étaient aussi bêtes qu'elle, Isaac secouait la tête de désespoir parce qu'il était désespéré, lui, le fils unique et sacrifié, retenu dans ce gynécée de pisseuses et moi je n'en croyais pas mes oreilles : comment des êtres aussi purs, au corps si menu et à la voix tellement cristalline, pouvaient avoir en réserve tant de rires et d'aussi faramineux ?

*
* *

La question de savoir si je restais dîner ne s'est pas posée. Je veux dire par là qu'elle n'a pas été posée. Sur une nappe blanche qu'Alice venait de lisser en se penchant dans ma direction (aaah... le bruit, le toucher de sa paume sur ce drap de lin... et l'entrebâillement de sa chemise... et le... la... le glacis soyeux de son soutien-gorge... et... euh... oh, mon cœur... comme il s'émiettait...), sur la nappe, disais-je, Isaac dressait trois couverts tout en continuant de me raconter le Brasília d'Oscar Niemeyer tel qu'il l'avait découvert en 1976.

Il se souvenait de la cathédrale, de sa taille, de son acoustique et de l'absence de Dieu, trop intimidé et perdu là-dedans, il cherchait le pain, le tranchait, me décrivait la Cour suprême et les ministères en demandant s'il devait ajouter des assiettes à soupe, se désolait que je ne fusse jamais entré place du Colonel-Fabien, proposait de m'y guider un jour et sortait pour moi une serviette propre.

À défaut d'être l'amant de sa femme, j'aurais pu être son fils...

— Vous êtes fatigué, s'interrompit-il soudain, je vous casse les pieds avec toutes mes histoires, n'est-ce pas ?

— Pas du tout ! Pas du tout ! Bien au contraire !

Si je frottais mes yeux ainsi, ce n'était pas parce que j'avais sommeil, c'était pour les essuyer en douce.

Raté.

Et plus je frottais, plus je les noyais.

L'imbécile.

Je plaisantais. Je disais que c'était le vin. Que j'avais le vin marin, salé. La faute, et c'était prouvé, aux émanations de granit qui vous rongeaient l'âme, aux calvaires, aux ex-voto, aux grandes marées... La fameuse saudade des Côtes d'Armor...

Bien sûr, je ne trompais personne. C'était juste que j'étais entièrement décongelé à l'heure qu'il était et que, mon élasticité revenue, je rendais un peu d'eau, voilà tout.

Allez, allez... Circulez. Ça arrive à tout le monde de se faire niquer par son âme, non ? Cette petite bulle, là... cette salope qui remonte sans crier gare pour te rappeler que ta vie ne t'arrive pas à la cheville et que tu es perdu dans tes rêves absurdes et beaucoup trop grands pour toi. Les gens à qui ça n'arrive pas, c'est qu'ils ont renoncé. Ou mieux, même, tellement mieux et tellement plus confortable : qu'ils n'ont jamais éprouvé le besoin de se mesurer à... je ne sais pas... de se mesurer tout court, de se toiser en face. Comme je les enviais, bordel. Et plus j'avançais, plus j'avais le sentiment qu'ils, les gens, étaient presque tous comme ça et que c'était moi qui déconnais. Que c'était moi qui m'écoutais pisser sur les feuilles mortes.

Pourtant ce n'est pas mon genre, j'en suis sûr. Je n'aime pas me plaindre. Je n'étais pas du tout comme ça quand j'étais gamin. Le truc, c'est que je ne sais pas où j'en suis dans ma vie... Et je ne dis pas dans *la* vie, je dis dans *ma* vie. Mon âge, ma jeunesse inutile, mon diplôme qui n'impressionne personne, mon taf à la con, les soixante points de Mélanie, ses faux bisous qui clignotent dans le vide, mes parents... Mes parents que je n'osais plus appeler, mes parents qui n'osaient plus m'appeler, mes parents qui avaient toujours été si présents et qui n'avaient plus que cela à m'offrir pour le moment : leur discrétion.

C'est horrible.

Diversion :

Un jour que je l'accompagnais sur la tombe de son fils (le frère aîné de ma mère, le dernier marin pêcheur de la famille), ma mémé Saint-Quay m'a expliqué que l'on reconnaissait le bonheur au bruit qu'il faisait en partant. Je devais avoir dans les dix-onze ans et je venais de me faire chourer un démanilleur et mon couteau, je l'ai reçue cinq sur cinq.

Eh bien, l'amour, c'est le contraire. L'amour, on le reconnaît au souk qu'il fout en débarquant. Moi, par exemple, il avait suffi qu'un homme gentil, drôle et cultivé, un voisin de palier que je connaissais à peine, posât devant moi un verre, une assiette, une fourchette et un couteau pour que je me fissure de la tête aux pieds.

C'était comme si ce type avait enfoncé un coin dans la plus secrète de mes brèches et me tournait tranquillement autour, une énorme masse à la main.

L'amour.

Soudain, je comprenais Alice. Je comprenais pourquoi elle avait tellement paniqué ce premier jour à La Samaritaine lorsqu'elle avait levé la tête et qu'elle avait cru l'avoir perdu à jamais.

Je comprenais pourquoi elle s'était mise à courir comme une folle et l'avait harponné dans la rue.

Cette violence avec laquelle elle avait attrapé son bras, ce n'était pas pour le forcer à se retourner, c'était parce qu'elle se retenait à lui. Et c'était ça qui me faisait chialer, c'était ce geste-là : terre ferme.

— Alice, mon petit... Ce garçon meurt de faim...

— Les filles ont école demain, ce serait bien de les coucher d'abord, grimaça-t-elle.

Au loin alternaient des moments de calme (périodes d'enregistrements) et de pure folie (cache-cache à la fête du slip et autres slogans débiles dans l'écho des savanes).

— *Auraient eu* école, rectifia-t-elle, bon, eh bien, à table, alors. J'ai là un velouté de potiron aux marrons qui devrait nous remettre ce joli Breton d'aplomb.

— Poil au téton.

Un ange est passé, effondré.

— Oh, je vous en prie tous les deux, je vous en prie. Ne me regardez pas comme ça. Moi aussi, j'ai le droit de régresser, non ?

Isaac m'a indiqué le chemin et je suis allé me laver les mains.

À part la chambre des enfants, rose et animée au fond du couloir, le reste de leur appartement, du moins ce que je pouvais en apercevoir, était vide. Pas de tapis, pas de meubles, pas de lampes, pas de rideaux, aucun objet et des murs nus. Drôle d'impression. Comme si la vie sur cette planète s'était tout entière repliée dans la cuisine.

— Vous allez déménager ? demandai-je en dépliant ma serviette.

Non, non, c'était juste pour le repos de l'œil. Ils avaient une vieille bergerie dans le Sud où ils s'échappaient le plus souvent possible et qui était bourrée jusqu'à la gueule de tout un bric-à-brac sentimental, mais ici, sorti de la cuisine, rien ne devait rappeler son métier à Isaac.

— Une chambre pour les filles, une cuisine pour la famille, un canapé pour la musique et un lit pour l'amour ! fanfaronna-t-il.

Alice précisa que ça lui allait, qu'elle comprenait, qu'elle appréciait. Et qu'elle avait un lit merveilleux. Immense. Un transatlantique.

(Un transatlantique...) (Cette femme avait le don de toujours tout érotiser sans avoir l'air d'y toucher.) (Nerveusement, c'était éreintant.) (Au sens étymologique.) (Ça vous flinguait les reins.)

*
* *

L'éclat des bougies, le velouté du velouté, la mie du pain, le filet mignon, le riz sauvage, le chutney maison, le vin, ce vin qui vous chambrait peu à peu, qui vous insufflait tant de vie en vous délestant de tant de vous-même, qui vous... scintillographiait l'âme, les éclats de voix des gamines, de plus en plus espacés et de plus en plus discrets (d'après leur mère, cela n'avait rien de fortuit) (elles se faisaient oublier parce qu'elles croyaient qu'on les avait oubliées, justement) (serait-ce possible ?) (les filles sont-elles déjà si rusées, si jeunes ?) (non...) (allons...) (encore quelques illusions, monsieur le bourreau...), le flot de notre conversation, nos rires, nos provocations, nos débats, nos désaccords et nos ralliements, je savais déjà que je ne me souviendrais de rien (je serais, j'étais déjà, bien trop gai), mais que je n'oublierais jamais rien non plus. Que cette soirée me tiendrait lieu de curseur, de Jésus-Christ. Qu'il y aurait désormais un avant et un après et qu'Alice et Isaac – et c'était encore très confus, mais c'était bien là et c'était ma seule certitude dans les brumes de l'alcool et du bien-être – étaient devenus ma mesure de référence.

Et déjà j'avais peur.

Déjà je pressentais que cette gueule de bois-là serait insurmontable.

Dans le désordre, en passant du coq à l'âne et de l'âne au dessert, nous avons parlé de son métier à elle (professeur de danse) (c'était donc cela...) (quel joli corps elle devait avoir...), de Michael Jackson, de Carolyn Carlson, de Pina Bausch, de Dominique Mercy, de la place du Châtelet, de Broadway, de Suresnes et de Stanley Donen (je lui demandais de me passer l'eau, le pain, le poivre, le sel, le beurre et que sais-je encore pour le seul plaisir de voir son bras se délier), de sa maman, pianiste dans un conservatoire de danse classique, de sa maman qui avait passé le plus clair de sa vie à voir s'envoler des petits rats et qui était morte l'année passée en se désolant de jouer si « maladroitement » sa « dernière fugue », du cancer, de la maladie, de l'institut Gustave-Roussy, de la valeur immense de ces médecins et de toutes ces infirmières dont personne ne parlait jamais, de ces points de vie que le chagrin vous raflait d'un coup, des verts paradis de l'enfance qui n'étaient jamais si verts que ça, du paradis tout court, de Dieu, de ses mystères et ses contradictions, du film que j'aurais dû voir ce soir, de cette scène inoubliable où des parents se résolvent à perdre leur fils de vue pour le libérer du poids d'être leur fils, de mes parents, de la voiture ancienne que mon père retapait avec amour et par intermittence depuis plus de quarante ans et qu'il avait promis de terminer pour le mariage de ma sœur, de ma sœur qui avait divorcé depuis et de ma nièce qui, du coup, avait repris sur ses frêles épaules tatouées le grand espoir de papy et de sa Fiat Balilla enrubannée de blanc, du quartier, des commerçants, de la boulangère qui nous parlait si mal et qui, lorsqu'elle se retournait, laissait souvent deviner des mains de farine sur ses bonnes grosses miches, de l'école, de la musique que les enfants ne rencontraient jamais à l'âge où ils en avaient le plus besoin et où il aurait été si facile pour eux de l'apprendre en s'amusant, de ce gâchis, des révolutions qu'il faudrait avoir le courage de mener (Alice me racontait qu'elle et l'un de ses amis, percussionniste, se relayaient dans des crèches et des écoles maternelles une fois par semaine pour tendre des instruments à des tout petits, un triangle, un petit güiro, des maracas... et ajoutait qu'il n'y avait rien de plus rassurant au monde que de voir les cils d'un bébé se figer quand un bâton de pluie lui dégoulinait dans l'oreille), de la théorie d'Isaac selon laquelle la vie, et il fallait s'en souvenir, ne tenait qu'à une chiure de mouche – il l'avait compris très jeune, à l'âge de raison, disons, alors qu'on le sommait d'épeler son patronyme et qu'autour de lui, toujours et où qu'il fût, la lumière changeait selon qu'il mettait un point ou deux sur son *i* –, du cynisme, du recul, de la force enfin, qu'une telle révélation lui avait chevillée au corps, un point... un point ou deux... à hauteur d'enfant, c'était vertigineux, des ballets russes, de Stravinsky, de Diaghilev, de leur chat qui venait de chez leurs voisins du Sud et qui, miaouing', miaulait avé l'assent, de la différence entre les Chamonix de notre enfance et ceux d'aujourd'hui – et pour les Figolu, c'était pareil – et alors ? était-ce nous qui avions changé ou leur recette ? de Mansart, du Prince de Ligne, d'ébénisterie, de ferronnerie d'art, des livres des éditions Vial, du Bauhaus, du petit cirque de Calder et de la signalétique du métro de Berlin.

Entre autres.

Le reste s'est dilué.

À un moment, Alice nous a quittés pour coucher ses filles et je n'ai pas pu m'empêcher de demander à mon hôte si c'était vrai. Si leur histoire de tout à l'heure était vraie. La façon dont ils s'étaient rencontrés et tout ça.

— Pardon ?

— Non, mais... repris-je en bafouillant, vous... vous lui avez vraiment parlé d'un bébé ce soir-là ? Devant votre porte ? Alors que vous la connaissiez à peine ?

Quel beau sourire il m'adressa alors. Ses yeux disparurent et tous les poils de sa barbe se tortillèrent de plaisir. Il les caressa pour les assagir, se pencha en avant et me confia tout bas :

— Mais, Yann... Mon jeune ami... Bien sûr que je la connaissais. Les gens qu'on aime, on ne les rencontre pas, voyons, on les reconnaît. Vous ignoriez cela ?

— Euh... oui.

— Eh bien, je vous l'apprends.

Son visage s'assombrit et il ajouta, en observant le fond de son verre :

— Vous savez... quand j'ai rencontré Alice, je... j'étais... un grand malade. J'avais vraiment quarante-cinq ans, j'étais vraiment vieux garçon et je vivais réellement chez mes parents. Enfin... avec ma mère... Comment vous dire ? Vous êtes joueur ?

— Pardon ?

— Je ne vous parle pas du nain jaune ou de la crapette, je vous parle de souffrances, d'addiction. Du Jeu avec des gains et une majuscule : casino, poker, courses de chevaux...

— Non.

— Alors je doute fort que vous puissiez comprendre...

Il posa son verre sur la table et continua, sans plus jamais croiser mon regard :

— J'étais... un chasseur... Ou un chien plutôt... Oui, c'est ça, un chien... Un chien de chasse... Toujours inquiet, toujours sur le qui-vive, toujours à gémir, à gratter, à fureter dans les coins... Obsédé par l'idée de débusquer, de traquer, de rapporter... Vous n'imaginez pas qui j'étais, Yann, ou ce que j'étais, devrais-je dire. Non, vous n'imaginez pas... Je pouvais faire des milliers de kilomètres d'une traite et sans dormir, je pouvais sauter des repas et me retenir de pisser pendant des journées entières... Je pouvais traverser l'Europe sur une intuition, sur une idée de poinçon, de signature ou la vague promesse, peut-être, peut-être, d'une cambrure comme ci ou d'une manière de peindre les nuages comme ça... La certitude qu'il y avait par là-bas, en Pologne, à Vierzon, à Anvers ou je ne sais où, un vernis à gratter, un faux plafond à faire sauter, un drap à soulever. Des milliers et des milliers de kilomètres pour me rendre compte au premier coup d'œil que je m'étais fourvoyé et que, vite ! il fallait repartir ! car j'avais déjà perdu bien trop de temps et risquais de me faire doubler sur une autre affaire si je restais là une seule seconde de plus !

Silence.

— J'en perdais le sommeil, la décence, la conscience des vivants... On dit que les chasseurs ont le goût du sang en bouche, moi, quand je broyais mes molaires, ce que je mâchais, c'était la poussière des salles des ventes, les odeurs de cire, de vernis, de tapisseries, de vieux crins. Et celles des transpirations, des peurs, de ces petits pets silencieux qui annoncent des chiasses épouvantables, des haleines pestilentielles de tous ces vieux fêlés qui se cabrent pour une rousseur, mais qui laissaient pourrir en dedans leurs propres chicots... oui, j'avais en bouche l'odeur du diesel au cul des camions, celle des billets de banque vite comptés et vite empochés, des maisons en deuil, des familles en guerre, des visites dans des hospices au diable ou dans des châteaux aux abois... déchus, tristes, et bientôt dépecés... de la mort qui planait au-dessus de certains hôtels particuliers, de certains amateurs que je connaissais ou de certains collectionneurs qui, je le savais, me connaissaient. Les cris du banditore, le bruit mat du marteau du commissaire-priseur, les adjudications, les annonces de décès dans le carnet du jour, les confidences qui tombaient parfois avec les cendres d'un cigare, la pièce aux Savoyards, les heures passées à table avec de vieux notaires de province, la lecture de la *Gazette* en conduisant pour gagner du temps, les bras de fer avec les transporteurs, la mafia des experts, les avions, les foires, les biennales... Je ne sais pas si vous avez lu des histoires de trappeurs, de braconniers ou de chasseurs sioux quand vous étiez enfant, Yann. Tous ces récits hallucinants de chasses, de traques, de safaris... Achab et son cachalot, Huston et son éléphant, Eichmann et ses juifs... Vous avez lu tout ça ?

— Non.

— Tous... Tous de grands malades... Comme moi.

Il souriait et me regardait de nouveau.

Après nous avoir resservi un peu de vin que nous tétions désormais plus que nous ne le buvions, il reprit :

— Mon arrière-grand-père était marchand, mon grand-père était marchand, mon oncle, mon père l'étaient aussi et son rejeton après lui. Les braques de Moïse, chiens courants de père en fils ! (Rires) Vous savez pourquoi mon oncle est revenu des camps ? Parce qu'il voulait rapporter un cendrier en cristal de Bohême à sa fiancée. C'est à peine s'il pouvait le soulever et il n'a pas survécu très longtemps, mais il est revenu avec ! Eh bien, quand j'ai rencontré Alice, j'étais celui-là, moi aussi. J'étais ce fantôme, cette âme décharnée aux yeux fixes et déjà morts, mais qui rapportait de la came, bon sang ! Qui ne rentrait pas les mains vides !

Silence. Long silence.

— Et après ? hasardai-je pour le remettre sur la voie.

— Et après ? Rien... Et après : Alice.

Sourire moqueur.

— Allons, voisin, allons... Fermez-moi donc cette bouche d'enfant de chœur. Je vous l'ai dit que j'avais l'œil. Que j'avais l'œil absolu. Et je l'ai vu, votre regard tout à l'heure sur le palier quand elle est arrivée dans mon dos, je l'ai vu ! Honnêtement, que puis-je vous apprendre d'elle que vous n'ayez pas déjà aimé ?

Il m'avait posé cette question d'une voix très douce et moi je me charcutais les lèvres pour ne pas craquer de nouveau.

À cause des menhirs de Pergat, des forts coefficients, de mon Opinel et de tout ce bordel.

Accablant.

Heureusement, ou alors était-ce par délicatesse, il s'était remis à cabotiner :

— Vous savez, c'était un sacré défi pour ma mère de trouver un panty à son goût ! Un panty gainant, c'était son idée fixe, je me souviens. Autant dire que j'en ai eu, du temps, pour observer cette jeune femme – une danseuse, je l'avais deviné – à la dérobée pendant qu'elle étudiait des dessous de plus en plus affriolants et les soupesait en fronçant les sourcils comme si c'eût été autant de cartouches ou de la poudre à canon. Son sérieux m'intriguait et son cou déjà, me... me... son cou, son port de tête, son allure... Bien sûr, elle a fini par sentir mon regard. Elle a levé la tête, m'a regardé, a regardé ma mère, m'a regardé de nouveau et nous a souri tendrement en reposant fissa ses froufrous de peur de nous choquer. Et là, Yann, là, dans la seconde, je suis mort et j'ai ressuscité. On dirait une expression, pas vrai ? On dirait que je romance, mais je vous le dis à vous parce que vous pouvez le comprendre et que je vous aime déjà, c'est la pure vérité. Off/On. Je venais de disjoncter/rejoncter en un battement de cils.

Après les amandes, il m'épluchait des clémentines à moi aussi. Il inspectait chaque quartier et ôtait délicatement tous les filaments blancs avant de les aligner en file indienne autour de mon assiette.

— Là... soupira-t-il, là, je me suis dit : ça, mon gros, un joli petit lot comme ça, il ne repassera pas deux fois... et mon sang de vieux Moïse, le mien et celui de trois générations de rabouilleurs avant moi, n'a fait qu'un tour. Si cette merveille nous passait sous le nez, si je me faisais doubler sur ce coup-là, je n'aurais plus qu'à tirer ma révérence. Oui, mais comment faire, hein ? Comment ? La voilà qui me tournait le dos et ma mère, *oï, oï*, commençait déjà à me jargonner son kaddish des mauvais jours en maudissant son fils, ses fesses et l'Éternel. Ah, j'étais mal ! D'où les collants roses... Car c'est une chose que j'ai apprise dans mon métier et c'est valable pour toutes les occasions où le hasard a envie de s'amuser aussi, j'imagine... Il arrive un moment où il faut provoquer le destin. Le provoquer dans le sens *le défier*. Oui, il arrive toujours un moment où il faut aller chercher sa chance par la peau du cou et essayer de l'émouvoir en misant le tout sur le tout. Tous ses jetons, tout son pognon, toutes ses réserves d'enchères. Son confort, sa retraite, le respect de ses pairs, sa dignité, *tout*. Sur des coups pareils, ce n'est pas « Aide-toi et le Ciel t'aidera », c'est « Divertis-le et le Ciel te remerciera peut-être ». Je suis sorti de cette cabine d'essayage comme un coup de poker, comme si je mettais ma vie sur la table, *pour voir*, et je me suis lancé dans une espèce de pantomime ridicule de Sophia Loren en prenant grand soin d'éviter le regard atterré de ma mère qui se retenait aux cuisses en plastique d'un mannequin Eminence pour ne pas tomber à la renverse. Mon étoile a ri et j'ai cru que c'était gagné, mais non. La voilà qui traînait déjà au rayon ceintures...

Il s'est interrompu et a souri.

Au loin, du fond du couloir, nous parvenaient des bribes de la voix d'Alice qui lisait une histoire aux filles.

— Qu'est-ce que j'espérais, hein ? Elle était si jeune et si belle et moi, si vieux et si laid... Et ridicule avec ça ! En slip ! En slip sous mes collants parme avec mes petites papattes Louis XV torves et velues ! Qu'est-ce que j'espérais ? La séduire ? Je me suis rhabillé vaincu, mais pas désespéré. Après tout, je l'avais fait rire. Et puis c'est une qualité qu'il faut nous reconnaître, à nous, les vrais compagnons du Hasard : nous aimons gagner, mais nous savons perdre. Un vrai joueur est un beau joueur...

Il s'est levé, a rempli une bouilloire d'eau et l'a mise à chauffer avant de continuer :

— J'étais dans la rue avec l'autre emmerdeuse pendue à mon bras et le souvenir de ma jolie ballerine en ligne de mire et je... j'étais triste. C'est vrai, j'étais mort et ressuscité, mais franchement, je me demandais bien pourquoi vu que ma nouvelle vie avait l'air encore moins drôle que la précédente... Et ma mère était toujours là, en plus ! Mais surtout, j'étais très contrarié. Les dessous qu'elle avait envisagés ne lui iraient pas du tout... Un corps pareil, ça se langeait dans du coton ou de la soie, mais pas dans ces affreux Nylon, voyons... Je soupirais, je fuyais les jérémiades de la vieille Jacqueline en imaginant sous quels caracos et autres précieux négligés je l'aurais emmaillotée, moi, si elle avait su me laisser l'aimer et je... Bref je rêvassais à l'agonie quand j'ai perdu l'équilibre. Dis donc, mais c'est qu'elle était revenue pour me déboîter le bras, cette bourrique !

Tout en versant l'eau frémissante dans une vieille théière remplie de feuilles de tilleul, il me décocha son deuxième plus beau sourire de la soirée.

— Vous avez de la chance, murmurai-je.

— Oui, c'est vrai, mais bon... les collants de fille, ce n'est pas facile à enfiler, vous savez...

— Je ne disais pas « vous » pour vous, mais pour vous deux. Vous avez de la chance.

— Oui...

Silence.

— Tiens... Puisque c'est toi, reprit-il, puisque c'est toi et puisque c'est maintenant, je vais t'avouer quelque chose que je n'ai encore jamais osé dire à personne. Bien entendu, ma mère est toujours vivante, bien entendu. Depuis que je suis né, elle m'emmerde avec sa mort imminente, quand j'étais gamin elle m'a traumatisé avec ça, toute ma vie d'homme aura été ponctuée par son chantage et ses faux départs et aujourd'hui je sais qu'elle m'enterrera. Qu'elle nous enterrera tous... Et c'est très bien ainsi. Mais c'est une vieille dame à présent. Oui, une très vieille dame qui marche mal, qui n'entend rien et qui n'y voit presque plus. N'empêche, n'empêche... Chaque jeudi que l'Éternel ravaude, chaque jeudi, tu m'entends ? je l'emmène déjeuner dans un petit bistro en bas de chez elle et chaque jeudi, après le café, c'est un rituel, nous nous rendons à pas menus jusqu'à l'Allée des Justes près du pont Louis-Philippe. Nous cheminons, nous nous traînons, nous rampons presque, elle est agrippée à mon bras, je la soutiens, je la tiens, je la porte quasiment, ses jambes la font souffrir, ses rhumatismes la martyrisent, ses voisins la tuent, son aide ménagère l'achève, la nouvelle factrice la rendra folle, la télévision l'empoisonne, ce monde la persécute et cette fois, cette fois, c'est sûr : c'est fini. Cette fois, elle le sent, cette fois, mon chéri, je vais vraiment mourir, tu sais... Et je la crois sur parole, tu penses, depuis le temps ! Mais quand nous y sommes, elle cesse de se plaindre et se tait enfin. Elle se tait car elle attend que je lui redise, une fois encore, les noms de tous ces êtres humains gravés dans la pierre. Les noms *et* les prénoms. Bien sûr, chaque jeudi, je m'exécute et, tandis que je lui gueule à l'oreille cette petite litanie laïque, je sens, je sens physiquement un poids qui s'allège sur mon avant-bras. Soudain émue, le regard attendri et recommençant à sourire aux anges, voilà ma vieille Jacquot qui se redresse un peu et reprend du poil de la bête... Et là, exactement comme sur l'écran d'un téléphone, je les vois. Je vois dans ces pupilles lessivées par la cataracte les petites barres de sa batterie intérieure qui augmentent et se multiplient au fur et à mesure que leurs noms s'égrènent. Au bout d'un moment, ses mauvaises jambes se rappellent à son souvenir et nous repartons aussi lentement que nous sommes venus. Aussi lentement, mais plus vaillamment ! Puisque ces gens avaient existé et qu'ils avaient fait ce qu'ils avaient fait, ma foi, ce serait dur, mais bon... allez... pour eux... et pour moi surtout, elle voulait bien essayer de vivre encore une petite semaine de plus... Eh bien, tu vois, Alice, le visage d'Alice me fait exactement le même effet...

Silence.

Qu'est-ce qu'on peut dire après ça ?

Vous, je ne sais pas. Moi, je fermais ma gueule.

— Mais, tu sais... la vraie clef du bonheur, je crois, c'est de rire. De rire ensemble. Quand Gabrielle, sa maman à elle, nous a quittés, ça a été terrible parce que je n'arrivais plus à faire rire ma bien-aimée. Je n'ai jamais été aussi malheureux de ma vie et pourtant, je t'assure, je viens d'une famille où le malheur, on sait faire ! Moi, c'est bien simple, j'ai été élevé au hareng et à la peau de chagrin, mais là, j'avais beau tout essayer, elle souriait, d'accord, mais elle ne riait plus. Heureusement, ajouta-t-il en se trémoussant comme une jeune rosière, heureusement que j'avais une dernière petite botte secrète en réserve...

— Qu'est-ce que vous avez fait ?

— Secrète, Yann, secrète... minauda-t-il pour toute réponse.

— Mais qu'est-ce que tu lui racontes encore ? s'inquiéta Alice qui venait de nous rejoindre. Va plutôt embrasser tes filles... Et vous aussi, Yann. On vous réclame, figurez-vous...

Oh...

Comme j'étais fier...

— Mais attention, ajouta-t-elle en levant l'index, on oublie les bêtises pour ce soir, hein ?

Quand nous sommes arrivés dans leur chambre, la plus petite dormait déjà et Madeleine n'attendait que notre baiser pour la rejoindre.

— Tu sais ce que je suis obligé de faire pour pouvoir embrasser mes filles ? pesta-t-il en se redressant.

— Non.

— Je suis obligé de laver ma barbe au shampoing pour bébés puis de la frictionner avec une espèce de potion démêlante qui sent la vanille de synthèse. Si ce n'est pas un comble... Tu te rends compte de ce que je vis ?

Je souriais.

— Je n'arrive pas à vous plaindre, Isaac.

— Et en plus tu n'arrives pas à me plaindre...

*
* *

Quand nous sommes revenus dans la cuisine, Alice tenait une tasse fumante.

Elle a embrassé son mari sur le front en le remerciant d'y avoir pensé avant de nous annoncer qu'elle était confuse de nous fausser ainsi compagnie, mais qu'elle était fatiguée et rêvait d'aller s'allonger.

(Elle n'a pas dit se coucher, elle a dit s'allonger et là encore, ça m'a éreinté.) (Et comme si ça ne suffisait pas, en même temps qu'elle prononçait ces mots, elle a tiré une longue épingle de son chignon, a secoué la tête et, oh... c'en était une autre... Une Alice en cheveux.) (Plus douce et moins impressionnante.) (Déjà nue pour ainsi dire...) (Et pendant que je bredouillais des « ah », des « oh », des « euh » et je ne sais quoi de plus flamboyant encore, je sentais le regard goguenard de son amant me vriller les omoplates.)

Je crois qu'elle attendait que je l'embrasse, mais comme je me sentais beaucoup trop fourbu pour pouvoir me pencher encore en avant, elle a fini par me tendre sa main.

(Que j'ai serrée et qui était toute chaude.)

(Euh... à cause de la tisane, j'imagine.)

Même si je n'avais pas du tout envie de partir, le peu de savoir-vivre que l'alcool avait préservé en moi me dirigea mollement vers ma veste et le chemin du purgatoire.

— Oh... Yann, couina Isaac, tu ne vas tout de même pas me laisser faire la vaisselle tout seul ?

Seigneur, j'adorais ce petit Michka bariolé.

Je l'adorais.

— Allons. Rassieds-toi. En plus, tu n'as même pas fini ta clémentine ! Mais qu'est-ce que c'est que ce gâchis ?!

*
* *

Alice, en partant, avait éteint toutes les lumières de sorte que nous nous tenions à présent dans la seule clarté des bougies et celle, plus vague, du souvenir de la ville qui filtrait par la fenêtre.

Nous sommes restés ainsi sans parler un long moment. Nous vidions nos verres le plus lentement possible et réfléchissions à tout ce que nous venions de vivre. Nous étions tous les deux un peu soûls et avachis dans le noir. Lui avait repris sa place sur le tabouret et se tenait adossé au mur et moi j'avais déplacé ma chaise d'un quart de tour pour pouvoir l'imiter. Nous entendions le bruit des ablutions d'une jolie femme au loin et nous rêvassions.

Nous devions probablement penser la même chose : que nous venions de passer un bon moment et que nous avions de la chance. Enfin, moi, c'est ce que je pensais. Et aussi qu'elle se brossait les dents un peu trop vite, non ?

— Quel âge as-tu ? me demanda-t-il tout à trac.

— Vingt-six.

— Je ne t'avais encore jamais vu. Je connaissais la vieille dame qui vivait dans votre appartement, mais elle est partie en province, je crois...

— Oui, c'était la grand-tante de... de mon amie. Nous avons repris son appartement au mois d'octobre.

Silence.

— Tu as vingt-six ans et tu vis dans l'appartement de la grand-tante d'une jeune femme dont tu n'as encore jamais prononcé le prénom

Il avait dit ces mots d'une voix totalement atone et sans y apposer aucun signe de ponctuation. À l'oreille, c'était terrible.

Je n'ai rien répondu.

— D'une jeune femme sans prénom, mais avec des idées très arrêtées sur la propreté de la cour et la place des poussettes sous l'escalier.

Ah... Nous parlions bien de la même...

C'était dit sans ironie et sans agressivité. C'était dit, simplement dit. Je cherchais mon verre car j'avais soudain la gorge un peu sèche.

— Yann ?

— Oui.

— Comment s'appelle-t-elle, ton amie ?

— Mélanie.

— Mélanie... Bienvenue Mélanie, murmura-t-il en s'adressant à quelque fantôme perdu entre le four et l'évier. Tenez, puisque vous êtes là, il faut que je vous dise, jeune demoiselle toujours un peu pressée, que les histoires de poubelles et le tuyau d'arrosage mal enroulé, ce n'est pas très grave. Et les poussettes et les trottinettes qui traînent sous l'escalier, eh bien, ce n'est pas très grave, non plus... Vous m'entendez, Mélanie ? Au lieu de téléphoner au syndic tous les quatre matins et leur faire perdre leur temps avec ces petites contrariétés sans intérêt, venez donc vous asseoir pour trinquer avec nous.

Il leva son verre dans la pénombre et ajouta :

— Parce que, vous savez... Nous allons tous mourir, Mélanie, tous... Nous allons tous mourir un jour...

Je fermai les yeux.

Nous avions trop bu. Et puis je n'avais pas besoin d'entendre tout cela. Je n'avais pas envie d'entendre dire du mal de Mélanie, je le savais. Et je n'avais pas envie de voir Isaac se casser la figure de son piédestal, je l'aimais.

Je baissai la tête.

— Yann, pourquoi me laisses-tu malmener celle qui partage ta vie sans prendre sa défense ? Je ne suis qu'un vieux con, après tout. Pourquoi ne me rentres-tu pas dans le chou ?

Je me taisais. Je n'aimais pas du tout le tour que prenait notre conversation. Je n'avais pas envie de mêler mon intimité à toutes les belles choses que nous venions d'évoquer, je n'avais pas envie que l'on parle de moi, je n'avais pas envie d'entendre les mots « syndic » ou « poubelle » dans la bouche d'un homme qui m'avait fait tellement rêver jusque-là. Pour me sortir de ce mauvais pas, j'ai pris le risque d'être blessant, moi aussi :

— Parce que je suis poli.

Silence.

J'ignore ce à quoi il songeait, mais moi, j'essayais de toutes mes forces de retourner là où j'étais en nous versant le fond de la bouteille que je partageai équitablement entre nos deux verres. Il ne me remercia pas. Je ne suis même pas sûr qu'il s'en soit rendu compte.

Je n'étais plus si heureux. J'avais envie d'une cigarette. J'avais envie d'ouvrir la fenêtre et de laisser l'air froid nous distraire un peu. Mais ça non plus, je n'osais pas. Alors je buvais.

Je ne le regardais plus. Je regardais les bougies. Je jouais avec la cire fondue comme lorsque j'étais enfant. Je la laissais durcir sur le bout de mon doigt et touchais ma lèvre, là, dans la petite rainure des anges... C'était la même tiédeur, la même odeur et la même douceur qu'autrefois.

Lui fixait ses mains posées l'une sur l'autre.

Il était vraiment temps que je m'en aille. Mon voisin avait le vin triste et moi, je saturais.

J'avais engrangé trop d'émotions. Je me rassemblais mentalement : tête, bras, jambes, clefs, veste, escaliers, lit, coma, quand c'est tombé comme ça, piouf, comme un couperet très doux :

— On peut rater sa vie par politesse.

Il chercha mon regard et nous nous tînmes en joue un moment. Je faisais l'innocent et lui le bourreau mais, bien sûr, c'était moi qui avais l'air le plus méchant. Pourquoi est-ce qu'il me disait ça ?

— Pourquoi est-ce que vous me dites ça ?

— À cause des dodos.

OK. Il était rond comme une queue de pelle.

— Pardon ?

— Les dodos. Tu sais, ces grands oiseaux au bec crochu qui vivaient sur l'île Maurice et que nos ancêtres ont tous exterminés...

Allons, bon. La minute WWF à présent.

Il continua :

— Il n'y avait aucune raison que ces pauvres volatiles nous faussent compagnie. Leur viande était mauvaise, leur chant et leur plumage sans intérêt et ils étaient tellement laids qu'aucune cour d'Europe n'en aurait voulu. Et pourtant ils ont disparu quand même. Tous... Ils étaient là depuis la nuit des temps et en à peine soixante ans, les... le progrès les a définitivement rayés de la surface de la Terre. Et tu sais pourquoi, mon petit Yann ?

Je secouai la tête.

— Pour trois raisons. Petit un, parce qu'ils étaient polis. Ils n'étaient pas farouches et venaient facilement vers la main de l'homme.

Petit deux, parce qu'ils ne pouvaient pas voler, leurs petites ailes étaient ridicules et totalement inutiles. Petit trois parce qu'ils ne protégeaient pas leur nid et laissaient leurs œufs et leurs petits à la merci des prédateurs. Et voilà : trois petites failles et puis s'en vont. Il n'en reste plus un seul.

Alors... euh... comment dire ? L'extermination du *dodolus mauritiius* à une heure dix du matin par mon petit prophète de poche, j'avoue, je ne m'y attendais pas.

Il approcha son tabouret de la table et se pencha vers moi.

— Yann ?

— Mhmm...

— Ne les laisse pas te détruire.

— Pardon ?

— Protège-toi. Protège ton nid.

Quel nid ? grinçai-je en moi-même, les 80 m² de la grand-tante Berthaud deux étages plus bas ?

J'avais dû ricaner trop fort car il m'a entendu :

— Évidemment, je ne te parle pas de l'appartement de ta tante Ursule.

Silence.

— Vous me parlez de quoi, Isaac ?

— De toi. Ton nid, c'est toi. Ce que tu es. Il faut le protéger, ça. Si tu ne le fais pas, qui le fera pour toi ?

Et comme je ne comprenais pas ses paroles, il a continué plus distinctement et en mode essaye encore :

— Tu es beau, Yann. Tu es très beau. Et je ne parle pas de ta jeunesse, de ta tignasse ou de tes grands yeux clairs, je parle du bois dont tu es fait. C'est mon métier de reconnaître les belles choses, tu sais. De les reconnaître et d'en déterminer la valeur. Je ne cours plus les salles des ventes aujourd'hui, je suis celui qu'on appelle du monde entier et qu'on écoute religieusement. Non pas que je sois si malin mais *je sais*. Je sais la valeur de tout.

— Ah ouais ? Et je vaux combien, d'après vous ?

Je regrettais le ton sur lequel je venais de l'interpeller. Très petit con. Scrupules inutiles car il ne semblait pas m'avoir entendu.

— Je parle de ton regard, de ta curiosité, de ta bonté... De cette façon que tu as eue de te faire aimer par tout le monde dans ma maison en moins de temps qu'il n'en faut pour le dire, d'accueillir mes filles sur tes genoux et de tomber fou amoureux de mon amoureuse sans imaginer me la voler. Je parle de l'attention que tu portes aux détails, aux choses, aux gens. À ce qu'ils te confient et à ce qu'ils te cachent. C'était la première fois que j'entendais Alice évoquer sa maman depuis sa disparition, la première fois qu'elle se souvenait d'elle vivante et en bonne santé. Grâce à toi, Yann, grâce à toi, Gabrielle est revenue ce soir et a joué pour nous quelques notes de Schubert... Je n'ai pas rêvé, n'est-ce pas ? Tu les as entendues aussi ?

Ses yeux brillaient dans le noir.

— Tu ne les as pas entendues ?

J'ai fait si-si pour qu'il me lâche la grappe. C'est bon, ça va, j'allais pas me remettre à chialer pour une bonne femme que je connaissais même pas...

— Je parle de la tendresse avec laquelle tu racontes ceux que tu aimes et protèges ce qui t'appartient, je parle de nos courses que tu remontes toutes les semaines et des morceaux de carton que tu glisses dans la porte cochère depuis qu'il fait si froid et que je récupère chaque matin pour que tu ne te fasses pas engueuler par les autres propriétaires. Je parle de tes orteils écrasés, de tes larmes de grand garçon épuisé et affamé, de tes calvaires hantés, de tes sourires, de ta discrétion, de ta lucidité et de ta politesse enfin, que je rabroue mais qui tient les murs de cette civilisation, j'en suis bien conscient. Je parle de ton élégance, Yann... Oui, de ton élégance... Ne les laisse pas abîmer tout ça sinon que restera-t-il de vous ? Si toi et tes semblables ne protégez pas vos nids, alors... que... c'est... Ce sera quoi, ce monde ? (Silence) Tu me comprends ?

— ...

— Tu pleures ? Mais... Mais pourquoi ? Ça te fait pleurer ce que je te dis ? Allons, ce n'est pas si grave d'avoir tant de valeur, si ?

— Je t'emmerde, Moïse.

Il sursauta et poussa une sorte de gloussement de ravissement qui réveilla le poisson rouge.

— Tu as raison, mon grand, tu as raison ! Allez, fit-il en cognant son verre au mien, à nos amours !

Nous trinquâmes et bûmes en nous souriant dans les yeux.

— Il est bon, votre vin, avouai-je enfin, il est vraiment bon.

Isaac acquiesça, jeta un œil à la bouteille et devint malheureux.

— Tiens, je vais t'en donner une, de bonne raison de pleurer, moi... Ces gens, là, sur l'étiquette, Pierre et Ariane Cavanès, sont les êtres humains qu'Alice et moi admirons le plus au monde. Notre jardin dans la vallée de l'Hérault se termine là où commence leur vignoble. Ce n'est pas un très grand domaine, trente hectares à peine, mais chaque année leur pinard prend du galon et tu verras qu'un jour, il finira dans la cour des grands. Le père de Pierre était géologue, sa mère avait un peu de bien et, dans les années 80, alors qu'il n'y avait rien et que personne n'y croyait, ni les vignerons du coin ni les cadors de la profession, il a pris le risque de suivre son instinct et de planter là, sur cette vallée sauvage, des vignes de cabernet-sauvignon plus ou moins tombées du camion d'une grande maison du Médoc, si j'ai bien compris... Ensuite, ils ont construit un chai et un cuvier, se sont endettés jusqu'au cou, ont écouté les conseils d'un ami œnologue à la retraite et... et tu te souviens de ce qu'Alice nous racontait tout à l'heure à propos des grands céramistes ? De cette obsession jusqu'à la folie d'essais et de tentatives et de toutes ces combinaisons possibles entre l'eau et le feu, entre l'air et la terre, eh bien, je crois que le vin, c'est un peu la même chose sauf que le fruit remplace le feu et que...

Et Isaac me soûla.

D'histoires, d'anecdotes, de termes techniques, de procédés viticoles, de fermentation, de macération, de barriques de chêne, d'Ariane, venue à vingt ans de sa Normandie natale faire les vendanges un été parce qu'elle rêvait de s'envoler en Bolivie et qui n'était jamais repartie depuis, de leur histoire d'amour, de leur fatigue, de leurs sacrifices, de leur fragilité, du ciel qui pouvait détruire en quelques secondes le travail de toute une année, de dégustations inoubliables, de repas inoubliables, de guides, de notes, de classements, de la reconnaissance qui arrivait à point, de leurs trois enfants, élevés à la dure, au grand air et dans des hottes, de leurs espoirs et de leur désespoir enfin.

Un flot ininterrompu de paroles duquel je sauvais les mots : immense courage, vie de labeur, réussite exceptionnelle et sclérose en plaques.

— Il veut vendre, conclut Isaac, il veut tout vendre, et même si je trouve ça désolant, je le comprends. Moi, s'il arrivait quoi que ce soit à Alice, je ne continuerais pas non plus. C'est pour ça que Pierre et moi nous entendons si bien, d'ailleurs. Nous pérorons, nous pérorons, nous avons de grands jabots et sommes d'affreux petits poux, mais nous appartenons à une dame...

Bon, pardon pour eux, mais les dodos en avaient encore pris un coup dans l'aile. Nous n'en avions plus rien à battre. Une chape de plomb venait de nous tomber sur les épaules, les bougies hoquetaient et mon hôte, les yeux fixés sur ses pensées, s'en était allé battre la campagne.

Seul, triste, inconnu et le dos courbé.

Je regardais mon verre. Combien de gorgées encore ? Trois ? Quatre ?

Presque rien.

Presque rien et ce qui restait de l'une des plus belles soirées de mon improbable existence...

Je n'eus pas le cœur de le vider.

Mon offrande.

Mon offrande aux mânes de cette Ariane inconnue.

Qu'elles m'en sachent gré et la laissent vivre en paix.

Je récupérai ma veste.

Sept, la descente

J'ignore combien de marches séparaient leur appartement du mien, mais à la deuxième déjà, j'avais dessoûlé.

Un témoin s'il y en avait eu un vous aurait rétorqué que c'était faux, que je mentais. Qu'il m'avait bien vu et que je titubais. Que je titubais en me retenant à la rampe avant d'oser hasarder un pied dans le vide.

Il était tellement pété, aurait-il ajouté, qu'il a fini par se coller au mur et s'est laissé glisser jusque devant sa porte.

Crétin de mouchard...

Si j'hésitais, c'est parce que je basculais dans le vide en effet et je n'étais pas collé contre le mur, je le serrais dans mes bras. J'essayais de le chauffer pour ne pas rentrer seul. Pour le ramener dans mon lit. Ce mur, où je m'étais si souvent cogné, quelques heures et une vie plus tôt alors que je tenais une petite marquise contre mon cœur en compagnie d'un baronnet et de deux princesses, ce mur qui avait répercuté dans toute la cage d'escalier tant d'esprit et de gaieté, tant de jurons formidables, de rires et d'enfantines consternations, ce mur qui était si buté à présent et qui refusait de venir boire un dernier verre à la maison, était devenu mon dernier poteau. Un compagnon aussi désemparé que moi sur l'épaule duquel je pouvais me vautrer encore un peu avant de retourner affronter la vraie vie, le vrai Yann et le vrai déni.

Et en admettant que ce monsieur ait raison, madame le juge, en admettant, ça n'a pas duré, vous savez... À peine avais-je mis un pied chez moi, enfin chez moi... chez ma copine, chez sa vieille tante gaga, là... à peine avais-je poussé la porte de cet endroit, que je dégrisai d'un seul coup d'un seul.

J'ai cherché l'interrupteur et la lumière était laide. J'ai accroché ma veste à une patère et la patère était laide. Et le miroir, aussi. Le miroir était laid. Le miroir, l'affiche sous verre, le tapis, le canapé, la table basse, tout. Tout était laid.

J'ai regardé autour de moi et je n'ai rien reconnu. Mais qui peut bien vivre ici ? me suis-je étonné, des Playmobil ? les commerciaux d'un appartement témoin ? Pas de bazar, pas de foutoir, pas de fantaisie, pas de douceur, rien. Juste de la décoration. Pire, même : de la déco. Je suis allé dans la cuisine et je n'y étais pas non plus. Ça ne me rappelait rien. Ça ne racontait aucune histoire. J'ai insisté pourtant. Je me suis accroupi, j'ai ouvert les portes, les placards, les tiroirs, mais décidément, non. Personne.

La chambre peut-être ? J'ai soulevé la couette, saisi un oreiller, l'autre, plongé mon visage dedans, inspecté le drap : que dalle. Rien qui indiquât que des êtres humains se fussent jamais étendus là. Pas la moindre odeur de parfum, de transpiration, de salive et de foutre encore moins. La salle de bains ? Les brosses, la liquette de Mélanie, nos serviettes-éponges : muettes. Mais qui étaient ces zombies et que vivions-nous, à la fin ?

Je ne savais plus où me tenir. Après les débordements dont j'avais plus ou moins réussi à m'alléger un monde plus haut, j'étais incapable de me laisser de nouveau aller alors qu'en moi, dans mes narines et dans ma gorge, ça me ruinait tout pareil. Je serrais les poings. Je serrais les mâchoires. Je serrais les fesses. J'étais ridicule. Un enfant. Un sale petit mioche capricieux et contrarié, mais beaucoup trop fier pour le montrer.

Bon, eh bien, quoi, alors ? Qu'est-ce que j'allais bien pouvoir casser pour me faire remarquer, hein ?

Je me trouvais dans cet état de nerfs, de violence et d'impuissance quand la sonnette a retenti.

Putain, mais... mais quelle heure il était, là ? Mais *c'était quoi*, ça, encore ? !

Huit, la décence

— Ça va ?

Isaac semblait ne pas me reconnaître.

— Yann, ça va ? Tout va bien ?

Je ne me souviens plus de ce que je lui ai répondu. Que j'étais fatigué, je crois.

Et c'était vrai. J'étais fatigué.

Très fatigué.

Trop fatigué.

C'était moi que j'aurais dû fracasser. Dommage que nous n'habitions qu'au second.

— Tiens, reprit-il en m'attrapant par le poignet, tiens... Je l'ai décollée pour toi. En souvenir. Et puis si tu veux en commander avant que... enfin... Enfin, c'est le moment ou jamais, quoi...

Mon Isaac... Mon prince... Je l'ai longuement regardé pour me calmer. Il avait l'air épuisé.

Même les ailes de son nœud papillon s'étaient flétries.

C'est vrai, il m'apaisait, mais, dans un autre registre, il était quand même bien à l'ouest, lui aussi. Pourquoi est-ce qu'il m'apportait ça maintenant, hein ? Franchement ? Comme si ça ne pouvait pas attendre. Et puis qu'est-ce que j'allais commander du pinard ? Je n'avais pas de cave, pas de fric, pas d'Alice, pas d'amandes, pas de cocotte en fonte, pas de petites filles, pas d'épices, pas de nappe, pas de verres à pied, rien... Pour un mec qui devinait soi-disant tout et qui avait l'œil absolu, c'était moyen, là...

Bon, il faut reconnaître que nous en avions bu deux et demie à deux. Ça crée des manques.

Nous nous tenions sur le palier car je ne pouvais décemment pas le faire entrer et c'est à cette seconde précise, en pensant cela, en me disant, à propos d'Isaac Moïse qui était devenu mon ami, mon trésor d'ami : « Je ne peux décemment pas le faire entrer » que j'ai enfin grandi :

— Est-ce que vous me permettez de remonter avec vous et de vous emprunter le petit magnéto Fisher-Price de Misia qui est dans sa chambre au milieu des Barbie, s'il vous plaît ?

Neuf, la traversée

J'avais l'arme du crime, mais il me manquait la balle. En l'occurrence, une cassette. Ce reliquat du siècle précédent. Ce petit boîtier en plastique noir ou transparent contenant une bande magnétique sur laquelle on pouvait enregistrer des sons. Cet autre monde.

Je n'allais quand même pas pourrir les comptines de Misia...

Il devait bien m'en rester une ou deux, c'est sûr, mais où ?

Diversion :

Quand j'ai rencontré Mélanie, je vivais en colocation avec deux autres lascars près de Barbès. Les pièces communes étaient souvent dans un bordel effroyable, mais je m'étais aménagé une chambre très douillette, je me souviens.

Beaucoup de livres, beaucoup de musique, de cendriers, de colis éventrés que ma maman m'envoyait du pays toutes les semaines (de l'andouille, du kouign-amann et des galettes au beurre, si-si, je vous jure, c'est énorme, mais elle est comme ça, ma maman, elle est bretonne), beaucoup de tee-shirts débiles, de caleçons sales, de chaussettes dépareillées, de rots, de pets, de branlettes, de blagues vaseuses et même, ô miracle, beaucoup moins, mais un peu quand même, de filles qui s'y perdaient quelquefois, plus tout ce qui me maintenait à flot placardé sur les murs : des messages, des images, des visages, des visages de gens que je trouvais beaux ou que j'admirais, des plans d'architectes, de prototypes, de maquettes, des idées, des sujets d'école, des rendus de travaux, des tickets de cinéma, des places de concerts, des trucs que j'avais recopiés dans des livres, des phrases qui m'obligeaient à vivre en levant la tête, des fac-similés de dessins de Léonard de Vinci, d'Arne Jacobsen, du Corbusier ou de Frank Lloyd Wright, tout ce parrainage tellement prévisible quand on mouche encore son petit lait Ribot, qu'on monte à la capitale et qu'on veut faire croire qu'on a du talent – mais que je ne renie pas, que je ne renierai jamais –, des photos de ma famille, de mes bateaux, de mes amis, de mes chiens vivants et enterrés, des affiches de films, d'expos, de graphistes, de musiciens, de leaders charismatiques, enfin toute la panoplie, quoi...

Or, quand nous avons décidé de vivre ensemble pour économiser un loyer (mon Dieu, et je lâche ça comme ça, c'est glauque, pour le bonheur de vivre ensemble, disons), nous avons emménagé dans un minuscule deux-pièces près de la gare de l'Est et là, forcément, il a fallu réduire la voilure.

J'ai rapatrié beaucoup de choses chez mes parents et n'ai gardé que le strict minimum pour pouvoir terminer mes études et me vêtir. Mais ça allait, nous travaillions et sortions beaucoup, nous

nous aimions et Internet entre-temps était devenu un mur immense sur lequel je pouvais punaiser, dépunaiser et admirer à loisir tout ce qui m'inspirait.

Puis, quand il a été question de venir nous installer ici pour économiser encore un loyer (mais attention, nous payons les charges, hein !?) (oh, mon Dieu, mais qui suis-je devenu ?) Mélanie a de nouveau trié mes vêtements. Eh oui, c'est que j'étais grand et que j'allais travailler à présent, donc mes tee-shirts informes, mon vieux caban et mes pulls de la coopérative, mes Clarks, ma trompinette, mon papier OCB, mes bonnets marins et mes Tolkien, je n'en aurais plus tellement besoin. N'est-ce pas, chaton ?

Bon. OK. Elle avait raison. Nous vivions désormais dans un gentil quartier et ma foi, il était bien agréable de ne plus entendre les trains dans la nuit ni de se faire taxer une clope tous les deux mètres, alors... si c'était le prix à payer, c'était honnête. Sans compter que si je n'arrivais pas à me convaincre moi-même que j'étais devenu un adulte, qui le croirait ? Donc, hop, rebelote, encore cinq cartons de moins. Honnêtement, ça ne m'a jamais gêné, j'ai toujours aimé voyager léger, mais le truc, c'est que aujourd'hui, euh... je n'ai plus rien. Et même une cassette audio, ce n'est pas gagné.

Bah... tant pis pour Misia, je la lui remplacerai.

Et puis ça me revient. Quand j'ai envoyé ma Titine à la casse l'année dernière, j'ai récupéré tout ce qu'il y avait dans la boîte à gants. Autoradio préhistorique oblige, il devait bien me rester quelques bandes, non ?

Je cherche.

Et, tout au fond de la partie du placard qui m'a été allouée, j'en trouve une. Une seule. Je ne la reconnais pas et il n'y a rien écrit dessus.

Bon. On verra.

*
* *

Je prends une douche et je cogite. J'enfile un caleçon, des chaussettes et un jean propres et je cogite. Je cherche une chemise potable et je cogite. Je lace mes chaussures et je cogite. Je me fais un café et je cogite. Un second et je cogite encore. Un troisième et je cogite toujours.

Je cogite. Je cogite. Je cogite.

Et quand, à force de cogiter, il ne me reste plus un gramme d'alcool dans le sang, quand je n'ai plus un seul poil de sec et que je suis aussi énervé qu'on puisse l'être, je me calme.

Je m'installe dans la cuisine, j'allume une bougie comme chez Alice parce que j'ai remarqué que la clarté des bougies rendait les gens plus beaux et plus intelligents (bon, évidemment, la mienne est moins classe, ce n'est pas une bougie d'église, mais un truc « déco » de Mélanie qui pue la noix de coco) (mais, ça ira, ça ira) (pas tout le même soir, madame La Vie) (laissez-m'en un peu pour la suite, je vous prie), j'éteins la lumière, je m'assieds et pose le petit magnéto couvert de stickers Charlotte aux Fraises sur la table devant moi.

J'y glisse ma vieille cassette et qu'est-ce que j'entends : Massive Attack.

Que le Ciel est taquin... On pouvait difficilement faire plus synchro. J'en ricanerais presque si je n'étais pas si stressé. Je rembobine, j'attrape le micro et je... je me retourne pour ne pas voir mon reflet dans la fenêtre.

Parce que je suis quand même navrant avec ma belle chemise du dimanche, ma bougie d'M6 et mon bébé micro au bout de son tortillon jaune. Non, vraiment, il vaut mieux pour moi que je ne voie pas ça.

Je me racle la gorge et j'appuie sur le gros bouton REC (le bleu). La bande défile, je me racle encore la gorge et je... je... euh... oh, merde, je rembobine.

Bon, mon gars, faut y aller, là...

J'aspire une grande goulée d'air comme du temps où j'essayais de traverser toute la largeur de la jetée sous l'eau devant les filles de la colo et j'appuie de nouveau sur le bouton bleu.

Je plonge :

« Mélanie... Mélanie, je ne peux pas rester avec toi. Je... enfin, quand tu entendras ce message, je serai parti parce que je... je ne veux plus vivre avec toi.

(Silence)

Je sais que j'aurais dû t'écrire une lettre, mais comme j'ai peur de faire des fautes d'orthographe et que je te connais bien, que je sais que dès que t'en repères une quelque part, tu méprises direct celui ou celle qui l'a commise, je préfère ne pas prendre ce risque.

Tu vois, j'enregistre ce message pour te donner des explications et je me rends compte que celle-ci suffirait, en fait : Mélanie je te quitte parce que tu méprises les gens qui font des fautes d'ortho-graphe.

Pour toi, j'imagine que ça te paraîtrait un peu léger comme motif, mais pour moi, ce serait lim-pide. Je te quitte parce que tu n'es pas indulgente et parce que tu ne vois jamais ce qui compte vrai-ment chez les gens. Franchement, quelle impor-tance "é" ou "er" ou que ce soit le pull de ma sœur plutôt que ça soye le pull à ma sœur, hein ? Quelle importance ? Bien sûr, ça écorche un peu l'oreille et un peu la langue, bon, mais... et alors ? Ça n'abîme rien d'autre que je sache. Ça n'abîme rien des gens, du cœur des gens, de leurs élans et de leurs intentions, enfin si, ça bousille tout puisque tu les méprises avant même qu'ils aient eu le temps de finir leur phrase... et euh... je... Je m'égare, là. J'étais pas du tout parti pour te parler du Bescherelle.

Si je voulais plier tout ça vite fait, je te dirais que je te quitte à cause d'Alice et d'Isaac. Parce que là, oui, pour le coup, tout serait dit. Je te quitte parce que j'ai rencontré des gens qui m'ont fait com-prendre à quel point on était loin du compte, tous les deux. Mais je ne vais pas t'en parler. D'abord parce que tu leur ferais encore plus la gueule que d'habitude, ensuite parce que je n'ai pas envie de les partager.

(Pause. Bruit de sirène au loin.)

Entre mille autres choses, ils m'ont fait comprendre que... qu'on faisait semblant, qu'on se mentait, qu'on planquait tout sous les tapis.

Je te parle d'amour, Mélanie. Depuis quand on ne s'aime plus ? Plus vraiment, je veux dire. Tu le sais, toi ? Depuis quand on baise au lieu de faire l'amour ? C'est toujours pareil, je sais comment te donner du plaisir et je t'en donne, tu sais comment m'en rendre et tu m'en donnes aussi, mais... Mais quoi ? C'est quoi, ça ? On se décharge tous les deux et puis on s'endort ? Non, ne lève pas les yeux au ciel... Tu le sais, que j'ai raison. Tu le sais.

Il est triste, notre lit.

Tout... Tout est devenu triste...

Et puis il n'y a pas que ça. Comme je te connais bien et que je sais que t'en as pour un moment à répéter sur tous les tons et à qui voudra l'entendre que je suis un salaud, un vrai salaud et que, vraiment, quand on pense à tout ce que tu as fait pour moi, à tout ce que ta famille a fait pour moi, l'appart, le loyer, les vacances et tout ça, et que mes oreilles n'ont pas fini de siffler, je vais te donner mes trois raisons de me barrer. Trois petites raisons bien nettes et bien carrées. Comme ça, au moins, le salaud, il ne sera pas complètement rhabillé pour l'hiver...

Je ne te les donne pas pour me justifier, je te les donne pour que tu aies du grain à moudre. Parce que tu aimes ça, toi, moudre du grain. Grognognoter, mâchonner et ressasser *ad nauseam* comme les gens sont vraiment trop cons et que vraiment, tu ne mérites pas ce qui t'arrive et... Oui, c'est ton truc, de toujours charger les autres plutôt que de te remettre en cause. Je ne t'en veux pas et même, je t'envie, tu sais... J'aimerais bien être comme ça moi aussi de temps en temps. Ça me simplifierait la vie. Et puis je sais que c'est ton éducation, que tu es fille unique, que tes parents t'ont toujours adulée, qu'ils t'ont passé tous tes caprices et que... que voilà, quoi... ça t'a un peu gâté le trognon au bout du compte...

Même sur ton petit Breton à la con, ils ont fermé les yeux, c'est dire ! Non, je sais que tu n'es pas méchante. Mais bon. Je te les donne quand même, ça t'occupera. Ça vous occupera, ta mère et toi.

(Silence)

Je te quitte parce que tu me gâches toujours la fin des films au cinéma... À chaque fois... À chaque fois, tu me fais le coup...

Pourtant tu le sais, comme c'est important pour moi de rester encore un peu dans le noir à me remettre de mes émotions en lisant sur l'écran ces flots de noms inconnus qui sont comme un sas vital pour moi entre le rêve et la rue... Toi, ça te gonfle, OK, mais je te l'ai dit, je te l'ai dit cent fois : pars avant moi, attends-moi dans le hall, attends-moi dans un café, ou alors va au ciné avec tes copines, mais me fais plus ce plan-là, de me demander dans quel resto on va aller ou de me parler de tes collègues et de tes chaussures qui te font mal aux pieds alors que le film vient à peine de se terminer.

Oui, même un mauvais film. Je m'en fous. À partir du moment où je suis resté jusqu'au bout, je ne pars pas avant de m'assurer qu'on a bien remercié le maire de Petzouille-les-Ouches et d'avoir lu les mots Dolby et Digital à la fin. Même un film danois ou coréen et même si je ne comprends rien, j'en ai besoin. Et ça va faire presque trois ans qu'on va au cinéma ensemble et ça va faire presque trois ans que je te sens te crisper, te crisper physiquement dès les premières lignes du générique et... et tu... eh bien, va te faire foutre, Mélanie. Va au ciné avec un autre. Je ne te réclamais pas grand-chose et je crois même que c'est la seule chose que je t'aie jamais demandée et... et non...

(Silence)

L'autre truc, c'est que tu manges toujours le nez de mes gâteaux et ça aussi, j'en peux plus. Sous prétexte que tu fais attention à ta ligne, tu ne commandes jamais de dessert et à chaque fois que le mien arrive, direct tu te jettes sur ma petite cuillère et tu lui bouffes le nez. Bon... déjà, ça se fait pas. Même si tu connais forcément la réponse, tu pourrais me demander la permission, ne serait-ce que pour me donner l'illusion que j'existe un peu. En plus, la pointe, c'est ce qu'il y a de meilleur dans les gâteaux. Surtout chez les tartes au citron, les cheesecakes et les flans qui sont, comme tu le sais ou comme tu l'as peut-être su un jour, mes trois desserts préférés.

Donc, voilà, tu pourras dire à tes potes : "Vous vous rendez compte ? Après tout ce que j'ai fait pour lui, ce connard me quitte pour un bout de tarte !" parce que ce sera la vérité. Mais précise quand même que c'était la pointe. Les gourmands apprécieront.

La dernière chose, et c'est la plus importante je crois, je m'en vais parce que je n'aime pas la façon dont tu te comportes avec mes parents. Dieu sait que je ne te les ai pas imposés souvent pourtant. Combien de fois leur avons-nous rendu visite depuis que nous sommes ensemble ? Deux ? Trois fois ? Peu importe, je préfère ne pas m'en souvenir, ça me rendrait trop merdeux.

Je le sais, qu'ils sont moins cultivés que les tiens. Moins intelligents, moins beaux, moins intéressants. Que c'est un peu petit chez moi et qu'il y a beaucoup de napperons et de bouquets de fleurs séchées, mais tu vois, c'est exactement comme pour les fautes d'orthographe, ça... Ça ne dit rien d'eux. Rien d'important en tout cas. Les broderies, le camping-car au fond du jardin et les masques vénitiens, ça nous renseigne sur leur mauvais goût, c'est clair, mais ça ne dit rien de qui ils sont. De leur tolérance et de leur gentillesse. OK, ma mère est moins classe que la tienne, OK, elle ne sait pas qui est Glenn Gould, OK, elle confond toujours Monet et Manet et a peur de conduire dans Paris, mais quand tu as daigné venir la voir, Mélanie, elle est allée chez le coiffeur pour te faire honneur. Je ne sais pas si tu t'en es rendu compte, mais moi, si, et à chaque fois, je... à chaque fois, ça m'a... je ne sais pas... ça m'a pincé le cœur. Cette espèce de côté ancillaire qu'elle a avec toi parce que tu es mince et élégante, et que tu es aimée de son fils, et que... et que c'est con, mais que tout ça te donne une aura extraordinaire... Pour mon père, elle ne va jamais chez le coiffeur, mais pour toi, pour te témoigner son respect, si, oui, elle se fait belle... Et tu ne peux pas savoir comme ça m'émeut. Toi pas, hein ? Toi tu manges du bout des lèvres et tu rebiques du nez à chaque fois que tes nobles quinquets se posent sur leurs petits bibelots en coquillages ou leur Encyclopedia Universalis rangée dans le bon ordre et jamais ouverte, mais tu sais, moi... moi, quand j'étais gamin... je n'ai jamais vu ma mère prendre du bon temps ou aller faire les boutiques avec ses copines parce que mes grands-parents vivaient chez nous et qu'elle s'en occupait non-stop. Et quand ça a été fini avec eux, quand elle n'a plus eu à leur couper les cheveux ou les ongles et à leur donner tous les jours des montagnes de patates, de haricots ou de je ne sais quoi encore à éplucher pour leur faire croire qu'ils étaient encore utiles, quand elle a été enfin tranquille parce qu'ils étaient enfin au cimetière, tac, les enfants de ma sœur ont pris leur place. Et tu sais quoi ? Je ne l'ai jamais entendue se plaindre. Jamais. Je l'ai toujours vue gaie. Tu te rends compte de ça ?

Toujours joyeuse... T'imagines la force et le courage qu'il faut dans une vie pour que ces deux mots aillent ensemble chez une même personne pendant toute une vie ? Putain, mais si c'est pas le summum de la classe, ça ! Je vais t'avouer un truc, Mélanie : entre la gaieté de ma mère et tes Variations Goldberg jouées par ton Gould, je ne vois aucune différence. C'est le même génie. Et cette femme, là, cette reine, cette reine des gens, à chaque fois qu'elle m'appelle, elle me demande de tes nouvelles et... et parfois, je mens, tu sais... Parfois, avant de raccrocher, je dis : "Mélanie t'embrasse" ou "Mélanie vous embrasse" et... euh... je n'ai plus envie de mentir, voilà. »

STOP (le bouton rouge).

Wouhaaaaaa...

Je sors la tête de l'eau et m'ébroue comme font les jolis garçons dans les piscines olympiques.

Hé ? Je l'ai bien traversée, là, non ?

Elles sont où, ces petites bêcheuses du club Balou ? Elles sont encore là ? Elles m'ont vu, au moins ?

Dix, l'autre rive

Tu parles d'un exploit...

Je rembobine un chouille pour vérifier que mon plan démoniark niark niark a bien fonctionné, je fais un test et qu'est-ce que j'entends ? Une voix de canard constipé qui parle d'un camping-car...

Oh, mon Dieu. Je me coupe la chique immédiatement.

C'est consternant.

Je suis consterné.

Halala... Que c'est difficile d'être soi quand soi ne vous inspire pas. Que c'est difficile...

Il est trois heures et quart. J'ai encore besoin d'un café.

Je rince ma tasse, je lève la tête et, tiens, je le vois, là, mon reflet, je le vois...

Je le regarde.

Je pense à Isaac, je pense à Alice, je pense à Gabrielle, je pense à Schubert, à Sophia Loren, au popotin de Jacqueline et à son mur des consolations.

Je pense aux Justes et je pense à mes parents.

Je pense à mon boulot, à ma vie, à mes tickets-restaurant, à mon confort, à ma sécurité, à la notion d'engagement, à ma notion d'engagement, au fric, au blé, à l'argent, à la thune, au pognon, à mes avantages, à mes collègues, à mon chef, à leurs promesses et à mon contrat de travail à durée indéterminée.

Indéterminée... Comment un mot aussi lâche a-t-il pu prendre autant de valeur ?

Comment ?

Puis je regarde ce jouet posé sur la table qui est devenu comme une bombe à retardement et je baisse de nouveau la tête.

Je n'aime pas l'idée de faire de la peine à Mélanie.

Je ne l'aime plus assez pour continuer à jouer la comédie du gentil petit couple, mais j'aime trop les gens pour prendre le risque de blesser l'un d'entre eux, fût-il, fût-elle, celle qui me scalpe mes films, mes desserts et mon enfance.

Oui. Même elle.

Que c'est dur d'être méchant quand on est gentil. Que c'est dur de quitter quelqu'un. Que c'est dur de se rassembler comme il faut, de se mettre en rang et de se parler d'une seule voix quand on n'aime pas l'autorité.

Que c'est dur de s'accorder assez d'importance pour décider unilatéralement de changer la vie d'un autre être humain et que c'est pathétique, d'employer le mot « unilatéralement » à vingt-six ans dans la cuisine du petit appartement bourgeois de la vieille tante de sa copine absente à cause de son taf à trois plombes du matin.

Bon.
J'ai un petit coup de mou, là…
Qu'est-ce que je fais ?
Qu'est-ce que je fais de ma vie ?
Qu'est-ce que je fais de mes Wouf-Houf ?

Ah, putain… Ça fait chier.
Et en plus, ça me rend grossier.
Ah, fichtre… Ça me contrarie.

Résumons : ce qu'il faut, c'est être égoïste. Au moins un peu égoïste. Sinon tu ne vis pas vraiment et à la fin, tu meurs quand même.
Eh oui…

Allez, mon Yannou. Courage. Sors ta bite et ton couteau, là.
Si tu ne le fais pas pour toi, fais-le pour tes cheesecakes.

OK mais, question toute bête : comment fait-on pour être égoïste quand on ne l'est pas ? Quand on a été élevé dans un monde où l'autre comptait plus que soi ? Et face à un océan, en plus ? Il faut se forcer, c'est ça ? J'ai beau essayer de me raccrocher à cette notion de toutes mes forces : Moi, Moi, Moi, Mon moi, Ma vie, Mon bonheur, Mon nid, je n'arrive pas à la saisir. Elle ne m'intéresse pas. C'est comme la queue du Mickey : je levais le bras pour rassurer ma mère, mais j'en voulais pas en vrai. Je la trouvais moche.

Tête baissée, mâchoires crispées, épaules rentrées, bras croisés, poitrine fermée, je réfléchis.

Je suis entièrement recroquevillé sur moi-même, de l'extérieur, rien ne perce, j'entends les battements de mon cœur, je respire lentement et j'essaye de ne pas me faire baiser par la fatigue et la complaisance qui se sont évidemment invitées à ce dérisoire sommet.

Je pense.

Je pense à Isaac.

Je ne vois que lui, Isaac Moïse, qui puisse me conduire d'une rive à l'autre. Je me rappelle son visage, ses histoires, ses silences, ses regards, ses ricanements de faune ou de pucelle, sa mauvaise foi, son égoïsme, sa générosité, ce prétexte débile de l'étiquette tout à l'heure et cette façon qu'il avait eue de m'attraper par le poignet à un moment où j'en avais tellement besoin.

Je me rappelle sa phrase sur la politesse et le ton sur lequel il l'avait prononcée. Cette douceur... cette douceur et cette cruauté... et je m'y agrippe de toutes mes forces.

Je m'y cramponne parce que c'est la seule certitude que j'arrive encore à sauver de ce merdier, la seule. Oui, si, je suis celui-là : je suis poli.

Et parce que je suis poli, je finis par me déplier et me libérer enfin de moi-même et j'appuie une dernière fois sur le bouton bleu avant de déposer le petit magnéto de Misia dans le bas du frigo.

Que Mélanie ne soit pas contrainte de se taper ma zik d'ado boutonneux en plus de ma veulerie. Mon *Paradise Circus* et mon *Unfinished Sympathy*.

Et pendant que ma vieille bande enregistre le son du froid, je rassemble mes affaires.

*
* *

Mon sac de marin est prêt. Linge propre, linge sale, chaussures, rasoir, livres, ordi, amplis, tout tient.

Ou de l'avantage de ne s'aimer point...

Je récupère l'appareil et j'appuie enfin sur la touche EJECT.

Le compartiment s'ouvre dans un bruit de tenailles. Tchac. Plus de fers.

J'écris son prénom sur la cassette et la dépose sur son oreiller.

Oh et puis non... Sur la table de la cuisine.

À défaut d'être grand, restons décent.

*
* *

J'oublie ma clef, je claque la porte et je monte au quatrième.

Je pose ma maison à mes pieds, je boutonne mon caban, je sors mes gants, je m'assieds et je retrouve mon mur.

Je m'y abandonne.

J'attends qu'Alice ou Isaac ouvre leur porte.

Il faut que je leur rende le jouet de la petite et que je leur pose une dernière question.

Onze, l'horizon

Je m'appelle Yann, André, Marie Carcarec, je suis né à Saint-Brieuc, j'aurai vingt-sept ans dans quelques mois, je mesure 1,82 m, j'ai les cheveux bruns, les yeux bleus, je n'ai pas de casier judiciaire et aucun signe particulier.

J'ai été un enfant sans histoires, un premier communiant sage comme une image, la mascotte de mon club d'optimistes, un lycéen tranquille, un bachelier bien reçu, un étudiant sérieux, un cœur d'artichaut en amour et un amoureux fidèle.

J'avais trouvé un boulot à défaut d'avoir eu une passion ou le goût d'un métier, je venais de signer un contrat à durée indéterminée qui m'aurait permis de commencer à m'endetter un peu pour pouvoir m'endetter davantage un peu plus tard et je sortais avec une fille issue d'un milieu beaucoup plus raffiné que le mien. Une fille qui m'a montré les bonnes choses de la bourgeoisie et ses limites aussi. Qui m'aura dégrossi, je le reconnais, mais qui m'aura conforté à son insu dans ma bonne grosse bauge crasse de petit-fils de patron de pêche. Qui m'aura permis de prendre conscience que l'on se tenait beaucoup moins bien dans ma famille que dans la sienne, mais que l'on s'y comportait mieux. Qu'on y mettait moins les formes, mais que la chaîne était plus longue et l'ancre plus sûre. Et qu'on n'y disait pas autant de mal des autres. Que les autres nous obsédaient moins. Peut-être parce qu'on était trop bêtas pour voir plus loin que le bout de notre nez ou peut-être parce qu'au bout de notre nez justement, il y avait l'horizon.

Peut-être que cette ligne, là, que ce trait infini entre le ciel et la mer depuis la nuit des temps, ça vous façonnait des êtres humains moins arrogants...

Peut-être... Je ne sais pas... J'ai sûrement tort de généraliser, mais enfin... son père se gourait toujours de prénom quand il me serrait la pince, un coup c'était Yvan, un coup c'était Yvon, un coup c'était Erwann, à la longue, ça devenait douteux.

Elle, sa fille, je l'ai aimée. Sur ma vie, je l'ai aimée. Mais je ne comprenais plus ce qu'elle espérait. Je la décevais, elle me décevait. Nous n'osions pas nous l'avouer mais nos corps étaient moins courtois que nous et se disaient des choses dans l'intimité. Son odeur, son goût, son haleine, sa transpiration, tout se liguait contre moi. Tout avait changé pour me désarçonner. Et j'imagine que la réciproque était vraie pour elle aussi. Que le savon, le dentifrice et l'*Eau sauvage* ne masquaient pas toujours mes embarras.

Non, je ne l'imagine pas, je le sais.

Je l'ai su.

Hier soir, j'étais seul. Je devais aller au cinéma, mais il y avait un meuble posé en travers de mon palier. Il appartenait à des voisins que je connaissais à peine. Des gens qui habitaient deux étages plus haut. Un couple avec deux petites filles. Je leur ai proposé de les aider à le transporter jusque dans leur appartement et je suis resté avec eux jusqu'aux premières heures du lendemain.

Le lendemain, c'est-à-dire ce matin, j'ai pris un TGV dans lequel j'ai dormi pendant toute la durée du trajet puis un autocar. Une heure plus tard, je suis descendu sur une petite place bordée de platanes et je suis entré dans un café. Un qui m'inspirait et qui devait servir de consolante à des tas de parties de pétanque à la belle saison. Mon canon bu, j'ai sorti un bout de papier de ma poche et l'ai montré à la ronde afin que l'on m'indiquât la direction à prendre et la route où tendre mon bras.

On s'en empara, on le commenta, on s'y mit à plusieurs et on le froissa au passage.

On aurait dit une sorte de carte. Une carte au trésor avec une croix du sud dessinée au milieu. Quand j'ai remercié, on m'a répondu ou plutôt on m'a rétorqué « Avec plaisir ». Et j'ai sursauté.

Je n'ai pas attendu très longtemps. Un jeune type m'a pris dans sa camionnette. Il était maçon. Il construisait des piscines, mais là c'était la morte-saison alors il réparait des caveaux à la place. Le pouce et l'index dressés, il visait des corbeaux au loin et les descendait à coups d'onomatopées. Quand il se roulait une cigarette, il coinçait le volant entre ses genoux et accélérait pour « stabiliser le véhicule ». Il allait être papa. Ce soir ça se trouvait. 'Taing, qu'il répétait, 'taing, ça devenait périlleux, là...

Je souriais. Tout ce qu'il disait m'enchantait. J'aimais sa voix, son accent, sa faconde. Son côté

Al Pacino des garrigues. Il devait avoir mon âge, il avait déjà une camionnette avec son nom et son prénom écrits dessus, des charges sociales et une famille. Tout cela était très exotique.

Il m'a déposé à un embranchement. Il était désolé de me refuser ce détour, mais, té, la faute au pitchoune... C'était tout là-bas, derrière cette colline. Je pouvais suivre la route, mais j'irais plus vite en coupant à travers champs. Je l'ai remercié. J'étais soulagé de devoir marcher. J'avais le trac. Je me disais que le poids de mon sac multiplié par le nombre de foulées finirait par me détendre.

Et ce n'était qu'une supposition parmi les milliers d'autres qui me brouillaient la vue.

Je cogitais, je marchais, j'échafaudais.

J'imaginais des dialogues et des répliques et j'avançais de plus en plus vite pour essayer de semer mes objections.

Mon sac me sciait l'épaule. Il y avait une sorte de maisonnette en pierre au bord de la route. La porte était facile à ouvrir. J'y ai déposé mes livres.

Je reviendrai.

Personne ne vole jamais les livres.

J'ai reconnu la maison. C'était la même que sur mon bout de papier. J'ai laissé mon sac à l'extérieur devant l'un des piliers du portail, je suis entré dans une cour et me suis dirigé vers la partie la plus coquette de cet ensemble de bâtiments. Là où il y avait des bottes devant la porte et des rideaux aux fenêtres. J'ai toqué. Pas de réponse. Un peu plus fort. Toujours personne.

Damned. Plus de trésor.

J'ai regardé autour de moi. J'essayais de comprendre où j'étais, comment tout ça s'imbriquait et ce que je fichais dans ce trou. C'était confus.

Finalement, la porte s'est ouverte dans mon dos. Je me suis retourné avec un grand sourire en guise de bouquet de fleurs. Hélas, il s'est fané en cours de route.

Merde, je ne m'y attendais pas du tout.

Elle en était déjà là ?

Du menton, elle m'a indiqué un hangar. Si je ne le trouvais pas, je n'aurais qu'à aller au bout du chemin et chercher une silhouette dans les coteaux.

— Une silhouette ou un chien ! Si vous tenez la queue d'un chien, c'est que le bonhomme n'est pas loin !

Elle, elle se marrait.

Je m'étais déjà éloigné de trois pas quand elle a ajouté :

— Rappelez-lui que Tom a entraînement à six heures ! Il comprendra ! Merci !

J'étais troublé. Moi qui suis si attentif aux gens, je serais incapable de vous la décrire. De raconter son visage, sa tenue ou la couleur de ses cheveux. La seule chose d'elle dont je me souvenais, c'était ce que j'avais désespérément cherché à éviter du regard : une paire de béquilles.

Douze, la terre ferme

Qu'est-ce que j'espérais au juste ?
Je ne sais pas…
Quelque chose qui eût plus de gueule…

Une scène.
Une belle scène.
Comme dans un film ou dans un livre.

Une lumière, un ciel en majesté et un homme debout.

Oui, voilà : un homme debout avec une… euh… un genre de sécateur à la main.

Et même un orchestre, pendant que j'y étais. Les trompettes de *Star Wars*, *La Chevauchée des Walkyries* ou je ne sais quelle connerie.

Au lieu de ça, je me tenais sur le seuil d'un hangar éclairé au néon avec un chien qui me reniflait les parties et les postillons des *Grosses Têtes* en fond sonore.

Bien joué, mon Yannou, bien joué…

Hé, c'est pas un chameau, ta vie, c'est un gros bâtard !

J'avais beau plisser les yeux, je ne voyais que dalle.

— Il y a quelqu'un ?

Au-dessus du capot d'un tracteur (j'ignore si les tracteurs ont des capots et je ne suis pas sûr que l'engin en question fût un tracteur), une silhouette hirsute s'est redressée en jurant.

— 'Jour, qu'il a grogné, vous êtes le gars des assurances, c'est ça ? Parker ! Au pied, bon Dieu !

Misère.

Euh... On peut la refaire sans le clebs, là ?

Il m'a dévisagé. On sentait qu'il avait un doute. Pour un agent Groupama, j'étais un peu débraillé comme garçon, non ?

Comme je ne répondais rien, il a fini par me tourner le dos :

— Je peux vous aider ?

Et là...

Là, je me suis envolé :

— Non, je lui ai répondu, non. Vous, non, mais moi, oui... Moi, je suis venu pour ça. Pour vous aider. Pardon. Bonjour. Je m'appelle Yann. Je... euh... (il s'était retourné) hier soir, j'ai rencontré Isaac Moïse. Il m'a invité à dîner et comme on buvait votre vin, il m'a parlé de vous. Il m'a raconté votre histoire et le... la maladie de votre épouse et... et tout ça. Il m'a dit que vous n'y croyiez plus, que vous étiez fatigué, que vous aviez décidé de vendre votre exploitation et que... (il me dévisageait à présent et moi je regardais ailleurs pour ne pas flancher, je comptais les taches de cambouis sur sa cote) et... et non. Vous n'allez pas vendre. Vous n'allez pas vendre parce que j'ai quitté mon boulot pour vous. Mon boulot, ma vie, ma copine, tout... Enfin, non... pas pour vous, pour moi, et je... le... Les Moïse me prêtent leur maison jusqu'à l'été, j'ai deux bras, deux jambes, mes vaccins sont à jour, je suis breton, j'ai la tête dure, je n'y connais rien en vin, mais j'apprendrai. J'apprends vite quand ça m'intéresse. Et puis j'ai le permis. Je peux faire des conduites. Je peux faire les courses. Je peux m'occuper des repas. Je peux emmener Tom à son entraînement tout à l'heure, si vous voulez. Je peux faire tout ce que votre... tout ce qu'Ariane faisait et qu'elle ne peut plus assurer pour le moment. Et puis mes parents vont vous aider aussi. Mon père était expert-comptable, aujourd'hui il est à la retraite mais il calcule toujours aussi vite et il vous aidera du mieux qu'il pourra, j'en suis sûr. En plus, ma mère et lui font partie d'une espèce de club de vieux qui sillonnent l'Europe en camping-car et au moment des vendanges, ils viendront tous, vous verrez... Eux et leurs potes anglais, italiens, hollandais et toute la clique. Et je peux vous garantir que ça va dépoter, que ces gens-là ne compteront pas leur peine pour vous, qu'ils seront fiers, même ! Il ne faut pas vendre, Pierre... C'est trop beau ce que vous avez fait jusque-là... Il ne faut pas baisser les bras.

Silence.
Silence de plomb.
Silence de merde.
Silence sépulcral sous les néons blafards.

Le gaillard me fixait droit dans les yeux. Son visage ne trahissait aucune émotion. Me prenait-il pour un dingue ? Avait-il jeté l'éponge depuis longtemps ? Avait-il déjà signé quelque chose ? Aurait-il préféré que je sois assureur ? liquidateur ? clerc de notaire ? Cherchait-il une réplique bien cinglante pour me renvoyer d'où je venais ?

Était-il en train d'affûter ses mots pour me rappeler comme il faut l'outrecuidance et la vanité de ma ridicule posture de petit bobo parisien mal dans sa peau et en quête de bio-aventure ?

Était-il sourd ? Était-il bête ? Euh... était-il le patron ? Était-il Pierre Cavanès ? Connaissait-il seulement mes voisins de palier ? Était-il un employé agricole ? Ou un réparateur de tracteurs, peut-être ?

Comprenait-il le français ?

Youhou, noble indigène, toi comprendre ce que moi à toi dire ?

Ça durait des plombes. 'Taing, ça devenait périlleux, là, comme aurait dit mon ami maçon. Je ne savais plus si je devais avancer d'un pas ou repartir en courant.

Le problème, c'est que je n'avais pas du tout envie de m'en aller. Je venais de trop loin et j'avais fait trop de chemin depuis la veille. Je ne pouvais pas.

Les néons nasillaient, le poste crachotait, le chien comptait les points et moi, j'attendais. J'avais toujours son étiquette à la main et je suivais les instructions de mon ami Isaac : je divertissais le destin.

J'étais grotesque ? La situation était grotesque ? Tant pis. Tant pis pour moi. Je voulais bien me faire latter encore une fois, mais je n'abandonnerais pas mon nid. Pas déjà. Plus maintenant.

J'en avais plein le dos d'être poli. Ça ne payait pas.

— Hé bé... a-t-il fini par me demander, vous en avez bu tant que ça ?

Son visage semblait toujours aussi impassible, mais une once, un friselis chantant de goguenardise s'était acoquiné au point d'interrogation.

J'ai souri.

Il m'a observé encore un moment avant de s'intéresser de nouveau à son moteur.

— Alors comme ça, c'est Moïse qui vous envoie...
— Lui-même.

Silence. Long silence.
Grosses Têtes.
Malaise.

Au bout de... je ne sais pas... dix, quinze, vingt minutes peut-être, il a levé la tête et m'a indiqué le volant du regard :
— Vas-y. Démarre pour voir.

Et j'ai démarré.
Pour voir.

11142

Composition
NORD COMPO

Achevé d'imprimer en Espagne
par CPI IBERICA
le 2 avril 2018

1er dépôt légal dans la collection : avril 2015
EAN 9782290115015
OTP L21EPLN001850G014

ÉDITIONS J'AI LU
87, quai Panhard-et-Levassor, 75013 Paris

Diffusion France et étranger : Flammarion